RÉPERTOIRE INTERNATIONAL DES SOURCES MUSICALES

RÉPERTOIRE INTERNATIONAL
DES SOURCES MUSICALES

Publié par la
Société Internationale de Musicologie et
l'Association Internationale des Bibliothèques, Archives
et Centres de Documentation Musicaux

*

INTERNATIONALES
QUELLENLEXIKON DER MUSIK

Herausgegeben von der
Internationalen Gesellschaft für Musikwissenschaft und
der Internationalen Vereinigung der Musikbibliotheken,
Musikarchive und Musikdokumentationszentren

*

INTERNATIONAL INVENTORY
OF MUSICAL SOURCES

Published by the
International Musicological Society
and the International Association of Music Libraries,
Archives and Documentation Centres

B III⁴

THE THEORY OF MUSIC

VOLUME IV

MANUSCRIPTS
FROM THE CAROLINGIAN ERA UP TO c. 1500
IN GREAT BRITAIN AND
IN THE UNITED STATES OF AMERICA

DESCRIPTIVE CATALOGUE

PART I: GREAT BRITAIN
BY
CHRISTIAN MEYER

PART II: UNITED STATES OF AMERIKA
BY
MICHEL HUGLO AND NANCY C. PHILLIPS

G. HENLE VERLAG MÜNCHEN

Ouvrage préparé avec l'aide de l'UNESCO,
du Centre National de la Recherche Scientifique,
de la Bibliothèque nationale,
de la Ford Foundation,
de la Stiftung Volkswagenwerk,
et sous les auspices du Conseil International de la Philosophie
et des Sciences Humaines

Im G. Henle Verlag erscheinen alle Teile und Bände des RISM,
die geschlossene Quellengruppen umfassen (Serie B)

Im Bärenreiter Verlag erscheinen alle Teile und Bände des RISM,
die den alphabetischen Autorenkatalog umfassen (Serie A),
ebenso Serie C (Directory of Music Research Libraries).

TABLE DES MATIÈRES

CATALOGUE

Part I: Great Britain (GB)

Part II:
United States of America (USA)

Appendice
Manuscrits non localisés (1990)

olim Camarillo (CA), St. John's Seminary, The Estelle Doheny Collection
MS 6809 (conservé actuellement en Norvège, Collection Martin Schøyen).

olim Malibu (CA), The J. Paul Getty Museum, MS Ludwig XII 1 (Phillipps
16278) (lieu de conservation actuel non identifié).

olim New York (NY), Kraus [*olim* Gutenzell, Törring 57] (conservé actuellement
à Paris, Collection privée de Mr. S.).

PRÉFACE

Partie I

Les principes rédactionnels observés pour ce quatrième volume de la série B III, suivent dans l'ensemble ceux qui avaient guidé la rédaction du précédent volume. Rappelons que la date limite de 1400 était apparue trop étroite et qu'il nous avait semblé judicieux de la repousser jusque vers 1500. Comme dans le précédent volume de lecteur trouvera exceptionnellement la description de manuscrits plus récents. Il s'agit d'une part de quelques sources qui s'inscrivent dans la tradition de l'enseignement de la musique de la fin du XVᵉ siècle (par exemple GB-Lbl Add. 4911 ou Add. 4920) et d'autre part de quelques copies tardives de sources médiévales (en particulier quelques copies effectuées au XVIIIᵉ s.: cf. GB-Lbl Add. 4909, 4912, 4915).

Comme dans le précédent volume, nous avons écarté les copies du *De institutione musica* de Boèce lorsque celles-ci apparaissaient isolément ou dans un contexte quadrivial sans autre traité de musique. Il en va de même pour les textes sur la musique d'auteurs comme Censorinus, saint Augustin, Martianus Capella ou encore Calcidius, Cassiodore ou Isidore. Le lecteur se reportera pour ces textes aux catalogues établis par C. Bower, Leonardi ou Römer. Il en va de même pour la lettre à Dardanus du pseudo-Jérôme (cf. GB-Cccc 198, f. 133r, GB-Lbl Royal 8.C.III, f. 2r) ou les extraits de la Musique de St. Augustin de GB-Lbl Royal 4.B.X, f. 69v), enfin les textes relatifs à la musique apparaissant dans des ouvrages à caractère encyclopédique.

Les analyses codicologiques et les descriptions des contenus littéraires présentent un degré d'exhaustivité que nous avons voulu maintenir à l'égal de celui du volume B III/3. Le lecteur trouvera ainsi les indications codicologiques essentielles concernant à la fois les éléments matériels (nature du support, dimensions, structure des cahiers, types d'écriture, changements de mains, notations musicales, décoration ...), et l'histoire du manuscrit (datation, origine, provenance, histoire récente). De même que seuls les contenus de théorie musicale font l'objet d'une description minutieuse (le contexte est décrit plus sommairement), les indications bibliographiques ne visent à l'exhaustivité que dans le domaine des études musicologiques consacrées à ces sources. Différentes études ont cependant été signalées dans la mesure où elles concernent l'histoire du manuscrit.

En associant les collections de manuscrits conservés en Grande-Bretagne et aux Etats-Unis d'Amérique, ce volume présente au premier abord un aspect moins homogène que le précédent. Les sources conservées dans les bibliothèques de Grande-Bretagne – et plus encore celles des bibliothèques américaines – présentent en effet un fonds dont l'éclectisme est notamment lié à la constitution récente des lieux de conservation aux USA et à l'enrichissement protéiforme, depuis le XVIIIᵉ siècle, des collections de l'actuelle British Library et de la Bodleian Library à Oxford. Ainsi, près de la moitié des sources conservées à la British Library, et dont l'origine a pu être établie, sont d'origine continentale, italienne, française ou germanique.

Parmi les manuscrits d'origine allemande il convient de signaler en particulier GB-Lbl Arundel 77 (XIᵉ s.) qui associe, comme tant de sources de même origine, le *De institutione musica* de Boèce et la *Musica enchiriadis*. Signalons encore, dans cette même collection, le ms. Arundel 339 (XIIᵉ s.) qui provient de l'abbaye de Kastl, non loin de Ratisbonne, et contient les textes de Guy d'Arezzo et diverses mesures. De même, Obl Lyell 57, provenant de Tegernsee et qui comporte un extrait de Reginon ainsi qu'une mesure de monocorde, doit être rapproché de D-Mbs Clm 23577. Parmi les sources du Haut Moyen Age, Lbl Add. 34200, dont Coussemaker a procuré naguère une édition quasiment intégrale, provient de St. Maximin de Trèves. Enfin la copie du traité de plein-chant «Expedit et consonum» (Lbl Arundel 299 [vers 1491]) apporte un nouveau témoin de ce traité dont les sources allemandes donnent plusieurs versions (cf. D-Do Ms. 880, D-E 496, D-Mbs Clm 18932, D-Tü Mc 48 ou encore D-W 696 Helmst.).

Deux des manuscrits d'origine italienne conservés à la British Library proviennent de la collection de Franchino Gaffurio. Il s'agit de la *Declaratio musicae disciplinae* de Ugolino Urbevetano (Add. 33519) et de la traduction des trois livres des *Harmoniques* de Ptolémée (Harley 3306). D'autre part, la collection de textes du IXᵉ siècle (*Musica* et *Scolica enchiriadis*, Hucbald, Aurélien de Réomé) du manuscrit Obl Canonici Misc. 212 (vers 1400) témoigne peut-être de l'intérêt que l'humanisme naissant pouvait porter à l'étude des auteurs du Haut Moyen Age.

Les sources d'origine française sont moins caractéristiques. Il convient néanmoins de signaler le ms Osjc 150, l'un des plus anciens témoins des traités de Guy d'Arezzo, originaire du Sud de la France. Signalons également le petit recueil Obl Rawl. C 270, originaire du Nord-Ouest de la France (fin du XIᵉ siècle – ou du Sud Est de l'Angleterre selon Klaus Jürgen Sachs), réunissant des mesures de monocorde et de tuyaux d'orgue ainsi que des opuscules consacrés au plainchant.

Ces quelques remarques sur la constitution des collections britanniques appellent enfin quelques observations plus précises sur la physionomie des sources anglaises. On constatera tout d'abord leur relative rareté, en comparaison des sources continentales, en particulier des sources allemandes. D'autre part, c'est l'extrême originalité de la tradition anglaise qui retient l'attention.

Des grands textes de l'époque carolingienne et post-carolingienne, les sources anglaises ne transmettent qu'un seul témoin, celui de la *Musica et Scolica enchiriadis* (Cccc 260, Xe s./2, de Canterbury). Les autres textes, à l'exception du dialogue attribué à Odon ou d'un traité un peu plus tardif comme le Prologue de Bernon, ne sont transmis qu'à l'état d'extraits: ainsi Obc 173A (début de XIIe s.) et Osjc 188 (fin du XIIIe s.) contiennent sensiblement les mêmes extraits de la *Musica disciplina* d'Aurélien de Réomé (ch. I et II, début; ch. VI, début) auxquels Obc 173A ajoute encore le début du ch. VIII et le ch. XX. Ces mêmes manuscrits, auxquels il faut ajouter Ctc R.15.22., transmettent un bref commentaire sur l'ambitus des autentes et des plagaux qui avait servi de glose dans la *Musica* de Hucbald avant d'être incorporé au texte même de ce traité (GS I, p. 116a, l. 1–6; un manuscrit plus ancien, originaire de Canterbury, Cu Gg.v.35 [XIe s.], en donne un extrait plus large).

Avec cinq manuscrits, la tradition des traités de Guy d'Arezzo est plus consistante (le manuscrit le plus ancien étant Obc 173A), alors que les sources anglaises ignorent le *De musica* de Jean d'Afflighem (sauf Lbl Cotton Vespas. A II, qui contient les douze premiers chapitres de ce traité). Le *Micrologus* a d'ailleurs donné lieu, au XIIIe s., à un important commentaire, le *Metrologus*, dont la tradition manuscrite rend l'origine anglaise indiscutable (Lbl Arundel 130, Lansdowne 763, LIcl 229, Obl Bodley 515).

Trois des sources anglaises les plus anciennes peuvent être rapprochées si l'on considère la tradition des traités du Haut Moyen Age: Obc 173A (début du XIIe s.), Ctc R.15.22 (dernier quart du XIIe s.), Osjc 188 (fin du XIIIe s.). Ces recueils contiennent, tous les trois, l'ensemble des traités de Guy d'Arezzo, la glose sur Hucbald, le petit traité sur les intervalles «Diapason quid est?», le *Prologue* de Bernon (ou un extrait), enfin la nomenclature du grand système parfait. La parenté entre les deux derniers manuscrits (Ctc et Osjc) se trouve encore renforcée par la présence, dans l'une et l'autre source, d'une série de petits textes: le bref traité sur les huit tons «Omnes autenti», la nomenclature des tétracordes et celle des modes (qui se suivent dans le même ordre), enfin les mesures de tuyaux d'orgue et de monocorde.

L'originalité de la tradition anglaise se concrétise, vers la fin du XIIIe siècle, avec la *Summa de speculatione musice* de Walter Odington (Cccc 410). Les sources du XIVe et du XVe siècles traduisent bien la singularité des écrits théoriques et techniques anglais sur la musique. Une observation négative tout d'abord: les sources anglaises ne transmettent quasiment aucun des grands textes fondateurs de l'Ars nova ou de ses précurseurs. Elles ignorent ainsi par exemple Francon de Cologne, qui est pourtant cité par Simon Tunstede et longuement exposé par Robert de Handlo au XIVe siècle, puis par John Hanboys au siècle suivant. La transmission des écrits de Jean de Murs est par ailleurs particulièrement lacunaire et relativement tardive: trois copies du *Libellus* (Cccc 410, Lbl Add 10336, Llp 466), trois de la *Notitia* (Ctc R.14.26, Obl Bodley 77 et Bodley 300), enfin deux seulement de la *Musica speculativa* (Obl Bodley 77 et Bodley 300). L'absence, quasiment, de ce dernier traité, suggère que la lecture et le commentaire de Boèce s'est probablement maintenu plus longtemps que sur le continent où, notamment dans les jeunes universités de l'espace germanique, le lecture de la *Musica speculativa* s'était substituée à celle du *De institutione musica*.

Il est inoportun d'esquisser ici les traits saillants des traités d'origine anglaise. Signalons toutefois deux petits textes qui complètent le tableau des grandes sommes bien connues, notamment le bref texte «De sinemenis» (Lbl Cotton Tib.B.IX et Royal 12.C.VI) dont J. Herlinger a récemment souligné l'origine anglaise, et le petit traité sur les intervalles «Musica docet de numero sonoro» transmis par quatre sources (Cmc Pepys 1236, Lbl Add. 18752, Add. 32622 et Harley 866) et qui semble s'inscrire dans le cadre de l'enseignement de la musique dite spéculative.

Pour terminer, nous adressons nos remerciements aux Bibliothécaires des diverses institutions qui ont mis à notre disposition les manuscrits décrits dans ce volume. Nous remercions en particulier MM. Bruce Barker-Benfield (Oxford, Bodleian Library), Roger C. Norris (Durham, The Dean and Chapter Library) et David Weston (Glasgow) pour les expertises codicologiques et la documentation bibliographique qu'ils ont mises à notre disposition. Nous sommes tout particulièrement reconnaissant à Mme. Catherine Harbor et à M. Adrian J. Basset d'avoir assuré la description partielle ou totale de certaines sources. Nos remerciements vont aussi à M. Michael Bernhard (Académie des Sciences à Munich, Musikhistorische Kommission) pour les observations dont il nous a fait part, ainsi qu'à M. Gilbert Reaney d'avoir accepté de relire les épreuves de cette partie du présente volume. Nous tenons enfin à exprimer toute notre gratitude au Centre National de la Recherche Scientifique (C.N.R.S.) et au British Council, enfin tout particulièrement à nos collègues de la section de musicologie de l'Institut de Recherche et d'Histoire des Textes (C.N.R.S./I.R.H.T., Orléans).

Août 1990   CHRISTIAN MEYER

Partie II

La seconde partie de ce volume consacrée aux manuscrits de théorie musicale conservés aux États-Unis forme un complément indivisible de la première partie concernant les manuscrits de la Grande-Bretagne. En effet, sur le lot de 46 manuscrits ou fragments présentés ici, cinq sont d'origine anglaise et neuf autres sont parvenus dans les bibliothèques des États-Unis par le truchement des collections britanniques, notamment celle de Sir Thomas Phillipps à Cheltenham. La vente par Kraus en 1979 de la Final Selection de la célèbre collection de Middle Hill et surtout l'acquisition de la collection Ludwig par le J. Paul Getty Museum en 1983, marquent à l'Ouest comme à l'Est des États-Unis la fin d'une ère de lente stabilisation du mouvement des manuscrits qui, des collections particulières sont désormais fixées dans des institutions publiques, Universités ou Musées. En effet, depuis la première recension des manuscrits médiévaux conservés aux États-Unis par Seymour de Ricci et W.H. Wilson, juste avant la seconde guerre mondiale, on a pu constater que les quatre collections les plus importantes de New York avaient été léguées à des Universités: celle de George A. Plimpton à Columbia; celles de Robert Garrett et de Grenville Kane à Princeton et enfin celle de Philip Hofer à Harvard. Cette dernière collection riche en manuscrits et en incunables rejoignait ainsi les collections léguées à la Houghton Library par le Comte Paul Riant (1899) et par William King Richardson (1951). Sur la côte Ouest, la fabuleuse collection que Robert B. Honeyman Jr., à San Juan Capistrano, CA., centrée sur les ouvrages scientifiques, manuscrits ou imprimés, a été dispersée en 1979 par Sotheby, Parke, Bernet & Co. Cependant, par un étrange concours de circonstances – *habent fata sua libelli* – le remarquable manuscrit anglais consacré au *Quadrivium* que Zeitlin et Ver Brugge avaient cédé à Honeyman en 1955 et que Peter et Irène Ludwig avaient racheté en 1979, est revenu sur les côtes du Pacifique en 1983, lorsque le Musée J. Paul Getty se porta acquéreur des 142 manuscrits de la célèbre collection allemande. Ce manuscrit de la collection Phillipps contient de nombreuses mesures de monocorde. Il fait partie aujourd'hui d'une collection riche en Livres d'Heures, psautiers et sacramentaires et d'un ancient manuscrit des *Institutiones* de Cassiodore.

Le présent catalogue comprend un petit nombre de manuscrits qui ne figurent pas dans le *Census* de Seymour de Ricci; d'autre part, plusieurs manuscrits décrits dans le *Census* ont changé de mains. D'autres manuscrits avec des écrits sur la théorie musicale, Boèce, Cassiodore, Isidore, figurent dans les bibliothèques des États-Unis, mais suivant les conventions adoptées au début de la Série III, les sources de l'Antiquité tardive et du Haut Moyen Age ne sont pas inventoriées. Cependant, ont été retenus les manuscrits qui font des additions au texte des anciens auteurs au cours du IXe siècle et après. Il arrive parfois qu'un manuscrit ne contient pas les textes annoncés dans la description du *Census*: par exemple, le Boèce de Princeton, décrit comme témoin de l'Arithmetica, Musica et Geometria ne retient en fait que l'Arithmetica. Le Boèce de la Newberry à Chicago est suivi d'un tonaire. Pour la recherche des textes théoriques, il fallait examiner antiphonaires et graduels: ainsi, un exemplaire du tonaire dominicain relativement rare dans les manuscrits des Prêcheurs, a été découvert dans un antiphonaire de la Free Library, Philadelphia, et une copie récente d'un ancien tonaire a été décelée dans un bréviaire noté de la Bibliothèque du Congrès, Washington.

Aucun écrit sur la Musique du IXe ou du Xe siècle n'a été remarqué jusqu'ici dans les bibliothèques des États-Unis sauf Gerbert de Reims dont le scholion sur Boèce, *Musica* II 10 et II 21, figure dans un manuscrit de New York. Pour les siècles suivants, on compte un témoin du «Dialogue sur la Musique» attribué à Odon de Cluny par le manuscrit de Rochester; trois manuscrits des écrits de Guy d'Arezzo et deux «mains guidoniennes» sur feuillets isolés provenant non pas des suites du démembrement d'un codex, mais d'un tableau prévu pour l'enseignement scolaire. Aribon est représenté ici par un manuscrit et Jean Cotton par un libellus provenant d'Anvers. On compte quatre manuscrits de Bernon de Reichenau et un de la *Musica* d'Hermann Contract; deux manuscrits de Guillaume d'Hirsau et enfin un de Frutolf de Michelsberg. Pour cette même période, nous avons relevé une douzaine de mesures de monocorde en partie inédites, des mesures de tuyaux d'orgue, des mesures de cloches et enfin une mesure de vielle.

Le XIIIe siècle est représenté ici par un manuscrit de Jean de Garlande et par Barthelémy d'Angleville dont le *De proprietatibus rerum* s'achève par un exposé sur les instruments de musique, tributaire d'Isidore de Séville et par un chapitre sur les consonances musicales. Les bibliothèques des États-Unis conservent au moins cinq manuscrits de cette Encyclopédie' en latin et deux manuscrits de la traduction anglaise de John of Trevisa.

Le XIVe et le XVe siècles sont beaucoup mieux représentés avec un manuscrit de Philippe de Vitry, cinq de Jean de Murs, deux de son disciple Pierre de Saint-Denis et deux de Marchetto de Padoue. Pour la description du petit manuel parisien qui contient trois traités de l'*Ars nova*, dont un serait peut-être de Jean Vaillant, notre tâche a été grandement facilitée grâce à l'édition intégrale du manuscrit réalisée par Oliver B. Ellsworth pour la collection *Greek and Latin Music Theory*, dirigée par Thomas J. Mathiesen. Outre ces traités et l'opuscule sur les genres musicaux citant en exemple des compositions de Guillaume de Machaut, édité en 1974 par Martin Staehelin d'après un manuscrit de l'Université de Pennsylvanie, il faut remarquer trois petits traités inédits dans les manuscrits que nous présentons ici et enfin un intéressant traité de facture d'orgue et de clavicorde fort peu connu, de la seconde moitié du XVe siècle.

De l'extrême fin du XVe siècle, il faut mentionner un petit manuel de musique mesurée, écrit de la main de Franchino Gaffurio vers 1480 soit quelques années avant la *Practica musicae*.

Pour la description matérielle des manuscrits, nous avons suivi les normes adoptées pour le volume précédent B III 3, rappelées au début du présent volume. Nous avons veillé à distinguer origine et provenance. Pour les nombreux traités scientifiques qui précèdent ou accompagnent les traités musicaux, nous avons relevé les titres des œuvres et l'incipit des textes, sauf quand ces indications figuraient déjà dans les catalogues ou publications que nous signalons dans la bibliographie.

Les visites préalables à la rédaction de ce catalogue ont été réalisées grâce aux subventions accordées par la NSF (Washington DC), par le CNRS (Paris) et par le RISM. Nous remercions en même temps les Curators de manuscrits, les Librarians, voire les collègues américains qui ont répondu à notre enquête écrite ou orale préalable. Un témoignage de gratitude tout particulier doit être adressé aux responsables de collections qui nous ont reçu dans des circonstances inhabituelles et qui ont mis leurs manuscrits à notre disposition: la direction de la Newberry Library à Chicago, Lilian C. Randall, Curator des manuscrits de la Walters Art Gallery à Baltimore, ML.; Rebecca Baltzer (University of Texas at Austin); Calvin M. Bower (University of Notre Dame, IN); Marilyn Bressler et Mary L. Robertson (San Marino, CA., The Huntington Library); Rodney G. Dennis (Cambridge, MA., The Houghton Library); John A. Emerson (Berkeley, CA., University of California, Music Library); Louise Goldberg (Rochester, NY., Sibley Music Library); Consuelo W. Dutschke et Thomas Kren (J. Paul Getty Museum); Thomas J. Mathiesen (Provo, UT., Brigham Young University); Francis Newton (Durham, NC., Duke University); Jeremy Noble (Buffalo, NY.); Richard Pachelle (New York, Union Theological Seminary); Elizabeth Pajerski (New York, Pierpont Morgan Library) et Patrick M. de Winter (Cleveland, OH., The Cleveland Museum of Art); Craig M. Wright (Yale University); et enfin Jeremy Yudkin (Boston University).

Août 1990   MICHEL HUGLO ET NANCY C. PHILLIPS

PREFACE

Part I

The editorial principles observed in this fourth volume of RISM B III generally follow the principles which guided the editing of the preceding volume: here, as in RISM B III/3, a terminal date of 1400 (which seemed too early) is changed to 1500, and the reader will occasionally find that manuscripts are included which are considerably later in date. Thus several manuscripts that were copied towards the end of the 15th century are included because they transmit an earlier stage of musical theory (cf. GB-Lbl Add. 4911 or Add. 4920), and the reader will occasionally find 18th-century copies (cf. GB-Lbl Add. 4909, 4912, and 4915).

As in the preceding volume many late Latin writings on music have been omitted. Copies of the Boethius *De institutione musica* have been excluded when they occur alone or in a quadrivial context without other treatises on music. Similarly, the writings on music of Censorinus, Augustine, Martianus Capella, Calcidius, Cassiodorus, and Isidore are also excluded. For all of these texts the reader can use the catalogues of Calvin M. Bower, Claudio Leonardi, Erich Römer, etc. Also omitted are texts like the letter to Dardanus by Pseudo-Jerome (GB-Cccc 198, fol. 133r, or GB-Lbl Royal 8.C.III, fol. 2r), the extracts from Augustine on music (GB-Lbl Royal 4.B.X, fol. 69v.) and all texts on music presented in an encyclopedic context.

The quantity of information in the codicological analyses and in the description of the contents of the texts corresponds to that found in RISM B III/3. The reader will therefore find codicological data on the physical characteristics of the manuscript (writing materials, page dimensions, organization of the gatherings, types of script, changes of hand, musical notations, decorations, etc.) as well as data on the history of the manuscript (dating, origin, provenance, recent history).

Only the contents of the texts on music theory are described in great detail; their contexts are described more summarily. Similarly, only the bibliography related to musicological studies on the texts is given in detail, although certain works pertaining to the history of the manuscript are occasionally cited.

*

This volume obviously presents a less homogeneous collection of texts than does

RISM B III/3, in part because its contents are devoted to the manuscripts found in the libraries not only of Great Britain, but also of the United States. To a greater degree, however, this eclecticism results from the date and manner in which the contents of these libraries were assembled: the private collections and libraries of the USA were not formed until the 19th and 20th centuries, and the collections in the British Library and the Bodleian Library have been significantly enlarged since the 18th century. Many of these manuscripts came from a variety of continental regions; indeed almost half of the manuscripts in the British Library for which the origin can be identified are from Italy, France, or Germany.

Among the manuscripts of German origin in British libraries are Lbl Arundel 77 (11th c.) which joins – like so many other sources of that origin – the Boethius *De institutione musica* and *Musica enchiriadis*. Also found in the same collection is Arundel 339 (12th c.) from the abbey of Kastl not far from Regensburg; it contains the treatises of Guido of Arezzo and a variety of monochord divisions. Similarly, Obl Lyell 57 from Tegernsee, which contains an extract of Regino as well as a monochord division, is related to D-Mbs Clm 23577. Among the manuscripts from the early medieval period is Lbl Add. 34200 which comes from St. Maximin of Trier: Coussemaker made a nearly complete edition of this manuscript. Finally, Arundel 299, copied ca. 1491, contains the chant treatise "Expedit et consonum", a treatise which is widely found in German sources (cf. D-Do 880, D-E 496, D-Mbs Clm 18932, D-Tu Mc 48, and D-W 696 Helmst.).

Two of the Italian Renaissance manuscripts in the British Library come from the collection of Franchinus Gaffurius: Add. 33519 which contains the treatise *Declaratio musicae disciplinae* of Ugolino of Orvieto, and Harley 3306 which contains a translation of Ptolemy's *Harmonics*. On the other hand, the collection of 9th-century treatises (*Musica* and *Scolica enchiriadis*, Hucbald, Aurelian of Réôme) in Obl Canonici Misc. 212 (copied ca. 1400) may reflect the Renaissance interest in the Carolingian writers.

The manuscripts of French origin are less well represented in the British libraries. Osjc 150, from south France, is among the oldest copies of the treatises of Guido of Arezzo. The origin of the little collection of treatises in Obl Rawl. C 270 has been placed in northeast France by some scholars, and in southeast England by Klaus-Jürgen Sachs; this manuscript contains monochord and pipe divisions as well as some short tracts on chant.

In respect to the contents of the manuscripts believed to have been copied by British scribes or in British scriptoria, there are two related aspects that will be briefly touched upon below. The first is the relative rarity of treatises by English authors when compared to the number of continental authors, particularly German. The second aspect concerns the presence of texts found only in manuscripts in British libraries.

Among the important continental treatises of the Carolingian and post-Carolingian eras, the British manuscripts include a complete English copy of *Musica* and *Scolica enchiriadis* in Cccc 260, 10th c./2, from Canterbury. Other treatises include the dialogue attributed to Odo and the Prologue of Berno. Many continental treatises and authors are, however, represented in several collections of extracts that were copied in England. Thus Obc 173A from the beginning of the 12th century, and Osjc 188, end of 13th century, essentially contain the same excerpts of *Musica disciplina* of Aurelian of Réôme: Chapter I, and the beginnings of Chapters II and VI, to which Obc 173A adds Chapters VIII and XX. Some of the above manuscripts and Ctc 944 (R 15 22) also contain a widely copied sentence which was first used to gloss and later incorporated into the text of the *Musica* of Hucbald (GS I, p. 116a, 11.1–6. An older copy of the Hucbald treatise is found in an 11th-century manuscript from Canterbury, Cu Gg v 35.).

There are five manuscripts of the treatises of Guido of Arezzo, some of which were copied in England. The English collections, however, do not contain a complete copy of the works of John of Afflighem, but Lbl Cotton Vespas. A II contains the first twelve chapters of this treatise. Guido's *Micrologus* was the subject of an important commentary, the *Metrologus*; its British manuscript tradition provides inarguable proof of its British origin (Lbl Arundel 130, Lansdowne 763, Llcl 229, Obl Bodley 515).

The three English collections of extracts that were mentioned earlier in respect to the treatise of Aurelian of Réôme are closely related to one another; this is made evident by an analysis of their contents. Obc 173A, beginning of 12th century, Ctc 944 (R 15 22), last quarter of 12th century, and Osjc 188, end of 13th century, all contain the treatises of Guido, the gloss on Hucbald, a little tract on the intervals "Diapason quid est?", the *Prologue* of Berno (or sometimes an extract), and finally the nomenclature of the Greater Perfect System. The relationship between the last two manuscripts (Ctc and Osjc) is further reinforced by the presence in both manuscripts of another series of little treatises including "Omnes autenti", (on the eight tones), the nomenclature of the tetrachords and the modes (which follow each other in the same order), and by pipe and monochord divisions.

The individuality of the British text traditions becomes especially evident towards the end of the 13th century beginning with the unicum, *Summa de speculatione musice*, of Walter Odington (Cccc 410). The manuscripts of the 14th and 15th centuries continue to demonstrate this individuality. The English sources as they have come down to us include almost none of the important texts on the Ars nova or its precursors. They do not include, for example, a complete copy of the writings of Franco of Cologne, who, however, is cited by Simon Tunstede and later discussed at length by Robert de Handlo in the 14th century, and by John Hanboys in the following century. The writings of Jehan de Murs are poorly transmitted, with many omissions in these relatively late copies: three copies of the *Libellus* (Cccc 410, Lbl Add. 10336, Llp 466), three of the *Notitia* (Ctc R 1426, Obl Bodley 77 and Bodley 300), and finally, two copies of the *Musica speculativa* (Obl Bodley 77 and Bodley 300). The almost complete absence of this last treatise may suggest that study of Boethius *Musica* was maintained longer in Britain than on the continent where the reading of the *Musica speculativa* was often substituted for that of the *De institutione musica* in the recently founded German universities.

All the unusual characteristics of the British collections of writings on music cannot be described here, but two treatises do deserve special notice. First, there is a little tract "De sinemenis" (Lbl Cotton Tib. B.IX and Royal 12.C.VI) whose English origin has recently been emphasized by Jan Herlinger, and second, a tract on the intervals, "Musica docet de numero sonoro", transmitted by four manuscripts (Cmc Pepys 1236, Lbl Add. 18752, Add. 32622, and Harley 866). This second tract might have been written for the instruction of *Musica speculativa*.

In conclusion, I would like to thank the librarians of the many institutions which have placed at my disposition the manuscripts described in this volume. In particular, I would like to thank Bruce Barker-Benfield (Oxford, Bodley Library), Roger C. Norris (Durham), and David Weston (Glasgow) for their codicological advice and the bibliographic information they have provided to me. I am particulary in debt to Catherine Harbor and to Adrian J. Basset for having provided the partial or total description of certain manuscripts. My thanks are due also to Michael Bernhard of the Musikhistorische Kommission der Bayerischen Akademie der Wissenschaften for the observations which he contributed and to Gilbert Reaney for his proof-reading of the first part of this volume. I would like also to express my gratitude to the Centre National de la Recherche Scientifique (CNRS), the British Council, and finally, to the musicology section of the Institut de Recherche et d'Histoire des Textes (CNRS/IRHT, Orléans).

August 1990   CHRISTIAN MEYER

Part II

The second portion of this volume is devoted to the manuscripts of musical theory preserved in the United States. It follows most fittingly the catalogue of the manuscripts of Great Britain, for – of the 46 manuscripts of fragments presented here – at least five are of English origin, and nine others came to libraries in the United States by way of English collections, most notably that of Sir Thomas Phillipps of Cheltenham. Kraus' sale in 1979 of the "Final Selection" of this famous collection from Middle Hill, and the aquisition of the Ludwig collection in 1983 by the J. Paul Getty Museum is typical of an era in which manuscripts formerly in private collections have been placed in public or semi-public institutions. Indeed, after Seymour de Ricci and W.H. Wilson had completed their *Census* of manuscripts in the United States (1935–1937), the four most important private collections in New York were placed in university libraries: the George Plimpton collection at Columbia University, those of Robert Garrett and Grenville Kane at Princeton, and finally that of Philip Hofer at Harvard. The Hofer collection joins two other major collections given to Harvard by Count Paul Riant in 1899 and by William King Richardson in 1951. On the west coast of the United States the interesting scientific collection of Robert B. Honeyman, Jr. at San Juan Capistrano was sold in 1979 by Sotheby, Parke, Bernet and Co. By a strange coincidence – *habent fata sua libelli* – a remarkable English manuscript with texts on the *quadrivium* that Zeitlin and Ver Brugge had sold to Honeyman in 1955, and which Peter and Irene Ludwig then purchased in 1979 at the dispersal of the Honeyman collection, returned to the west coast in 1983 when the J. Paul Getty Museum acquired the Ludwig collection of 142 manuscripts. This English manuscript, itself formerly a part of the Phillipps collection, contains several tracts on the measurement of monochords. It is now a part of a collection largely devoted to illuminated manuscripts, among them books of hours, sacramentaries, psalters, and an important ninth-century copy of the Cassiodorus *Institutiones*.

The present catalogue includes a number of manuscripts not found in the De Ricci *Census*, and many of those described in the *Census* have since changed hands. There are other manuscripts with writings on musical theory in the libraries of the United States – Boethius, Cassiodorus, Isidore, and so on – but according to the conventions adopted at the beginning of the Series III, late Latin sources were not to be inventoried. Nonetheless, these manuscripts were examined for additions made during the ninth or later centuries. A few of these proved to be something other than their description implied: the Boethius "Arithmetica, Musica, Geometrica" at Princeton, for example, contains only the Boethius *Arithmetica*. The Boethius *Musica* at The Newberry Library was, on the other hand, followed by a tonary. Similarly, antiphonaries and graduals wherever possible were examined for additional theoretical matter; thus a copy of the relatively rare Dominican tonary was found in an antiphonary at the Free Library in Philadelphia, and a late copy of an early tonary was found in a notated breviary in the Library of Congress in Washington.

No writers on music from the ninth and tenth centuries are represented in the libraries of the United States except for Gerbert of Reims whose glosses on the Boethius *Musica* II 10 and II 21 appear in a manuscript in New York City. There is also a manuscript containing the dialogue on music once attributed to Odo of Cluny. Beginning with Berno of Reichenau and Guido of Arezzo in the eleventh century, however, more numerous writings on musical theory are to be found. There are three copies of works of Guido and two "Guidonian" hands on single folios that apparently were diagrams used in classroom instruction, not fragments of manuscripts. Aribo is represented by one manuscript, and John of Afflighem by a libellus from Anvers. There are four manuscripts or fragments of Berno, and one of the *Musica* of Hermannus Contractus, two manuscripts of William of Hirsau and one of Frutolf of Michelsberg. For this same period we have identified about a dozen monochord divisions (some of which have never been edited), and in addition, some measures of organ pipes, one of cymbala, and even a measure for the vielle.

The thirteenth century is represented by John of Garland and Bartholomeus Anglicus whose treatise *De proprietatibus rerum* concludes with a discussion of musical instruments largely derived from Isidore. Libraries in the United States contain five copies of the English translation by John of Trevisa. From the fourteenth and fifteenth centuries one finds a manuscript of Philippe de Vitry, five of Johannes de Muris, two of his disciple Peter of St. Denis, and two of Marchetto of Padua. A little manual from Paris that is now at Berkeley contains three important *Ars nova* treatises, including one possibly by Jean Vaillant; the description of this manuscript was facilitated by Oliver Ellsworth's edition in the collection *Greek and Latin Music Theory* edited by Thomas J. Mathiesen. In addition there is a tract on musical forms citing the compositions of Machaut that has been edited by Martin Staehelin from a manuscript in the University of Pennsylvania, and four short tracts that have never been edited, including a late fifteenth-century German treatise on the construction of the organ and clavichord. From the same period we have also included a little manual on measured music in the hand of Gaffurius, written ca. 1480, prior to his *Practica musicae*.

For the technical description of these manuscripts we have adopted the norms given in the preface to RISM B III/3 and in the first portion of this volume. Thus we have attempted to distinguish between origin and provenance of the manuscripts, and to provide the titles and incipits of the treatises from other disciplines which often accompany the musical treatises, unless that matter is too extensive and a thorough description is available in a source cited in the bibliography of the manuscript.

Preface

The visits to the libraries and museums of the United States was greatly facilitated by grants from the National Science Foundation (Washington, D.C.), the Centre National de la Recherche Scientifique (Paris), and the International Inventory of Musical Sources (RISM). We would like to thank all those who have helped us in so many other ways, the curators and librarians, and the colleagues who patiently answered our letters. But special thanks are due to certain people who gave so freely of their time or who made the manuscripts available to us in unusual circumstances: the staff of The Newberry Library; Rebecca Baltzer of the University of Texas; Lillian Randall of the Walters Art Gallery, Baltimore; Marilyn Bressler and Mary L. Robertson, The Huntington Library, San Marino, CA; Rodney G. Dennis, The Houghton Library, Cambridge, MA; John A. Emerson, Music Library, University of California-Berkeley; Louise Goldberg, Sibley Music Library, Rochester, NY; Consuelo W. Dutschke and Thomas Kren, The J. Paul Getty Museum, Malibu, CA; Thomas J. Mathiesen, Brigham Young University, Provo, UT; Francis Newton, Duke University, Durham, NC; Jeremy Noble, Buffalo, NY; Richard Pachelle, Union Theological Seminary, New York; Elizabeth Pajerski, The Pierpont Morgan Library, New York; Patrick M. de Winter, Cleveland Museum of Art, Cleveland, OH; Craig M. Wright, Yale University; and Jeremy Yudkin, Boston University.

August 1990   MICHEL HUGLO AND NANCY C. PHILLIPS

VORWORT

Teil I

Die Richtlinien für diesen vierten Band von RISM B III entsprechen im allgemeinen denen des vorhergegangenen Bandes: Hier wie auch in RISM B III/3 ist die chronologische Obergrenze von 1400 zu 1500 verschoben worden, da uns 1400 als zu früh erschien. Der Leser wird darüber hinaus gelegentlich Handschriften aufgenommen finden, die erheblich später zu datieren sind. Infolgedessen wurden einige Manuskripte aufgenommen, die gegen Ende des 15. Jahrhunderts entstanden sind, weil sie ein früheres Stadium an Musiktheorie übermitteln (z.B. GB-Lbl Add. 4911 oder Add. 4920); es sind verschiedentlich auch Abschriften aus dem 18. Jahrhundert enthalten (etwa GB-Lbl Add. 4909, 4912, 4915).

Wie im vorausgehenden Band wurden viele spätantike Texte zur Musik weggelassen. Abschriften von Boethius *De institutione musica* wurden nicht aufgenommen, wenn sie allein oder im Zusammenhang mit anderen Texten zum Quadrivium in Handschriften enthalten sind. Ebenso sind die Schriften zur Musik von Censorinus, Augustinus, Martianus Capella, Calcidius, Cassiodor und Isidor weggefallen. Für alle diese Texte sei auf die Kataloge von Calvin M. Bower, Claudio Leonardi, Erich Römer usw. verwiesen. Nicht berücksichtigt wurden außerdem Texte wie der Brief des Pseudo-Hieronymus an Dardanus (GB-Cccc 198, fol. 133r oder GB-Lbl Royal 8. C. III, fol. 2r), Auszüge aus Augustinus' Musik (GB-Lbl Royal 4.B.X, fol. 69v) sowie Schriften zur Musik, die in enzyklopädischem Kontext stehen. Die Informationsmenge bei kodikologischen Beschreibungen und Inhaltsaufnahmen entspricht denen von RISM B III/3. Zu finden sind Angaben zur Beschaffenheit des Beschreibstoffes, zu den Maßen der Blätter, zur Lagenanordnung, den Schrifttypen, zu Wechsel der Schreiberhände, zur Notenschrift, zum Buchschmuck etc., außerdem zu Datierung, Ursprung und Provenienz sowie zur weiteren Geschichte der Handschriften.

Nur der musiktheoretische Inhalt wird detailliert aufgeschlüsselt, sonstige Texte werden nur im Überblick behandelt. Ebenso wird nur musikwissenschaftliche Literatur zu den Texten ausführlich aufgeführt, verschiedentlich werden jedoch auch bestimmte Studien zur Geschichte der Handschriften zitiert.

*

Dieser Band stellt eine weniger geschlossene und einheitliche Sammlung von Texten vor als RISM B III/3. Dies ist zum einen darauf zurückzuführen, daß nicht

27*

nur die in Großbritannien aufbewahrten Handschriften, sondern auch diejenigen in den Vereinigten Staaten beschrieben werden. Zum andern, und dies ist die Hauptursache, resultiert die Zusammensetzung des Vorhandenen sowohl aus dem Zeitpunkt als auch aus der Art und Weise wie die Sammlungen und Bibliotheken entstanden sind: Die privaten Sammlungen in den USA wurden erst im 19. und 20. Jahrhundert aufgebaut, die Bestände der British Library und der Bodleian Library wurden seit dem 18. Jahrhundert wesentlich erweitert. Viele der dazuerworbenen Manuskripte kamen vom Kontinent nach England, und zwar aus den verschiedensten Ländern; annähernd die Hälfte der Handschriften der British Library stammt aus Italien, Frankreich oder Deutschland, soweit die Herkunft zu bestimmen ist.

Zu den deutschen Handschriften in britischen Bibliotheken gehört Lbl Arundel 77 (11. Jh.), in der sowohl Boethius' *De institutione musica* als auch die *Musica enchiriadis* enthalten sind, eine Zusammenstellung, die in vielen Manuskripten aus Deutschland zu finden ist. Zum selben Bestand zählt Arundel 339 (12. Jh.) aus der Benediktinerabtei Kastl in der Nähe von Regensburg; diese Handschrift enthält die Traktate von Guido von Arezzo sowie eine Anzahl von Monochordmensuren. Obl Lyell 57 aus Tegernsee, das einen Auszug aus Regino von Prüm sowie eine Monochordmensur enthält, hat Ähnlichkeit mit D-Mbs Clm 23577. Unter die hochmittelalterlichen Manuskripte ist Lbl Add. 34200 aus St. Maximin in Trier zu rechnen, das Coussemaker nahezu vollständig ediert hat. Arundel 299 schließlich, entstanden ca. 1491, enthält den Choraltraktat „Expedit et consonum", der in deutschen Quellen (in Parallelfassungen) weit verbreitet ist (z.B. D-Do 880, D-E 496, D-Mbs Clm 18932, D-Tu Mc 48 und D-W 696 Helmst.).

Zwei Handschriften aus der Zeit der italienischen Renaissance in der British Library waren einst im Besitz von Franchinus Gaffurius: Add. 33519, das Ugolino von Orvietos *Declaratio musicae disciplinae* enthält, sowie Harley 3306 mit einer Übersetzung von Ptolemäus' *Harmonik*. Das Interesse der Renaissancezeit an Autoren der karolingischen Epoche offenbart sich an einer Zusammenstellung von Traktaten aus dem 9. Jahrhundert (*Musica* und *Scolica enchiriadis*, Hucbald, Aurelianus Reomensis) in Obl Canonici Misc. 212 (um 1400). Weniger gut vertreten sind in britischen Bibliotheken Handschriften französischen Ursprungs. Osjc 150 aus Südfrankreich ist eine der ältesten Abschriften der Traktate Guidos von Arezzo. Uneinigkeit herrscht über die Herkunft der kleinen Sammlung von Traktaten in Obl Rawl. C 270 (Monochord- und Pfeifenmensuren, daneben einige kurze Choraltraktate): einigen Forschern zufolge kommt sie aus dem Nordosten Frankreichs, während andere, unter ihnen Klaus-Jürgen Sachs, ihre Entstehung in Südostengland vermuten.

Zwei zusammenhängende, hier lediglich konstatierte Beobachtungen lassen sich bei Handschriften machen, von denen anzunehmen ist, daß sie von englischen Kopisten oder in englischen Scriptorien geschrieben wurden: Erstens sind hierbei, verglichen mit der Anzahl kontinentaler, speziell deutscher Traktate, relativ wenige Texte englischer Autoren enthalten, und zweitens ist die besonders geartete englische Überlieferung hervorzuheben.

Unter den wichtigen Traktaten vom Kontinent aus karolingischer und nachkarolingischer Zeit findet sich eine vollständige in England entstandene Abschrift der *Musica* und *Scolica enchiriadis* in Cccc 260 (2. Hälfte 10. Jh.) aus Canterbury. Vollständig überliefert sind außerdem der Odo zugeschriebene Dialog oder der *Prologus* des Berno. Viele festländische Traktate und Theoretiker hingegen sind in diversen Sammlungen nur mit Auszügen vertreten, die in England abgeschrieben wurden. So enthalten Obc 173A vom Anfang des 12. Jahrhunderts und Osjc 188 (Ende 13. Jh.) hauptsächlich bestimmte Auszüge aus der *Musica disciplina* des Aurelianus Reomensis, nämlich Kapitel I, außerdem die Anfänge der Kapitel II und VI, in Obc 173A zusätzlich die Kapitel VIII und XX. In diesen Handschriften, dazu noch in Ctc 944 (R 15 22) findet sich eine weit verbreitete Textstelle, die zuvor als Glosse zu Hucbalds *Musica* existierte (GS I, S. 116a, Z.1–6), später in diesen Text integriert wurde. (Eine ältere Abschrift von Hucbalds Traktat ist in einem Manuskript des 11. Jahrhunderts aus Canterbury, in Cu Gg v 35 enthalten.)

Mit fünf Manuskripten ist die englische Überlieferung der Traktate Guidos von Arezzo umfangreicher. Hingegen findet man nicht ein einziges vollständiges Exemplar von Johannes Afflighemensis' *De musica* in englischen Bibliotheken. Lediglich Lbl Cotton Vespas. A II enthält die ersten zwölf Kapitel dieses Traktats. Zu Guidos *Micrologus* entstand ein bedeutender Kommentar, der *Metrologus*; seine Überlieferung in England beweist zweifelsfrei seine englische Herkunft (Lbl Arundel 130, Lansdowne 763, LIcl 229, Obl Bodley 515).

Die drei oben mit Bezug auf Aurelian erwähnten englischen Sammlungen von Auszügen weisen enge Verbindungen untereinander auf, was sich anhand einer Aufschlüsselung des Inhalts klärt. Obc 173 A vom Anfang des 12. Jahrhunderts, Ctc 944 (R 15 22) aus dem letzten Viertel des 12. Jahrhunderts und Osjc 188 vom Ende des 13. Jahrhunderts enthalten alle Guidos Traktate, die (oben erwähnte) Glosse zu Hucbald, eine kurze Abhandlung zur Intervallehre „Diapason quid est?", teils vollständig, teils auszugsweise den Berno-*Prologus*, und schließlich noch die Tonnamen des griechischen Systema teleion. Die Zusammenhänge zwischen den beiden letztgenannten Manuskripten (Ctc und Osjc) sind noch enger durch eine Reihe weiterer kleiner Traktate, darunter „Omnes autenti" (ein Text über die acht Kirchentöne), die Bezeichnungen für die Tetrachorde und die Modi, die jeweils in derselben Reihenfolge wiedergegeben sind, sowie Pfeifen- und Monochordmensuren.

Die Eigenständigkeit der englischen Überlieferung wird besonders offenkundig gegen Ende des 13. Jahrhunderts, beginnend mit der nur einmal überliefer-

29*

ten *Summa de speculatione musice* von Walter Odington (Cccc 410). Diese Tendenz zur Eigenständigkeit setzt sich in den Handschriften des 14. und 15. Jahrhunderts fort. Der heute vorliegende englische Quellenbestand enthält so gut wie keinen der wichtigen Traktate zur Ars nova oder deren Vorläufer. So fehlt beispielsweise eine vollständige Abschrift Francos von Köln, den Simon Tunstede zitiert und der später umfassend von Robert de Handlo im 14. sowie von John Hanboys im 15. Jahrhundert kommentiert wird. Die Überlieferung für Johannes de Muris ist dürftig, relativ spät und unvollständig: Drei Abschriften des *Libellus* (Cccc 410, Lbl Add. 10336, Llp 466), drei Exemplare der *Notitia* (Ctc R 1426, Obl Bodley 77 und Bodley 300) und schließlich nur zwei Abschriften der *Musica speculativa* (Obl Bodley 77 und Bodley 300) liegen vor. Das weitgehende Fehlen dieses letzten Traktates legt die Vermutung nahe, daß in England das Studium von Boethius' *Musica* noch zu einem Zeitpunkt betrieben wurde, zu dem auf dem Kontinent, vornehmlich in den damals neu gegründeten Universitäten Deutschlands, die Lektüre von *De institutione musica* durch die *Musica speculativa* ersetzt war. Hier ist nicht der Platz, alle vom sonstigen Gebrauch abweichenden Besonderheiten englischer Sammlungen zur Musiktheorie zu beschreiben, aber zwei Traktate verdienen noch, besonders erwähnt zu werden: Zunächst eine kurze Abhandlung „De sinemenis" (Lbl Cotton Tib. B.IX und Royal 12.C.VI), für dessen englischen Ursprung sich Jan Herlinger jüngst ausgesprochen hat, sodann ein Traktat zur Intervallehre – „Musica docet de numero sonoro" –, der in vier Manuskripten überliefert ist (Cmc Pepys 1236, Lbl Add. 18752, Add. 32622 und Harley 866). Dieser zweite Text mag für den Unterricht in der *Musica speculativa* geschrieben sein.

Abschließend möchte ich den Bibliothekaren der vielen Institutionen danken, die mir die Handschriften zur Verfügung gestellt haben, die im vorliegenden Band behandelt werden. Mein besonderer Dank gilt Bruce Barker-Benfield (Oxford, Bodleian Library), Roger C. Norris (Durham) und David Weston (Glasgow) für ihre Unterstützung in handschriftenkundlichen Fragen sowie für bibliographische Hinweise. Dank schulde ich ganz besonders Catherine Harbor und Adrian J. Basset, die mir teilweise oder vollständige Beschreibungen von bestimmten Manuskripten überließen. Zu danken habe ich Michael Bernhard von der Musikhistorischen Kommission der Bayerischen Akademie der Wissenschaften für eine Reihe von Beobachtungen, die er beigetragen hat und auch Herrn Gilbert Reaney für seine Durchsicht der Korrekturfahnen von Teil I dieses Bandes. Dank sagen möchte ich auch dem Centre National de la Recherche Scientifique (CNRS), dem British Council und schließlich der musikwissenschaftlichen Abteilung des Institut de Recherche et d'Histoire des Textes (CNRS/IRHT, Orléans).

August 1990   CHRISTIAN MEYER

Teil II

Der zweite Teil dieses Bandes ist denjenigen Handschriften mit mittelalterlicher Theorie gewidmet, die sich in den Vereinigten Staaten befinden. Es liegt nahe, die Beschreibung der Manuskripte aus den USA dem Katalog der Handschriften aus Großbritannien anzuschließen, weil von den 46 hier vorgestellten Handschriften oder Fragmenten fünf englischen Ursprungs sind, und weil neun weitere auf dem Weg über englische Sammlungen in die USA gelangt sind, wobei vor allem Manuskripte aus dem Besitz von Sir Thomas Phillipps aus Middle Hill, Cheltenham, zu nennen sind. Der Verkauf der „Final Selection" dieser berühmten Bibliothek aus Middle Hill durch Kraus im Jahr 1979 sowie der Erwerb der Sammlung Ludwig durch das J. Paul Getty Museum im Jahr 1983 sind typische Beispiele für heute zu beobachtende Handschriftenbewegungen aus privatem Besitz in öffentliche oder halböffentliche Institutionen. Seit Seymour de Ricci und W.H. Wilson ihren *Census of Medieval and Renaissance Manuscripts in the United States and Canada* (1935–1937) vorgelegt haben, gingen die vier bedeutendsten Privatsammlungen aus New York in Universitätsbibliotheken über: Die Sammlung von Georg Plimpton an die Columbia Universität, diejenigen von Robert Garrett und Grenville Kane nach Princeton; Philip Hofers Handschriften befinden sich heute in Harvard und wurden dort mit zwei weiteren großen ehemals privaten Beständen zusammengeführt, nämlich mit denen von Count Paul Riant und William King Richardson, die Harvard 1899 bzw. 1951 erhielt. An der Westküste der Vereinigten Staaten wurde die bedeutende wissenschaftliche Bibliothek von Robert B. Honeyman jr. (San Juan Capistrano, Kalifornien) 1979 durch Sotheby, Parke, Bernet und Co. verkauft und dabei aufgeteilt. Durch einen glücklichen Zufall – *habent fata sua libelli* – kam eine wichtige englische Handschrift mit Texten zum *Quadrivium* an die Westküste zurück: Dieses Manuskript, das einst zu Thomas Phillipps' Bibliothek gehörte, hatten Zeitlin und Ver Brugge 1955 an Honeyman verkauft, aus dessen Besitz es 1979 an Peter und Irene Ludwig überging. Seit 1983, als das J. Paul Getty Museum die Sammlung Ludwig mit 142 Handschriften aufkaufte, befindet sich dieses Manuskript, das an Musiktheorie mehrere Monochordmensuren enthält, wieder in Kalifornien. Jetzt ist es Teil eines reichen Bestandes an illuminierten Handschriften, unter denen sich Stundenbücher, Sakramentarien, Psalterien und eine bedeutende Abschrift von Cassiodors *Institutiones* aus dem 9. Jahrhundert befinden.

Der vorliegende Band enthält eine Reihe von Handschriften, die im *Census* von Seymour De Ricci und W.H. Wilson fehlen. Außerdem sind viele der dort beschriebenen Manuskripte mittlerweile in anderen Besitz übergegangen. In amerikanischen Bibliotheken existieren über die hier verzeichneten Quellen hinaus auch Handschriften mit spätantiken Texten (Boethius, Cassiodor, Isidor usw.). Die Richtlinien für die Reihe III von RISM schließen jedoch eine Aufnahme derartiger Quellen aus, es sei denn, sie enthalten zusätzlich Texte aus dem 9. oder späteren Jahrhunderten. In einigen Fällen deckt sich der Inhalt von Handschriften nicht mit der Beschreibung im *Census*: Demnach soll beispielsweise die Boethius-Handschrift in Princeton die Arithmetik, die Musik und Geometrie enthalten, tatsächlich ist dort nur die Arithmetik überliefert. Umgekehrt findet sich in der Boethius-Handschrift der Newberry Library im Anschluß an die Musik noch ein Tonar. Auf Musiktheorie hin untersucht wurden außerdem Antiphonarien und Gradualien wo immer dies möglich war. Auf diese Weise fand sich eine Abschrift des vergleichsweise seltenen Dominikaner-Tonars in einem Antiphonar der Free Library in Philadelphia, außerdem eine späte Abschrift eines frühen Tonars in einem Breviarium notatum in der Library of Congress in Washington.

Mit Ausnahme Gerberts von Reims, dessen Scholien zu Boethius' *Musica* II,10 und II,21 in einer New Yorker Handschrift enthalten sind, sind keine theoretischen Texte aus dem 9. oder 10. Jahrhundert in amerikanischen Bibliotheken vorhanden. Für die folgenden Jahrhunderte zeugen der früher – gemäß einer Angabe u.a. im Rochester-Manuskript – Odo von Cluny zugeschriebene *Dialogus de musica* (um 1000), dazu Berno von der Reichenau und Guido von Arezzo, von dem sich drei Abschriften in den USA befinden, ferner zwei „guidonische Hände" auf Einzelblättern als Schaubilder zum Unterrichtsgebrauch. Aribo ist in einer Quelle enthalten, von Johannes Afflighemensis liegt ein aus Anvers stammender Libellus in einer amerikanischen Bibliothek. Vier teils fragmentarische Berno-Handschriften sowie ein Exemplar der *Musica* von Hermannus Contractus sind vorhanden, außerdem zwei Manuskripte von Wilhelm von Hirsau und eines von Frutolf von Michelsberg. Aus diesem Zeitraum wurde etwa ein Dutzend (teils bisher nicht edierter) Monochordmensuren aufgefunden, daneben Pfeifenmensuren, eine Glockenmensur sowie eine Viellamensur.

Das 13. Jahrhundert ist vertreten durch Johannes de Garlandia und Bartholomäus Anglicus, dessen Traktat *De proprietatibus rerum* mit einer weitgehend von Isidor von Sevilla abhängigen Beschreibung von Musikinstrumenten schließt. In amerikanischen Bibliotheken findet man fünf Kopien der englischen Übersetzung von Johannes von Trevisa.

Aus dem 14. und 15. Jahrhundert ist eine Handschrift mit Philippe de Vitry vorhanden; zu nennen sind weiterhin fünf Johannes de Muris-Handschriften, zwei seines Schülers Peter von St. Denis, außerdem zwei von Marchettus von Padua. Ein kleinformatiges, aus Paris stammendes, jetzt in Berkeley aufbewahrtes Manuskript enthält drei wichtige Traktate der *Ars nova*-Epoche, wovon einer möglicherweise von Jean Vaillant geschrieben wurde. Es liegt eine Edition dieser Quelle von Oliver Ellsworth in der Reihe *Greek and Latin Music Theory* (Hrsg. Thomas J. Mathiesen) vor, was die Beschreibung der Handschrift erleichtert hat. Daneben existiert ein theoretischer Text über die musikalischen Gattungen und Formen der Zeit, in dem Kompositionen von Machaut als Beispiele genannt werden. Martin Staehelin hat diesen Traktat nach einem Manuskript der University of Pennsylvania herausgegeben. Zu erwähnen sind noch vier kurze, bisher nicht edierte Texte, darunter ein deutscher Traktat über den Orgel- und Clavichordbau aus dem späten 15. Jahrhundert. Von der Hand des Gaffurius stammt eine kleine Schrift zur Mensuralmusik, die etwa 1480 geschrieben ist, also vor dessen *Practica musicae*.

Die allgemeine Beschreibung der Manuskripte folgt den Richtlinien, die in den Vorworten zu RISM B III/3 und zum ersten Teil dieses Bandes aufgestellt wurden. Sorgfältig wird zwischen Ursprung (Schreiber) und Provenienz unterschieden. Titel und Incipits von Traktaten zu anderen Fachdisziplinen, die in den beschriebenen Quellen enthalten sind, wurden nur dann nicht aufgenommen, wenn dies aus Umfangsgründen unmöglich war bzw. wenn entsprechende Auflistungen bereits in der von uns angegebenen Literatur enthalten sind.

Für Bibliotheksreisen erhielten wir großzügige Unterstützung von der National Science Foundation (Washington, D.C.), vom Centre National de la Recherche scientifique (Paris) und vom Internationalen Quellenlexikon der Musik (RISM). Zu danken haben wir all denen, die unsere Arbeit so vielfältig förderten: den Kuratoren, Bibliothekaren und den Kollegen, die in unermüdlicher Weise briefliche Anfragen beantworteten. Unser besonderer Dank gilt denjenigen unter ihnen, die uns unter großem Zeitaufwand halfen und uns bei der Benützung der Handschriften ungewöhnlich großzügig entgegenkamen: Die Leitung und Belegschaft der Newberry Library (Chicago, Illinois), Rebecca Baltzer (University of Texas), Lillian Randall (Walters Art Gallery, Baltimore, Maryland), Marilyn Bressler und Mary L. Robertson (The Huntington Library, San Marino, Kalifornien), Rodney G. Dennis (The Houghton Library, Cambridge, Massachusetts), John A. Emerson (Music Library, University of California, Berkeley), Louise Goldberg (Sibley Music Library, Rochester, New York), Consuelo W. Dutschke und Thomas Kren (The J. Paul Getty Museum, Malibu, Kalifornien), Thomas J. Mathiesen (Brigham Young University, Provo, Utah), Francis Newton (Duke University, Durham, North-Carolina), Jeremy Noble (Buffalo, New York), Richard Pachelle (Union Theological Seminary, New York), Elizabeth Pajerski (The Pierpont Morgan Library, New York), Patrick M. de Winter (Cleveland Museum of Art, Cleveland, Ohio), Craig M. Wright (Yale University) und Jeremy Yudkin (Boston University).

August 1990   MICHEL HUGLO UND NANCY C. PHILLIPS

BIBLIOGRAPHIE

Apfel   Apfel (Ernst), *Studien zur Satztechnik der mittelalterlichen englischen Musik* (Heidelberg, 1959: *Abhandlungen der Heidelberger Akademie der Wissenschaften. Philosophisch-historische Klasse*, 5 [1959]).

Ayscough   Ayscough (Samuel), *A Catalogue of the Manuscripts preserved in the British Museum* (London, 1782), 2 vol.

Bailey   *Commemoratio brevis de tonis et psalmis modulandis.* Introduction, Critical Edition, Translation by Terence Bailey (Ottawa, 1979).

Bernhard   Bernhard (Michael), *Studien zur Epistola de armonica institutione des Regino von Prüm* (München, 1979).

BernhardCC   Id., *Clavis Coussemakeri* (München, 1990; *Quellen und Studien zur Musiktheorie des Mittelalters I* [= Veröffentlichungen der Musikhistorischen Kommission, 8]), p. 1–36.

BernhardCG1   Id., *Clavis Gerberti. Eine Revision von Martin Gerberts Scriptores*, Teil 1 (München, 1989).

Borst   Borst (Arno), *Das mittelalterliche Zahlenkampfspiel* (Heidelberg, 1986; *Supplemente zu den Sitzungsberichten der Heidelberger Akademie der Wissenschaften, Philosophisch-historische Klasse*, 5 [1986]).

Bower   Bower (Calvin M.), „Boethius, *De institutione musica.* A Handlist of Manuscripts", Scriptorium, XLII (1988), 205–251.

Bubnov   Bubnov (Nicolas), *Gerberti opera mathematica* (Berlin, 1899).

Bukofzer   Bukofzer (Manfred), *Geschichte des englischen Diskants und des Fauxbourdons nach den theoretischen Quellen* (Strasbourg, 1936).

Burney   Burney (Charles), *A General History of Music* (London, 1776–1789; ^{2}1789) [cité d'après la seconde édition].

Catalogue of Additions   *Index to the Additional Manuscripts with those of the Egerton Collection preserved in the British Museum* (London, 1849).

[Add. 5018–10018; Egerton 1–106.]
*List of Additions to the Manuscripts in the British Museum,
1836–1840* (London, 1843). [Add. 10019–11748; Egerton 607–
888.]
Catalogue of Additions to the Manuscripts in the British Museum, 1841–1925 (London, 1850–1950), 13 vol. [Add. 11749–
41295; Egerton 889–3038.]

Chartier	Chartier (Yves), *La Musica d'Hucbald de Saint-Amand (Traité de musique du IXe siècle)*. Introduction, établissement du texte, traduction et commentaire (Université de Paris-Sorbonne, Thèse de Doctorat d'Université, 1973).
Census I	De Ricci (Seymour), Wilson (William J.), *Census of Medieval and Renaissance Manuscripts in the United States and Canada. I. Alabama – Massachussetts* (New York, 1935).
Census II	Id., *Census of Medieval and Renaissance Manuscripts in the United States and Canada. II. Michigan – Wisconsin. Canada. Addenda et Errata* (New York, 1937).
Census III	Id., *Census of Medieval and Renaissance Manuscripts in the United States and Canada III. Indices* (New York, 1937).
Census S	Faye (Christopher U.), Bond (William H.), *Supplement of the Census of Medieval and Renaissance Manuscripts in the United States and Canada* (New York, 1962).
Census-Catalogue	*Census-Catalogue of Manuscript Sources of Polyphonic Music 1400–1550.* Compiled by the University of Illinois Musicological Archives for Renaissance Manuscript Studies (Neuhausen, Stuttgart, 1979–1988).
Coxe	Coxe (Henricus O.), *Catalogus Codicum Mss. qui in Collegiis Aulisque oxoniensibus hodie adservantur* (Oxford, 1852), 2 vol.
CS	Coussemaker (Charles Edmond de) éd., *Scriptorum de musica medii aevi novam seriem* (Paris, 1864–1876), 4 vol.
CSM	*Corpus Scriptorum de Musica*
1	*Johannes Afflighemensis De Musica cum Tonario.* Éd. J. Smits van Waesberghe (Roma, 1950).
2	*Aribonis De Musica.* Éd. J. Smits van Waesberghe (Roma, 1951).
3	Jacobus Leodiensis, *Speculum musicae.* Éd. R. Bragard (Roma, 1955–1973), 7 vol.
4	*Guidonis Aretini Micrologus.* Éd. J. Smits van Waesberghe (Roma, 1961).
6	Marchetus de Padua, *Pomerium.* Éd. G. Vecchi (Roma, 1961).

7   Ugolinus Urbevetanus, *Declaratio musicae disciplinae*. Éd. A. Seay (Roma, 1959–1962), 3 vol.

8   Philippus de Vitriaco, *Ars Nova*. Éd. G. Reaney, A. Gilles et J. Maillard (Roma, 1964).

12   Ms. Oxford, Bodley 842 (Wilhelmus), *Breviarium regulare musicae*. Éd. G. Reaney; Ms. British Museum, Royal 12.C.VI. *Tractatus de figuris sive de notis*. Éd. G. Reaney; Johannes Torkesey, *Declaratio trianguli et scuti*. Éd. A. Gilles et G. Reaney (Roma, 1966).

14   Walter Odington, *Summa de speculatione musicae*. Éd. Frederick F. Hammond (Roma, 1970).

17   Johannes de Muris, *Notitia artis musicae et compendium musicae practicae*; Petrus de Sancto Dionysio, *Tractatus de musica*. Éd. U. Michels (Roma, 1972).

18   Franco de Colonia, *Ars cantus mensurabilis*. Éd. G. Reaney et A. Gilles (Roma, 1974).

19   *Ars (Musicae) Johannis Boen*. Éd. F. Alberto Gallo (Roma, 1972).

21   Aurelianus Reomensis, *Musica Disciplina*. Éd. Lawrence Gushee (Roma, 1975).

23   Wilhelmus Hirsaugensis, *Musica*. Éd. D. Harbinson (Roma, 1975).

24   *Epistola S. Bernardi de revisione cantus cisterciensis et tractatus scriptus ab auctore incerto Cisterciense „Cantum quem cisterciensis ordinis ecclesiae cantare."* Éd. F.J. Guentner (Roma, 1974).

25   Amerus, *Practica artis musica [1271]*. Éd. Cesarino Ruini (Neuhausen, Stuttgart, 1982).

26   Johannes Hothby, *De arte contrapuncti*. Éd. G. Reaney (Neuhausen, Stuttgart, 1977).

28   Johannis Wylde, *Musica manualis cum tonale*. Éd. Cecily Sweeney (Neuhausen, Stuttgart, 1982).

31   Johannes Hothby, *Opera omnia de musica mensurabili*; Thomas Walshingham, *Regulae de musica mensurabili* (Neuhausen, Stuttgart, 1983).

De Waha   De Waha (Michel), Compte-rendu de: R.J. Long, *Bartholomeus Anglicus...* (Toronto, 1979), *Scriptorium*, 35 (1981), Bulletin codicologique, p. 148* n° 810.

Dick   Martianus Capella, *De nuptiis Philologiae et Mercurii libri VIIII*. Éd. Adolf Dick (Leipzig, 1925).

DMA	*Divitiae Musicae Artis*
A.III	*Tres Tractatuli Guidonis Aretini. Guidonis Prologus in anti-phonarium.* Éd. J. Smits van Waesberghe (Buren, 1975).
A.IV	*Guidonis Aretini Regulae rhythmicae.* Éd. J. Smits van Waesberghe et E. Vetter (Buren, 1985).
A.VIb	*Bernonis Augiensis abbatis de arte musica disputationes tra-ditae. Pars B. Quae ratio est inter tria opera de arte musica Bernonis Augiensis.* Éd. Smits van Waesberghe (Buren, 1979).
A.Xa	*Codex oxoniensis Bibl. Bodl. Rawl. C 270. Pars A. De vocum consonantiis ac De re musica (Osberni Cantuariensis?).* Éd. J. Smits van Waesberghe (Buren, 1979).
A.Xb	*Codex oxoniensis Bibl. Bodl. Rawl. C 270. Pars B. XVII Trac-tatuli a quodam studioso peregrino ad annum MC collecti.* Éd. J. Smits van Waesberghe (Buren, 1980).
Eggebrecht	Eggebrecht (Hans Heinrich), Zaminer (Frieder), *Ad organum faciendum. Lehrschriften der Mehrstimmigkeit in nachguido-nischer Zeit* (Mainz, 1970).
Ellsworth	*The Berkeley Manuscript. University of California Music Li-brary, MS. 744 (olim Phillipps 4450). A new critical text and translation* by Oliver B. Ellsworth (Lincoln, London, 1984).
Emerson	Emerson (John A.), *Catalogue of Pre-1900 Vocal Manuscripts in the Music Library, University of California at Berkeley* (Berkeley: University of California press, 1988).
Fenlon	Fenlon (Iain), éd. *Cambridge Music Manuscripts 900–1700* (Cambridge, 1982).
Fétis	Fétis (François Joseph), *Biographie universelle des musiciens* (Bruxelles, 1835–1844).
Finaert	Finaert (Guy), Thonnard (François Joseph), éd. *Sancti Augu-stini De musica libri sex* (Paris, 1947: *Œuvres de St. Augustin*, 1ère série: *Opuscules*, VII. *Dialogues philosophiques.* IV. *La Musique.*).
ForshallA	Forshall (Josiah), *Catalogue of Manuscripts in the British Museum. New Series. I.* Part I. *The Arundel Manuscripts* (s.l., 1834).
ForshallB	Id., *Catalogue of Manuscripts in the British Museum. New Se-ries. I.* Part II. *The Burney Manuscripts* (s.l., 1840).
Frere	Frere (Walter Howard), *Bibliotheca Musico – Liturgica* (Lon-don, 1894–1930).
Friedlein	Friedlein (Godofredus) éd. *Boetii De institutione arithmetica libri duo. De institutione musica libri quinque* (Leipzig, 1867).

GS	Gerbert (Martin) éd. *Scriptores ecclesiastici de musica* (St. Blaise, 1784).
Georgiades	Georgiades (Thrasybulos), *Englische Diskanttraktate aus der ersten Hälfte des 15. Jahrhunderts* (Würzburg, 1937).
Göllner	Göllner (Theodor), *Formen früher Mehrstimmigkeit in deutschen Handschriften des späten Mittelalters* (Tutzing, 1961; *Münchner Veröffentlichungen zur Musikgeschichte*, 6).
GümpelD	Gümpel (Karl-Werner), *Ps. Odo, Dialogus de Musica* (en préparation).
Gushee	Gushee (Lawrence A.), *The* Musica disciplina *of Aurelian of Réôme. A Critical Text and Commentary* (Yale University, Ph.D., 1963).
Hain	Hain (Ludwig), *Repertorium bibliographicum in quo libri omnes ab arte typographica usque ad annum MD typis expressi* (...) *recensentur* (Stuttgart, Paris, 1826–1838).
HawkinsH	Hawkins (Sir John), *A General History of the Science and Practice of Music* (London, 1776, ²1875) [cité d'après la seconde édition].
Herlinger1	Herlinger (Jan W.), *The* Lucidarium *of Marchetto of Padua. A Critical Edition, Translation, and Commentary* (Chicago, London, [1985]).
Herlinger2	*Prosdocimo de' Beldomandi. Brevis summula proportionum* (...) *Parvus tractulus* (...). A New Critical Text and Translation by Jan W. Herlinger (Lincoln, London, 1987).
Hiekel	Hiekel (Otto), „Zur Überlieferung des Anonymus IV", *AMl*, XXXIV (1962), 185–192.
Hughes-Hughes	Hughes-Hughes (Andrew), *Catalogue of Manuscript Music in the British Museum.* III: Instrumental music, treatises (...) (London, ²1965).
HugloD	Huglo (Michel), „L'auteur du Dialogue sur la Musique attribué à Odon", *RMl*, LV (1969), 119–171.
HugloN	Id., „Les noms des neumes et leur origine", *Etudes grégoriennes*, I (1954), 53–67.
HugloO	Id., „Odo", *The New Grove* (1980), vol. 13, 503–504.
HugloP	Id., „Der Prolog des Odo zugeschriebenen ‚Dialogus de Musica' ", *AfMw*, XXVIII (1971), 134–146.
HugloT	Id., *Les Tonaires. Inventaire, analyse, comparaison* (Paris, 1971).
Hüschen	Hüschen (Hans), „Odo", *MGG*, IX (1961), col. 1850–1854.

Ives   Ives (Samuel A.) „Corrigenda and Addenda to the Descriptions of the Plimpton MSS as recorded in the De Ricci Census", *Speculum*, XVII (1942), 33–49.

JamesTc   James (Montague Rhodes), *The Western Manuscripts in the Library of Trinity College, Cambridge: A Descriptive Catalogue* (Cambridge, 1900–1904), 4 vol.

Ker   Ker (Neil R.), *Medieval Libraries of Great Britain. A List of Surviving Books* (London, ²1964).

La Fage   La Fage (Adrien de), *Essais de diphtérographie musicale* (Paris, 1864).

Leonardi   Leonardi (Claudio), „I Codici di Marziano Capella", *Aevum*, XXXIII (1959), 443–489, XXXIV (1960), 1–99 et 411–524.

Lutz   Lutz (Cora), éd. *Remigii Autissiodorensis Commentum in Martianum Capellam. Libri I–II* (Leiden, 1962).

Macray   Macray (William Dunn), *Codices a viro clarissimo Kenelm Digby anno 1634 donatos (...) confecit* (Oxford, 1883: *Catalogus codicum manuscriptorum Bibliothecae Bodleianae*, IX).

Markovits   Markovits (Michael), *Das Tonsystem der abendländischen Musik im frühen Mittelalter* (Bern, Stuttgart, 1977).

Meech   Meech (Sanford B.), „Three Fifteenth Century English Musical Treatises", *Speculum*, X (1935), 235–269.

MerkleyT   Merkley (Paul), *Italian Tonaries* (Ottawa, 1988: *Musicological Studies*, XLVIII).

Michels   Michels (Ulrich), *Die Musiktraktate des Johannes de Muris* (Wiesbaden, 1970; *Beihefte zum Archiv für Musikwissenschaft*, 8).

Müller   Müller (Hermann), „Der Musiktraktat in dem Werke des Bartholomaeus Anglicus *De proprietatibus rerum*", *Riemann-Festschrift* (Leipzig, 1909), 241–255.

Munby3   Munby (Alan Noel Latimer), *The Formation of the Phillipps Library up to the Year 1840* (Cambridge, 1954; *Phillipps Studies*, 3).

Munby4   Id., *The Formation of the Phillipps Library from 1841–1872* (Cambridge, Mass., 1954; *Phillipps Studies*, 4).

Mynors   Mynors (Roger Aubrey B.), *Cassiodori Senatoris Institutiones* (Oxford, 1937).

MynorsD   Id., *Durham Cathedral Manuscripts to the End of the Twelfth Century* ([Durham], 1939).

Nares   Nares (Robert), *A Catalogue of the Harleian Manuscripts in the British Museum* (s.l., 1808), 4 vol.

Oesch   Oesch (Hans), Guido von Arezzo. *Biographisches und Theoretisches unter besonderer Berücksichtigung der sogenannten odonischen Traktate* (Bern, 1954).

Ogilvy   Ogilvy (Jack David A.), *Books Know to the English* 597–1066 (Cambridge, Mass., 1967).

Pächt   Pächt (Otto), Alexander (Jonathan James G.), *Illuminated Manuscripts in the Bodleian Library Oxford* (Oxford, 1966–1973), 3 vol.

Palisca   Palisca (Claude V.), *Humanism in Italian Renaissance Musical Thought* (New Haven, London, 1985).

Planta   Planta (Joseph), *A Catalogue of the Manuscripts in the Cottonian Library deposited in the British Museum* (s.l., 1802).

ReaneyA   Reaney (Gilbert), „The Question of Authorship in the Mediaeval Treatises on Music", *MD*, XVIII (1964), 7–17.

ReaneyB   Id., „The *Breviarium Regulare Musice* of MS. Oxford, Bodley 842", *MD*, XI (1957), 31–37.

ReaneyM   Id., „The Musical Theory of John Hothby", *MD*, XLII (1988), 119–134.

Reckow   Reckow (Fritz), *Der Musiktraktat des Anonymus 4* (Wiesbaden, 1967), 2 vol.

Roemer   Roemer (Franz), *Handschriftliche Überlieferung der Werke des Heiligen Augustinus. 2/1. Großbritannien und Irland* (Wien, Köln, Graz, 1972).

SachsC   Sachs (Klaus-Jürgen), *Der Contrapunctus im 14. und 15. Jahrhundert. Untersuchungen zum Terminus, zur Lehre und zu den Quellen* (Wiesbaden, 1974; *Beihefte zum Archiv für Musikwissenschaft*, 13).

SachsM   Id., *Mensura fistularum. Die Mensurierung der Orgelpfeifen im Mittelalter* (Stuttgart, 1970; *Schriftenreihe der Walcker-Stiftung für Orgelwissenschaftliche Forschung*, 1).

SachsT   Id., „Zur Tradition der Klangschritt-Lehre", *AfMw*, XXVIII (1971), 233–270.

Saenger   Saenger (Paul), *A Catalogue of the Books Written before 1500 at the Newberry Library* (Chicago, 1987).

Salvat   Salvat (Michel), „Un traité de musique du XIIIe siècle: le *De*

	musica de Barthelémy l'Anglais", *Musique, Litterature et Société au Moyen Age. Actes du Colloque d'Amiens, 24–29 mars 1980* (Paris, 1980), 345–360.
Saxl	Saxl (Fritz), Meier (Hans), *Manuscripts in English Libraries. Handschriften in Englischen Bibliotheken* (London, 1953; *Catalogue of astrological and mythological illuminated manuscripts in the Latin Middle Ages*, 3), 2 vol.
Schlager	Schlager (Karlheinz), *Thematischer Katalog der ältesten Alleluia-Melodien aus Handschriften des 10. und 11. Jahrhunderts* (München, 1965).
Schmid	Schmid (Hans), *Musica et Scolica Enchiriadis una cum aliquibus tractatulis adiunctis* (München, 1981).
Schreur	Schreur (Peter van), *Tractatus figurarum. Treatise on Noteshapes. A new critical text and translation on facing pages, with an introduction, annotations, and indices verborum and nominum et rerum* (Lincoln/London, 1989; *Greek and Latin Music Theory*, 6).
Seay	Seay (Albert), „Ugolino of Orvieto, Theorist and Composer", *MD*, IX (1955), 111–166.
Smits van WaesbergheC	Smits van Waesberghe (Joseph), *Cymbala. Bells in the Middle Ages* (Roma: American Institute of Musicology, 1951; *Musicological Studies and Documents*, 1).
Smits van WaesbergheE	Id., éd. *Expositiones in Micrologum Guidonis Aretini* (Amsterdam, 1957).
Smits van WaesbergheG	Id., *De musico-paedagogico et theoretico Guidone Aretino eiusque vita et moribus* (Firenze, 1953).
Summary Catalogue	Madan (Falconer), Craster (Herbert Henry Edmund), Denholm-Young (Noël), *A Summary Catalogue of Western Manuscripts in the Bodleian Library at Oxford* (Oxford, 1895–1953); 7 vol.
Thorndike	Thorndike (Lynn), Kibre (Pearl), *A Catalogue of Incipits of Mediaeval Scientific Writings in Latin* (Cambridge, [2]1963).
Toledo	*Toledo Museum of Art. Medieval and Renaissance Music Manuscripts. An Exhibition* (Toledo, Ohio, 1953).
Van Dijk	Van Dijk (S.A.), „Saint Bernard and the *Instituta Patrum* of Saint Gall", *MD*, IV (1950), 99–109.
Van Eeuw	Van Eeuw (Anton), Plotzek (Joachim M.), *Die Handschriften der Sammlung Ludwig* (Köln, 1982), Band 3 (Serie XII, *Philosophie*).

Vivell   Vivell (Coelestin), éd. *Frutolfi Breviarium de Musica et Tonarius* (Wien, 1919; *Akademie der Wissenschaften in Wien. Philologisch-historische Klasse. Sitzungsberichte*. 188. Band, 2. Abhandlung).

Warner   Warner (Sir George F.), Gilson (Julius Parnell), *Catalogue of Western Manuscripts in the Old Royal and King's Collections* (London, 1921), 4 vol.

WatsonB   Watson (Andrew G.), *Catalogue of Dated and Datable Manuscripts c. 700–1600 in the Department of Manuscripts in The British Library* (London, 1979), 2 vol.

WatsonM   Id., „A Merton College Manuscript Reconstructed: Harley 625; Digby 178, fols. 1–14, 88–115; Cotton Tiberius B.IX., fols. 225–235", *The Bodleian Record*, 9.4 (June 1976), 207–217.

WatsonO   Id., *Catalogue of Dated and Datable Manuscripts c. 435–1600 in Oxford Libraries* (Oxford, 1984), 2 vol.

Wick – Dennis   Wick (Roger S.), Dennis (Rodney G.), *Late Medieval and Renaissance Manuscripts 1350–1525* (Cambridge, Mass., 1983).

Willis   Willis (Jacobus), éd. *Ambrosii Theodosii Macrobii Commentarii in Somnium Scipionis* (Leipzig, 1963), t. II.

Wolf   Wolf (Edwin), *Frederick Lewis Collection of European Manuscripts in the Free Library of Philadelphia* (Philadelphia, 1937).

Wright   Wright (Cyril Ernest), *Fontes Harleiani. A Study of the Sources of the Harleian Collection of Manuscripts* (London, 1972).

Zacour – Hirsch   Zacour (Norman P.), Hirsch (Rudolf), *Catalogue of Manuscripts in the University of Pennsylvania to 1800* (Philadelphia, 1965).

ABRÉVIATIONS

éd.	édité, éditeur, édition
f.	folio
l.	ligne
ms mss	manuscrit(s)
n.	note
n°	numéro
s.	siècle
s.l.	sans lieu
vol.	volume

PART I
Great Britain

CAMBRIDGE, Corpus Christi College 260

Ancienne cote: N 18.

Xe s. (2e moitié). II + 53f. Parchemin. 265 × 190 mm. Reliure moderne (1952). VII, 2 × VIII, VI, 2 × VIII. Justification: 170 × 125 mm. 27 lignes par page; justification à la pointe sèche. Écriture caroline minuscule pour le texte principal; les textes des exemples sont d'une écriture minuscule plus carrée. Initiales rouges et encre rouge pour les diagrammes (sauf f. 51v–53v). Provenance: Christ Church (Canterbury); cf. M.R. James, *The Ancient Libraries of Canterbury and Dover* (Cambridge, 1903), p. 8 où ce manuscrit peut être identifié sous la mention „44 Musica Hogerii". Il semble avoir été désigné comme „Libellus de arte musica" dans le catalogue du XIVe siècle (cf. E. Edwards, *Memoirs of Libraries* [London, 1859], vol I, p. 122–246, notamment p. 191, n° 378).

1–2v	Musica Hogeri (Boèce, De institutione musica [V, 17–19]).
	1: „Musica Hogeri. Excerptiones Hogeri Abbatis ex auctoribus musicae artis" (précédé des schémas du chapitre 16) Inc. „Architas vero cuncta ratione constituens non modo sensum ..." 2v: Expl. „... generibus nusquam una." (Cf. Friedlein, p. 368–371.)
3–18	Musica enchiriadis.
	3: Inc. „Sicut vocis articulatae elementariae atque individue ..." 18: Expl. „... hujusque oratiuncule ponamus hic finem." (Cf. GS I, p. 152–173; éd. Schmid, p. 3–59.)
18–51v	Scholica enchiriadis.
	18: „Incipit scolica enchiriadis de arte musica." Inc. „Musica quid est? Bene modulandi scientia ..." 51v: Expl. „... tropique retinet modum." (Cf. GS I, p. 173–212; éd. Schmid, p. 60–156.)
51v–53v	Commemoratio brevis (fragment).
	51v: „Incipit commemoratio brevis de tonis et psalmis modulandis." Inc. „Debitum servitutis nostrae ..." 53v: „... sequitur modulatio psalmi elevata usque in deuterum excellentem." (La suite manque; cf. GS I, p. 213–216; éd. Bailey, p. 26–44; éd. Schmid, p. 157–162.)

Montague Rhodes James, *A Descriptive Catalogue of the Manuscripts in the Library of Corpus Christi College* (Cambridge, 1912), II, p. 10. – Ker, p. 30. – Ogilvy, p. 163, 207. – HugloT, p. 61, 63, 66, 67, 341, 454. – Christopher Page, „The earliest English Keyboard", *Early Music*, VII (1979), 308–314. – Bailey, p. 2 (sigle C) – Schmid, p. VII. – Fenlon, p. 6–10, 8 (= f. 30v–31). – Bower, p. 214.

CAMBRIDGE, Corpus Christi College   410

Reliure du XVIIe siècle (restaurée en 1971).
I. XVe s. (1ère moitié) 1 + 36 f. Parchemin. 205 × 140 mm. Composition: VIII, X, 2 × VIII,
II. Justification: 155 × 100 mm. 34 lignes tracées à l'encre. Écritures textuelles du XVe s.
(deux copistes, f. 1–18, 19–36); additions cursives (f. 1, 20v, 35v). Rubriques. Diagrammes. La décoration des initiales n'est pas achevée (initiales d'attente). Origine anglaise.
II. XVe s. (2e moitié). 15 + 2 f. Papier. 210 × 145 mm. Un cahier dont le dernier feuillet
manque. 24 lignes par page. Un copiste. Origine anglaise.

I.

1–36	Walter Odington, Summa de speculatione musicae.
	1: „Incipit summus (!) fratris Walteri monachi Eveshamie musici de speculatione musice." Inc. „Plura quam digna de musice spe-culatione et musice speculatoribus ..." 36: Expl. „... et non am-pliam d[and]o fastidium novam diversitatem superaddicere. Ex-plicit." (CS I, p. 182–250, édité d'après ce manuscrit; éd. CSM 14, p. 42–146.)
36	Division du monocorde.
	Inc. „Quia dictum est quod licet monocordum intendere ..." Expl. „... et insuper ejus .iij. partes ut monstrat hec forma. Ex-plicit" (Éd. CS I, p. 250, d'après ce manuscrit.)

II.

1–6	Jean de Murs, Libellus cantus mensurabilis.
	1: „Quilibet in arte practica mensurabilis cantus erudiri medio-criter affectans ea scribat diligenter que secuntur compilata se-cundum Johannem de muris." Inc. „Quinque sunt partes prola-tionis ..." 6: Expl. „... dictum est videre. Et haec predicta quae-que rudia sufficiant in arte practica mensurabilem cantum volen-tibus introduci" puis: „Quinque sunt partes prolationis ... al-tera"; en marge, à gauche, d'une autre main: „Explicit." Le bas de la page est illisible. (Cf. CS III, p. 46–58.)
6v–7v	Traité de déchant.
	6v: „... Explicit discantus. Sequitur de contrapuncta (!)." Inc. „Moderni cantores antiquorum ab usu discere ..." 7v: Expl. „... invenire et adquirere fundamentum hoc (?) in (?) contrapuncta (!) sufficiunt." (Cf. Ellsworth, p. 282.)
7v–9v	Traité de déchant.
	7v: Inc. „Verumtamen quilibet discantare volens anime (?) habeat ascultantem ..." 9r–v „Discantare volens noemas istas ... Decima nec segnata quinta decem et id est certa." (28 vers.)
9v	Traité de déchant.

4

                 9v: „Alia si vis incipere discantum cum unisono … tritonus et non concordarent.“

9v–10   „Nota quod brevis et tempus idem sunt et perfectio et tria tempora idem sunt. Semibrevis per se plicare non potest.“

10r–v   Règle de ligatures.

                 10r: „Prima nota ligaturarum dicitur descendo (!) den (?) carens; cum tractu dicitur longa …“ 10v: „… descendenter brevis est dicta, ascendenter semibrevis est.“

11r–v   Traité sur les proportions.

                 11r: Inc. „Omnis proportio est communiter dicta vel proprie dicta …“ 11v: Expl. „… vel quantitas ut 8 ad 2 vel (?) ad 4os etc.“

11v–13v   Traité sur les proportions.

                 11v: Inc. „Pro denominatione proportionum sciendum est quod proportio dupla est quando antecedens bis continet consequens …“ 13v: Expl. „… vel sic ♩ ♦ C ♯ cum tali figura vel tali.“ Suivi de la phrase: „In omnibus coloribus albus est dignissimus quia origo omnium colorum et dicitur quasi sol lux vel dies, aurum quasi luna, rubius quasi stelle.“

13v–15v   Traité de déchant.

                 13v: „Here begynnes a schorte tretys of the reule of discant.“ Inc. „It is tho witt that there are acordance …“ 15v: Expl. „… next after as for to syng iij or iiij“ (Éd. Bukofzer, p. 143–146; cf. Sachs C, p. 188.)

Montague Rhodes James, *A Descriptive Catalogue of the Manuscripts in the Library of Corpus Christi College, Cambrige* (Cambridge, 1912), vol. II, p. 295–296. – Burney, II, p. 198, 433 (ms. signalé Benet college Library, Cambridge, n° 410.25 N). – CS I, p. XIV–XV. – Meech, p. 236. – Bukofzer, p. 50–52, 93, 112. – Georgiades, p. 9. – Smits van Waesberghe C, p. 41. – CSM 12, p. 7. – SachsM, p. 23 (sigle C_2). – CSM 14, p. 13 (sigle C; plate I = f. 1, II = f. 14v, V = f. 35v, VI = f. 36). – HugloT, p. 343, 454. – SachsC, p. 188 (sigle C_1). – Fenlon, p. 107–110 (p. 108 = f. 34v–35). – Ellsworth, p. 282.

CAMBRIDGE, Gonville and Caius College   428/428

Ancienne cote: 17 C (au dos).

Fin XIe/début XIIe s. ii + 51 + ii f. Parchemin. 198 × 112 mm. Reliure: ais de bois couverts de parchemin; trace de fermoir au centre. Composition: V (2–11), 5 × IV (12–51), II (52–53). Justification: 117 × 140 mm. 31 lignes. Écriture italienne (?) ou du Sud de la France. Notation musicale: (sur feuille de garde) „Benedicite“ pour les Quatre Temps; notation carrée française sur tétragramme rouge. Décoration gothique du Sud de la France (?) ou d'Italie du Nord; couleurs bleue et rouge (2v–3v); rouge brique (9v–10); dessins sans couleurs par la suite. Provenance: Don de W. Moore. Commentaire de Macrobe en trois parties.

2–14   De quatuor elementis (commentaire de Macrobe).
           2: Inc. du Prologue: „Solertiam peracuti ingenii tui Hernalde frater dilectissime circa quaternarii vim et potentiam volo diligenter exerceas provide et providentissime inquirendo (...)" 2v: Expl. „... ut priora sunt exquirentes pro viribus numeris enitemur." Suivi du sommaire (2v–3).
           3: Inc. „Quatuor igitur elementa ea enim inter ceteras quasque quaternarii potestas ..."

       ...

           [XVII. De qualitatibus et symphoniis]
           10: „Unaqueque ergo qualitas principalis ..."
           [XVIII. Tractatus de diatessaron]
           11v: Primum igitur spacium quo diatessaron nascitur simphonia que est sesquitercia habitudo ..."
           [XIX. Tractatus secundae symphoniae quae est diapente]
           12: „Inspecta autem hac prima simphoniarum ad contemplationem ..."
           [XX. Mutatio cordarum secundum Boetii compositionem]
           12v: „Ut autem nos secundum boetii descriptionem ..."
           [XXI. Tractatus de diapason kai diapente]
           13: „Completa autem iam de diapason deque suis partibus ..."
           [XXII. Tractatus de bis diapason]
           13v: „Si autem bis diapason cognosce(re) voluerimus ultima corda diapason ..." 14: Expl. „... siquidem diatessaron constituunt et cetera ut hic" (diagramme).

Montague Rhodes James, *Catalogue of the Manuscripts in the Library of Gonville and Caius College* (Cambridge, 1907–1908), p. 500–502.

CAMBRIDGE, Jesus College   Q.B.17. (34)

Anciennes cotes (sous rature): M.H.10 – M.H.48 – M.H.16 (au revers du plat supérieur); N.B.17 (au f. 1).
Fin du XIIe – début du XIIIe s. 137 f. Parchemin. 216 × 150. Ais de bois recouverts de cuir estampé à froid. Ms. composite constitué de huit libelli de mains différentes, la plupart anglaises. Les libelli proviennent tous de Rievaulx. Justification: 163 × 97 (au f. 112); 30 lignes (f. 109 ss.). Décoration: alternance d'initiales rouges et vertes, usuelle en Grande-Bretagne au XIIe s. Origine cistercienne, probablement Rievaulx. Provenance: „ex dono Magistri Man". Catalogue du XIIIe s. de la bibliothèque de Rievaulx (éd. James, p. 45–56). Mélanges de théologie. Règle cistercienne.

109–116v   Bernard de Clairvaux, Ars musica, Prefatio de cantu, Tonale.
           109: „Bernardus humilis abbas Clarevallis omnibus transcriptu-

ris hoc antiphonarium sive cantatuaris in illo." Inc. „Inter cetera
que optime . . . utilitas clarius appareret" (Éd. CSM 24, p. 21–22;
J. Leclercq, *op. cit.*, III, p. 515.)
„Cantum quem cisterciensis ordinis ecclesiae cantare consuaver-
ant . . ." 115v: „. . . quilibet tonus in quibus frequentius habet incipere." (Éd. CSM 24, p. 23–41.)
116: (d'une autre main) „Incipit tonale." Inc. „Quid est Tonus?
Magister. Regula naturam et formam cantuum regularium deter-
minans . . ." 116v, dernière l.: „. . . subjungitur depositio. Qui ni-
mirum inconsulte progredi" (la fin manque). (Cf. GS II, p. 267b.)

Notice rédigée d'après une description communiquée par M. Michel Huglo.
Montague Rhodes James, *A Descriptive Catalogue of the Manuscripts in the Library of
Jesus College*, Cambridge (London, 1895), p. 43–56. – Jean Leclercq et Henri-Marie
Rochais, *Sancti Bernardi Opera* (Rome, 1963), III, p. 512 (Sigle R). – HugloT, p. 360. –
CSM 24, p. 12 (sigle R).

CAMBRIDGE, Magdalene College   Pepys 1236

Anciennes cotes: 802 B; 665.
XVe s. (seconde motié; 1459/60–1465 selon Charles, *op. cit.*, p. 70). 128f. (fol. irrégu-
lière): ii + 130f. + ii. Papier et parchemin (le parchemin est généralement utilisé pour les
deux feuillets extérieur et intérieur de chaque cahier). Pour la collation, cf. Fenlon,
p. 111. La partie théorique est copiée sur les sept premiers feuillets de l'avant dernier cahier (VI, f. 104–115). Reliure du XVIIe s. Justification: 145 × 107 mm; 25 lignes par page.
Rastrages de dimensions diverses. Origine anglaise (peut-être Christ Church, Canterbury, Kent; cf. Fenlon, p. 111). Recueil de compositions pour la messe et l'office.

104–108v   De Epitrito et epogdon.
            104: Inc. „Epitritus est figura et pertinet ad accentum. . . Epodo-
            icus est figura et accidit cantus sit compositus per illam figu-
            ram. . ."
            104v: „Nunc loquamur de tipo et eius natura. Natura tipus ergo
            dicitur transumptio. . ."
            105: „De arse et these. Cantus stat in arse tempore. . ." „Diapho-
            nicos. Diaphonicos est mirabilis figura et accidit quum cantus est
            compositus per colores armorum. . ."
            105v: „Emiolica figura. Emiolica est figura et accidit quum can-
            tus est compositus per naturas gamme ut. . ."
            106: „Metamorphosios est figura et accidit quum cantus est com-
            positus per septem planetas. . ."
            106v: „Nunc loquimur de simplice duplice et triplice longe. Sim-
            plex longa stat simpliciter in omnibus prolationibus. . ."

107: „Conceptio. Unicam sublimitatem ostendam vobis quum placet componere cantum per consimiles notas...“ „Ambigua est figura et accidit in musica quum major pro minore vel quando minor pro majore...“

107v: „Exocontasicos est figura et dicitur gamma Armonie quia...“ „Cacophonicus id est malus sonus dicitur a cacos...“ Expl: „... non significat. ut sic .o. vel sic. ø“

107v–108v: exemples.

(Cf. *GB-Lbl*, Add. 10336, f. 18v–31v; *GB-Llp* 466, f. 10–18.)

109–110   Traité sur les intervalles et division du monocorde.

109: Inc. „Musica docet de numero sonoro primi ac inscriptores hujus artis...“ 110: Expl. „... et quot semithonos volueris.“ Deux tableaux relatifs aux proportions régissant les intervalles (cf. *GB-Lbl* Harley 866, f. 7r–v, Add. 18752, f. 18r–v, Add. 32622, f. 34v–36v).

Montague Rhodes James, *A Descriptive Catalogue of the Library of Samuel Pepys* (London, 1923), vol. III, p. 8–11. – Sidney Robinson Charles, „The Provenance and date of the Pepys MS 1236“, *MD* XVI (1962), p. 57–71. – Sidney Robinson Charles (éd.), *The Music of the Pepys MS 1236* (Rome, 1967). – Fenlon, p. 111–114; fac-sim. des f. 121v–122.

CAMBRIDGE, Trinity College   0.3.38 (1210)

Ancienne cote: B. 32 (f. ii).

Début du XVIᵉ siècle. 18 f. Parchemin. 245 × 200 mm. Reliure moderne du XVIIIᵉ ou du XIXᵉ s. en carton. IV (1–8; 3 et 6 feuillets isolés), IV (9–16), deux feuillets isolés (17, 18). Justification: 150 × 130 mm. Écriture humanistique ronde. Notation mesurée blanche avec colors rouges. Décoration: initiales bleues avec lacis rouge. Le dernier exemple musical au f. 12 est suivi de la mention: „Rdᵉ Johannes Dygonus Mᵒ Vuylborus“. Origine anglaise. John Dygon († 1553) était prieur de St Augustin de Canterbury de 1528 à 1538. Il a offert ou écrit ce traité pour le maître Wybbors. Provenance: „Benjamin Charier“ (XVIIIᵉ s., feuillet de garde).

1–12   Traité des proportions.

1: „De genere multiplici et eius speciebus.“ Inc. „Multiplex genus est quum maior numerus comparatus...“

2v: „De genere superparticulari et eius speciebus. Superparticulare genus quod secundum est maioris inequalitatis...“

5: „De genere superparcienti. Superpartiens genus quod tertium est maioris inequalitatis...“

7: „Multiplex superparticulare genus quod quartum est maioris inequalitatis...“

9v: „De genere multiplici superparciente et eius speciebus. Multiplex superpartiens genus quintum maioris inequalitatis (...)"

12: Expl. „... proprie quantitatis, ut hoc praecipitur concentu." (Chaque type de proportions est accompagné d'exemples musicaux à deux voix.)

12v blanc.

13–17   Traité des proportions.

13: Inc. „Proportio dupla est prima species multiplicis generis..."

13v: „Tripla proportio est secunda species..."

14: „Quadrupla proportio quam hisce semicirculis..."

„Quintupla semper per semibrevem, ut hic ..."

„Sextupla et semper per semibrevem ut in hoc hisce semicirculis..."

14v: „Sextupla raro aut nunquam in usu est ..."

„Octupla cum his semicirculis ut in hoc concentu notatur..."

„De genere superparticulari. Sesquialtera per semibrevem ut..."

15: „Sesquitercia ut quatuor minime ad tres minimas..."

„Sesquiquarta his modis per semibrevem..."

15v: „Sesquiquinta per semibrevem hos quidem circulos habet..."

16: „Sesquioctava per minimam..."

16: „De genere superparcienti. Superbiparcienstercias hos quidem circulos..."

16v: „De genere multiplici superparticulari et eius speciebus. Duplasesquialtera est prima species huius generis..."

18: Expl. „... aut per figuram ut hic 8 ad ○, 8 ad ℭ."

JamesTc, III p. 220–221. – Rufus Hallmark, „An Unknown English Treatise of the 16th Century", *JAMS*, XXII (1969), 273–274.

CAMBRIDGE, Trinity College   0.3.42 (1214)

Fin du XIIe siècle. 100 f. Parchemin. 235 × 150 mm. Reliure moderne. Composition: quaternions réguliers. Justification: 170 × 100 mm. 30 lignes par page. Écriture minuscule du XIIe siècle. Initiales vertes et rouges. Provenance: abbaye cistercienne de Byland (Yorkshire). Palladius, *De re rustica*; compilation de matières pratiques diverses. Au f. 82: M. Capella, *De geometria* (extrait).

73v–74   Mesures de tuyaux d'orgue.

73v: „De fistulis organicis." Inc. „Post fistulas tuborum fusiles pauca subtexere libuit..." Expl. „... sed non multum ad delectationem iocundior istis." (Éd. SachsM, p. 56–57.)

74: „De capsa." Inc. „Capsa cui superponantur fistulae oportet fieri quadratam..." Expl. „... foraminibus erunt mobiles et cursorie." (Éd. SachsM, p. 57–58.)

74r–v: „De ordine fistularum." Inc., „Post haec ordinantur fistule ita..." Expl. „... quam cum sono per fistulas refundat." (Éd. SachsM, p. 58.)

82   De arte organizandi (note sur les consonances de quarte, quinte et octave).

„De arte organizandi." Inc. „Omne organum debet esse cum cantore..." Expl. „...octava vox facit diapason sed non omnis octava."

JamesTc, III, p. 224–225. – Ker, p. 22. – SachsM, p. 22.

CAMBRIDGE, Trinity College   0.9.29 (1441)

Ancienne cote: I.17 (f. a).

XVe s. (copie datée de 1416, cf. f. 53). 95 f. (foliotation d'époque). Parchemin. 270 × 175 mm. Reliure moderne en carton (XVIIIe ou XIXe s.). Composition: 8 × IV (1–64) IV-1 (65–72, 71 a coupé), 2 × IV (73–88), IV-1 (89–95, 95a coupé). Réclame à la fin de chaque cahier. Justification: 200 × 105 mm. 38 lignes par page environ. Écriture cursive. Initiales bleues avec lacis rouge; rubriques bleues et rouges. Portées tracées à l'encre rouge. Le copiste principal est un certain Frère Johannes Burghorsst (cf. f. 53). Origine anglaise.

b   Règles des ligatures (versifiées)

Inc. „Altior et prima nota que tractum dat..."

bv blanc.

1–53   Anon. dit Simon Tunstede, Quatuor principalia musicae.

1: „Tractatus de quatuor principalibus musicae. Prima pars. Capitulum primum sequentis tractatus de intentione tractanctis et modo procedendi." Inc. „Quoniam circa musicam deo auxiliante conscientia ductus..." 53: Expl. „... atque proximorum utilitatem in scriptis apposui. Cujus operis finis primo erat pridie nonas augusti anno domini millesimo CCCmo quinquagesimo." Suivi du Prologue: „Prologus compilatoris super tractatum principalium. Quemadmodum inter triticum et zizania quamdiu herba est ... sub 49 capitulis comprehenditur. Singulis autem capitulis rubrique singulorum principalium." Suivi du colophon: „Explicit perutilis tractatus de musica qui quatuor principalia appellatur. Scriptus per manus fratris Johannis Burghorsst (...) Sancte matris ecclesie." Puis, d'une autre main: „Anno domini millesimo CCCCmo XVImo." (Cf. CS IV, p. 200–298.)

53v–54v	Robertus de Brunham, De proportionibus musicae mensurabilis.

53v: tableau triangulaire des proportions entre les figures de notes („Proportiones musice mensurabilis fratris Roberti de Brunham").

54: „De primis figuris quadratis et 6 speciebus notarum ab eisdem compositis." Inc. „Ad habendam perfectam noticiam artis musice mensurabilis est sciendum..." 54v: Expl. „... sunt pausae eis corespondentes et non plures. Explicit tractatus fratris Roberti de Brunham de proportionibus musice mensurabilis." (Éd. CSM 12, p. 58–63.)

55–56v	Compilation.

a. Règles de solmisation.

55: „Nota quod nulla sillaba potest habere plures distinctiones quam septem, nec aliqua distinctio ... potest habere quam septem."

b. Liste des intervalles (notés) compris entre l'apotome et le ton.

c. Liste des mètres („Spondeus...") et de quelques neumes („liquescens descendens").

d. Note sur les tétracordes et la dénomination des degrés du grand système parfait.

55r–v: „Nota quod quinque sunt tretracorda monocordi videlicet ypate in principale vel supercalcans mese in medium. Sinomenon in coniunctum, dieseugmenon in disiunctum, yperboleon in superuadens vel excellens. Hec autem sunt nomina cordarum. (55v) F Proslambanomenos, id est adquisita vel assumpta ... sinemenona, id est coniunctum."

e. Localisation des quartes.

„Nota quod prima species diatessaron incipit ab A gravi ... cum diapente superius quod partem non facit."

f. Note sur les intervalles utilisés dans le déchant (traité de contrepoint).

„Nota etiam quod 8to sunt concordancie quibus communiter ... (56r) ... ad libitum suum ita quod sumat concordantias propinquiores." (Cf. SachsC, p. 189.)

g. Liste des consonances (traité de contrepoint).

„Concordantias scire volentibus in primis notandum est ... quindecima vocatur bisdyapason." (Cf. SachsC, p. 189.)

h. Liste et structure des intervalles.

56r–v: „Sex sunt toni ex quibus omnis cantus... Diapason constat ex dyatessaron et dyapente."

i. Définition des signes de ponctuation (d'une autre main).

56v: „Coma est punctum cum virgula sursum... Colum est punctum..."
k. Tableau triangulaire des proportions.
Légende: „Figura proportionum in quantitate discreta".

57–67   Guy d'Arezzo, Micrologus.
57: „In nomine sancte et individue trinitatis. Incipit micrologus
liber id est brevis sermo editus a dompno Guydone monacho de
Sancto Mauro." Inc. „Gymnasio musas placuit revocare solutas... Divini timoris tociusque..." 67: Expl. „... per omnia
viget secula. Amen. Explicit micrologus id est brevis sermo in musica editus a dompno Guidone musico peritissimo." (GS II, 2–
24; éd. CSM 4, p. 79–234.)

67v–71v   Guy d'Arezzo, Regulae rythmicae (v. 1–222)
67r: „Incipit alius tractatus eiusdem de musica metrice composita" (à la suite de l'explicit précédent, puis, f. 67v:) Inc. „Gliscunt corda meis..." 71v Expl. „... Terciaque facit quartam sicut
monstrat in pagina." (GS II, p. 25–32; éd. DMA.A.IV, p. 91–
123.)

72–73   Guy d'Arezzo, Prologus in Antiphonarium.
72: „Incipit quidam brevis tractatus de musica editus a dompno
Guydone monacho de Sancto Mauro." Inc. „Temporibus nostris
super omnes homines..." 73: Expl. „... ex industria componantur. Explicit." (GS II, p. 34–37; éd. DMA.A.III, p. 58–81.)

73v–78   Guy d'Arezzo, Epistola ad Michaelem.
73v: „Incipit alius tractatus eiusdem Guydonis monachi de
Sancto Mauro musici peritissimi ad M. monachum." Inc. „Beatissimo atque dulcissimo fratri M.G. per anfractus..." 78: Expl.
„... non cantoribus sed solis philosophis utilis est. Explicit tractatus dompni Guydonis monachi ad A. monachum de musica."
(GS II, p. 43–50.)

78–83v   Liber argumentorum Guidonis monachi de musica.
78: „Incipit alius tractatus eiusdem de eadem. De musica a quo
inventa..." (Sommaire du traité.) 78v: Inc. „Musica a quo est inventa? a pictagora magno..." 83v: Expl. „... ut patet in superiori exemplo. Explicit liber Argumentorum Guydonis monachi
de musica." (Éd. Smits van WaesbergheE, p. 19–30.)

83v–85   Liber de speciebus musicae.
83v: „Incipit liber specierum eiusdem de musica." Inc. „Quid est
musica? Musica est species in motus vocum..." 85: Expl. „... indiget et scriptor. Gloria sit domino. Amen. Explicit liber dompni
Guydonis monachi de Sancto Mauro de speciebus musice." (Éd.

Smits van WaesbergheE, p. 31–58.)

85   Guy d'Arezzo, Regulae rythmicae (v. 238–246).

„Feci regulas apertas... Auctor indiget et scriptor. Gloria sit domino. Amen." (GS II, 33; éd. DMA.A.IV, p. 127.)

85v–95   Pseudo-Odon, Dialogus de Musica.

85v: „Incipit Encheridion Oddonis abbatis de musica et vocatur a quibusdam Dialogus id est duorum sermo eo quod procedat sub forma discipuli interrogantis et magistri respondentis." Inc. „Discipulus. Quid est musica? Magister. Veraciter canendi scientia..." 95: Expl. „... Qui est benedictus in secula seculorum. Amen. Explicit encheridion sive dyalogus dompni Oddonis Abbatis de musica." (GS I, p. 252–264.)

95v   blanc.

JamesTc, III, p. 475–476. – Oesch, p. 30. – Smits van WaesbergheE, p. 10. – ReaneyB, p. 35. – CSM 4, p. 10–12. – Hüschen, col. 1852. – CSM 12, p. 9, 36 (sigle C). – HugloD, p. 130. – SachsC, p. 189 (sigle C_2). – DMA.A.III, p. 29–30 (sigle C2), Abb. 6 (= f. 72v–73). – DMA.A.IV, p. 51 (sigle C2). – BernhardCG1, p. 24. – BernhardCC, p. 34.

CAMBRIDGE, Trinity College   R.9.23 (824)

XIIe s. iv + 94 + ii f. Parchemin. 200 × 130 mm. Justification: 150 × 72 mm; 32 l. Écriture anglaise. Peu d'initiales en couleur, cf. 47v: initiale à entrelacs sur fonds jaune, bleu et rouge. Origine anglaise. Provenance: J. Gunthorpre, Dean of Wells Warden of Kings Hall 1468–1477 († 1498) (cf. f. de garde); offert par George Willmer, fellow à Trinity Coll., en 1598.

2   Diagramme vertical repésentant la moitié du grand système parfait, du prolambanomenos (en haut) à la mèse (en bas); des cercles indiquent les proportions numériques des intervalles.

6–74v   Macrobe, *Commentarii in Somnium Scipionis.*

...

49r–v: longue glose sur le demi-ton: „Liber dicitur quod semitonium tam parvum id est tam parva proportione distet a tono ..."
50v: grand diagramme des deux lambdoïdes combinés et enfermés dans un cercle.

75–92v   Commentaire de Calcidius, Commentaire du Timée.

75: Inc. „Isocrates in exhortacionibus..." 92v: „... et ex levi ammonitione perspicuo." (inachevé) suivi de trois lignes de gloses sur les proportions numériques du demi-ton:
„In naturalibus rationabiliter. In divinis intellectualiter."
„In mathematicis disciplinariter uersari oportet."
„In ditono maior numerus continet minorem etc."

JamesTc, II, p. 265–266.

CAMBRIDGE, Trinity College   R.14.26 (899)

XVe s. 150 f. Papier et parchemin (généralement pour les feuillets intérieurs et extérieurs des différents cahiers). 140 × 105 mm (f. 10: 145 × 75 mm). Reliure de cuir brun, probablement restaurée au XVIIIe siècle. Justification: 100 × 70 mm. Anciens possesseurs: Sanderson (f. 11); Johann Aulaby (f. 11, 106v). Origine anglaise. Mélanges de logique. Notes diverses, *de motu, de quantitate...*

5v   Code d'un cryptogramme musical:

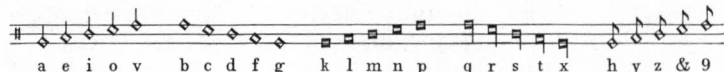

a e i o v   b c d f g   k l m n p   q r s t x   h y z & 9

En dessous, noté selon ce code: „deo gracias quod tomson" (cf. aussi f. 37). Notation cryptographique analogue *in* GB-Lbl Ms. Sloane 351, f. 15r. Cf. E. Sams, „Cryptography, musical", *New Grove*, V, p. 78.

6–9   Question sur la réalité de la musique des sphères et sur les effets de la musique.
                       6: Inc. „Numquid in corporibus celi superioribus musica sit modula[tio] et ut virtutes..." 9: Expl. „...questionis materia magister reuerenda."

9–37   Notes de grammaire, de logique, de physique; sur les cinq sens.

37   Cryptogramme musical: „quod tomson" (cf. supra, f. 5v).

53–54v   Considérations humanistiques sur la musique.
                       53: Inc. „Anima juvenis rationalis cuiuslibet sciencie musicalis..." 54v: Expl. „... immo remanent in" (la suite manque).

55   blanc.

58–107   Sermons.

107–118v   Jean de Murs, Notitia artis musicae.
                       107: „Assit principio sancta maria meo." Inc. „Princeps philosophorum Aristoteles ait..." 118v: Expl. „... et omnia voluntarie segregabit. finis. Nomen factoris signat deca signa doloris munda nec est murum que de cognomine firmum. Explicit sufficientia musice organice edita a Magistro Johanne de Muris musico sapientissimo experto. Ac tocius orbis subtilissimo experto. Amen." (Éd. CSM 17, p. 47–107.)

119   Exemples de notation mesurée.
                       „Cantus perfectus perfectus sic figuratur. – cantus perfectus imperfectus ... imperfectus perfectus ... imperfectus imperfectus sic figuratur." (notation noire sur cinq lignes).

119r–v   Description des consonances accompagnée de notations. „Tonus sic discantatur ... diapente sic discantatur tam ascendendo quam descendendo."

119v   Note sur les consonances.

                 „Concordantias scire volentibus imprimis notandum est, quod
                 prime note principaliter concordant ... 12ᵃ diapason cum dia-
                 pente, 15ᵃ vocis bis diapason."
120r–v   Description des consonances accompagnée de notations.

                 „Ditonus est consonantia constans ex duobus tonis plenis et 3 no-
                 tis ut patet superius..." 120v: Expl. „... Bis diapason est con-
                 sonantia constans ex 15 notis et 4 semitoniis ut patet."
120v–121   Liste des consonances.

                 120v: Inc. „Sex sunt consonantie, quibus omnis cantus ascen-
                 dendo et descendendo..." 121: Expl. „... voces sunt consimi-
                 les."
121–135   Traités de logique; St Thomas, *De ente et essencia*.

JamesTc, II, p. 307–309. – Michels, p. 120 (sigle C). – CSM 17, p. 11 (sigle C).

CAMBRIDGE, Trinity College   R.14.52 (922)

Fin du XVᵉ s. 270 f. (foliotation ancienne). Papier. 280 × 210 mm. Reliure en cuir sur ais
de carton (XVIIᵉ s.). Les deux feuillets 256 a et b ont probablement été ajoutés puisque
la foliotation courante de l'époque n'en tient pas compte. Écritures cursives. Origine anglaise. Mélanges de médecine et d'astrologie.

256ar   Deux mains de solmisation, l'une avec les syllabes, l'autre avec
                 des notes sur des portées de 4 lignes. En dessous sont notés des
                 exercices de solmisation sur des portées de 4 lignes.
256av   Tableau des proportions superparticulières.
256br   „Cribrum proportionum."
256bv   Tableau triangulaire des valeurs: „Longa, duplicium, simpli-
                 cium, brevium..." (Cf. CSM 12, p. 28.)

JamesTc II, p. 338–339.

CAMBRIDGE, Trinity College   R.15.22 (944)

Ancienne cote: R.g.19

1130–1160 (Dodwell, *op. cit.*); ca. 1175–1200 (d'après la décoration; cf. Boase, *op. cit.*,
p. 44, 63). 140 f. Parchemin. 295 × 210 mm. Reliure de cuir sur carton (XVIIᵉ ou XVIIIᵉ
s.); armes et devise „Expertus Credo." Composition: f. de garde (1–4); 9 × IV (5–76), V
(77–83, lacune d'un f. avant 77 et de deux f. entre 82 et 83), 6 × IV (84–130), V (131–140);
réclames en chiffres romains de II (f. 20v) à XVI (f. 130v). Justification à la pointe sèche
de 205 × 160 mm; 27 lignes. Écriture: grosse minuscule du XIIᵉ s.; une seule main. Notation neumatique utilisant la réglure (f. 123v, 124), a campo aperto, entre les lignes de la

réglure (f. 126). Initiales ornées aux f. 5v, 28, 49, 66, 92. Décoration verte et rouge, parfois mauve. Titres en rouge. Schémas tracés au compas. Origine anglaise. Provenance:
Christ Church (Canterbury).

5–101v   Boèce, De institutione musica.
              5: (en haut) „Musica Boetij et Musica guidonis. De claustro can-
              tus liber primus." (en capitales:) „Anitii Manlii Boetii Severini de
              musica id est armonica institutione. Liber primus incipit." Inc.
              „Omnium quidem perceptio sensuum. . ." 28: „Primus omnium
              pythagoras. . ." 49: „Superiore volumine demonstratum. . ." 66:
              „Et si omnia quae demonstranda. . ." 92: „Post monochordi regu-
              laris divisionem. . ." 101v: Expl. „. . . ut in diatonicis generibus
              nusquam unam." (suivi des titres des chapitres du livre V; cf.
              Friedlein, p. 177–371.)

102–117   Guy d'Arezzo, Micrologus (glosé).
              102: „Incipit epistola widonis ad theodaldum aretine episcopum
              super musicam suam." Inc. „Divini timoris totiusque pruden-
              tiae. . ." 117: Expl. „. . . per cuncta viget secula. Explicit mycrolo-
              gus id est brevis sermo in musicam." (Éd. CSM 4, p. 81–234.)

117–121   Guy d'Arezzo, Regulae rhythmicae.
              117: „Gliscunt corda meis hominum. . ." 121: „. . . auctor indiget
              et scriptor. Gloria sit domino. amen." (GS II, p. 25–34; éd.
              DMA.A.IV, p. 91–127.)

121r–v   „De .vi. motibus vocum ad se invicem vel de dimensione earum."
              Inc. „Omnibus ecce modis. . ." Expl. „. . . Unde duo signum va-
              riant loca cuius idipsum." (Éd. DMA.A.IV, p. 128–133.)

121v   Vers sur les neuf Muses (Ausone, *Idyllium*, XX).
              Clio gesta canens . . . complectit omnia phebus." (Éd. La Fage, p.
              288.)

121v–123   Guy d'Arezzo, Prologus in Antiphonarium.
              121v: „Item dicta domni guidonis." Inc. „Temporibus nostris su-
              per omnes homines. . ." 123: Expl. „. . . monstratur si sicut de-
              bent ex industria componantur." (GS II, p. 34–37; éd.
              DMA.A.II, p. 58–81.)

123–124   Guy d'Arezzo, Epistola ad Michaelem (début).
              123: Inc. „Ad inveniendum igitur ignotum cantum. . ." 124: Expl.
              „. . . facili tantum colloquio denudamus." (GS II, p. 44–46; suite
              de la lettre au f. 131v.)

124   *Alme rector mores nobis . . . laudes omnis creatura dicat.*

124r–v   Degrés du grand système parfait.
              124: „De positione sonorum tonorum et symphoniarum se-
              cundum boetium." 124v: Inc. „F Proslambanomenos, id est ad-

quisitus. G Ypateipaton..." Expl. „... f Nete iperboleon. ultima excellentium." (Cf. aussi, plus loin, f. 138v–139.)

124v–126v   Bernon, Prologus in Antiphonarium (extrait).

124v: Inc. „Prout divina gratia inspiraverit aperire conemus..."
126v: Expl. „... melum ordiendo sonum discernamus a sono."
(GS II, p. 67a–77a).

126v–129   Mesures de tuyaux d'orgue.

126v: „De mensura fistularum." Inc. „Cognita omnis consonantia fistularum in organis, mensurae [ratio] ita investiganda est. Prima fistula ad arbitrium mensoris tendatur..." 127: Expl. „... ad similitudinem primi." (Éd. SachsM, p. 99–113.)

127: „Alia mensura." Inc. „Inter quascumque fistulas tonus est..." Expl. „... minorem habet quater totam et bis diametrum." (Éd. SachsM, p. 52–53.)

127: „Item alia." Inc. „Fistulam longissimam quantae longitudinis..." 128: Expl. „...ita ut secundum diapason a primo mensus est." (Cf. *GB-Osjc* 188, f. 88r–v; éd. SachsM, p. 97, 100.)

128: „Item de eodem." Inc. „Primam fistulam quantae magnitudinis facies..." 128v: Expl. „... ut superiores gravioris ordinis fecisti." (Éd. La Fage, p. 74 et s.; cf. GS II, p. 279, 283; *AMl* 1933, p. 111; éd. SachsM, p. 116, 117, 122, 123.)

128v: Inc. „Mensura isto modo finita, ordinandum est ita... 128v: Expl. „... istae mensurae a plectro mensurandae sunt omnes." (Éd. SachsM, p. 95.)

128v: „Probatio si bene mensurasti." Inc. „Si primas duas longitudines octavae in semetipsam habuerit..." Expl. „... sine confusione dissonantiarum pervenire valeat." (Éd. SachsM, p. 124–125.)

128v: Inc. „Si fistulae aequalis grossitudinis fuerint..." Expl. „... partem XVI^{mam} haec consonantia semitonium erit." (Éd. SachsM, p. 49–51.)

129: Inc. „Fistulae si aequalis grossitudinis fuerint..." Expl. „... minoris parte supergreditur. tono concordant." (Éd. SachsM, p. 48–49.)

129–131   Scolica enchiriadis (extraits).

129: Inc. „At dabis nunc rationem quare per alias regiones..."
131: Expl. „... supergreditur ad invicem resonant tonum." (Cf. *GB-Osjc* 188, f. 89–90v; GS I, p. 192b–195b; Schmid, p. 106–113.)

131: Inc. „D. Qua ratione voces consonae vel..." Expl. „... M. In acumine et gravitate. in elevatione ac submissione." (Cf. GS I, p.

199b; Schmid, p. 123–124.)

131r–v   Mesures de cloches.

131: „De cimbalis" Inc. „Quicunque vult facere cymbala recte sonantia..." 131v: Expl. „... Hoc emendare procura cum cote et lima." (Cf. *GB-Osjc* 188, f. 88v–89; éd. Smits van WaesbergheC, p. 54–56.)

131v: „Item de [e]odem" Inc. „Sonitum tintinabulorum si quis rationabiliter juxta modum fistularum organicarum facere voluerit..." Expl. „... superetur quarta parte, hoc est semitonium." (Éd. Smits van WaesbergheC, p. 39.)

131v–134v   Guy d'Arezzo, Epistola ad Michaelem (suite et fin).

(début au f. 123–124) 131v: „Item dicta gwidonis de musica" Inc. „Sicut in omni scriptura XXIII litteras..." 134v: Expl. „... sed solis philosophis utilis est." (GS II, p. 46–50.)

134v   Traité d'organum versifié.

134v: Inc. „Quisquis velis camenarum melodiis canere et dulcissimas fistularum pastorum..." Expl. „... cum finit cantus organum G succinat." (Éd. DMA.A.Xb, p. 33–34.)

134v–136v   Mesures de monocorde.

134v: Inc. „Partire totum .a. per medium et habebis .h. Partire per medium .a. usque ad .h. et habebis .b. ..." Expl. avec des notations dasianes. (Cf. Smits van WaesbergheG, p. 168–169, mesure 27; éd. Schmid, p. 233–234.)

135: Inc. „Prius dividenda est tota linea in quattuor partibus..." 135v: Expl. „... cujus corda vocatur ipateipaton." (GS I, p. 342; cf. Smits van WaesbergheG, p. 164, mesure 19. Éd. BernhardC G1, p. 191–192.)

135v: Inc. „Studiosis et necdum in musicam provectis, haec de monocordo prometiendo regula sufficiat..." 136: Expl. ... In enarmonio et per diesin et dieresin omnia complebis." (Cf. Smits van WaesbergheG, p. 159, mesure 5.)

136: Inc. „Totam tabulam divide in quatuor partes..." Expl. „... in tres partes et in quarta pone .b. semitonium in diatonico genere." (Cf. Smits van WaesbergheG, p. 159, mesure 3.)

136v: Inc. „Cromaticum autem et enarmonicum sic facies. Sume medietatem spacii quod est..." Expl. „... quod iterum divides per in (!) duo in genere enarmonico." (Cf. Smits van Waesberghe, p. 182, mesure 66.)

136v–137   Complément à la mesure de monocorde du f. 134v.

136v: Inc. „Cantus qui legitime est factus, has debet tenere mensuras..." 137: Expl. „... secundum boetium septima, secundum henchiriadem octava." (Cf. *GB-Obl* 613, f. 40v–42; éd. Schmid, p. 235.)

137–138   Note sur les modes.

137: Inc. „Qui monocordi regulam et tonorum diversitates quaerit..." 138: Expl. „... in horum quatuor aliquem revertatur." (Éd. partielle par La Fage, p. 75 et s.)

138   Nomenclature des tons.

„Nomina tonorum." Inc. „Primus tonus dicitur dorius. Secundus ypodorius..." Expl. „... Octavus ypomixolidius."

138   Extrait sur les huit tons.

Inc. „Omnes autenti quinto loco a se principia seu fines distinctionum..." Expl. „... Deuterus vero autenticus usque ad suppositum semitonium et tritus deponuntur." (Cf. *GB-Osjc* 188, f. 84v.)

138r–v   Traité dialogué sur les intervalles.

138: Inc. „Diapason quid est? Diapason est quaelibet vox gravis cum acuta resonans unice. Unde dicitur? dicitur de omnibus..." 138v: Expl. „... distinctionem partium et syllabarum disjungit." (Cf. *GB-Obc*, 173 A, f. 80v–81; *GB-Osjc* 188, f. 84v–85.)

138v   Nomenclature des tétracordes.

„Nomina .v. tetracordorum." Inc. „Quinque tetracorda sunt monocordi. Hipate id est principale..." Expl. „... Hyperboleon supervadens excellens." (Cf. *GB-Obc* 173A, f. 80v; *GB-Osjc* 188, f. 86v.)

138v   „Nomina quatuor principalium tonorum. Archos. Deuteros. Tritos. Tetrardos."

138v–139   Degrés du grand système parfait.

138v: „Nomina cordarum." Inc. „Proslambanomenos id est adquisitus. Hipateipaton..." 139: Expl. „... Paranete iperboleion inferior excellentium." (Cf. supra, f. 124r–v.)

139   Ambitus des modes, cf. Hucbald, De institutione harmonica.

„Unusquisque sonus autenticus a suo finali usque in nonum suum ascendit. Descendit autem in sibi vicinum, et aliquando in semitonium. Plagis autem in quartum descendens usque in quintum ascendit." (Cf. *GB-Obc*, 173A, f. 80v; *GB-Osjc* 188, f. 86v–87; GS I, p. 116a.)

139–140   Traité sur les modes.

139: „De finalibus octo tonorum et descensione et ascensione eorum et inceptione." Inc. „Ut aiunt periti artis musice, primo sunt inventae quatuor cordae, id est D et E F G in quibus fundaverunt quatuor tonos videlicet..." 140: Expl. „... de quarto tono, quinto, sexto, nil tale invenitur." (Cf. *GB-Obl* Bodl. 613, f. 38–40.)

140v   blanc.

JamesTc, II, p. 361–363. – Smits van WaesbergheC, p. 39, 54–55 (sigle Ca). – Thomas S.R. Boase, *English Art. 1100–1216* (Oxford, 1953), p. 44 et 63. – Charles R. Dodwell, *The Canterbury School of Illumination 1066–1200* (Cambridge, 1954), p. 29 (18a), 32, 33 (20b), 35 (25c), 39, 64 (38a) 78, 79, 121. – Smits van WaesbergheG, p. 159, 164, 169, 182. – CSM 4, p. 7–10. – Ker, p. 33. – SachsM, p. 22 (sigle C). – HugloT, p. 266, 382, 385, 454. – DMA.A.III, p. 29 (sigle C1). – DMA.A.Xb, p. 7, 10–13, 16, 20, 33 et s., 81. – Schmid, p. VIII (sigle Tr). – DMA.A.IV, p. 50. – Bower, p. 214–215. – BernhardCG1, p. 190.

CAMBRIDGE, University Library   Gg. v. 35 (cat. 1567)

XIe s. iii + 446 + i f. Parchemin. 213 × 145 mm. Reliure moderne (1974). Cahiers signés. 260–69: quinion signé XXVII; 270–76: cahier irrégulier (276v blanc) non signé. Justification (au f. 273v): 184 × 110 mm. 31 l. (f. 114v) – 40 l. (au f. 273v). Ecriture anglaise du XIe siècle. Notations dasiane (f. 273–276), neumatique (f. 439, 441v, 444), neumatique anglaise sur un feuillet retrouvé récemment („O stelliferi cond.") Initiales vertes ou rouges. F. 1: initiale M avec têtes de monstres. Origine et provenance: Abbaye St Augustin de Canterbury (cf. f. iiiv, colophon du XIVe s.). Mélanges de théologie.

263–272v   Hucbald, De musica.
              263: Inc. „[A]d Musice initiamenta..." 272v: „...utraque reductus regione protenditur." (GS I, p. 104–121a, l. 17.)
              Puis:
272v   Fulgence, Mytologiae (extrait du Livre III, ch. 9).
              272v: „Quinque gradus simphoniarum." Inc. „Cithara symphoniarum gradus habet .v. Prima symphonia diapason vocatur..."
              Expl. „... Metabolas. Melopias." (cf. *Fabii Planciadis Fulgentii V.C. Opera (...)* recensuit Rudolfus Helm (Leipzig, 1898), p. 75–76.)
272v–276   Musica et Scolica enchiriadis (extraits).
              272v: Inc. „Nam affectus rerum quae canuntur ... particulae neumarum atque verborum." (GS I, p. 172; Schmid, p. 58), puis: „Singuli soni ex quattuor suis tetrachordis..." 275v: „... exprimant hoc modo" suivi du tableau (GS I, 174b–179b; Schmid, p. 64–78 et 248). Puis (f. 276): „Sistema quid est ... *et vita alleluia, alleluia, alleluia*" (GS I, 182b–183a; Schmid, p. 85–87.)
276v   blanc

A Catalogue of the Manuscripts preserved in the Library of the University of Cambridge (Cambridge, 1856–1867), III, p. 201–205. – Frere II/1, p. 119, n° 863. – Ker, p. 40. – Ogilvy, p. 284, *passim*. – HugloT, p. 341. – Chartier, p. 120–121. – Schmid, p. VIII (sigle

Un). – Fenlon, p. 20–40 (22, 23 = f. 439 et 444 et bibliographie complémentaire). – Bern-hardCG1, p. 24.

DURHAM, The Dean and Chapter Library   Ms. B. II. 11

E; P^i.Y. (ancien catalogue: E).

Fin XIe. i + 138 f. Parchemin. 325 × 245 mm. Reliure moderne (1846). Justifications: 45 × 80 mm, 7 lignes (f. 107); 2 col. de 260 × 80 mm, 37 lignes (f. 107v); 2 col. de 260 × 80 mm (37 lignes) et 48 × 80 mm (7 lignes) au f. 108r. Le volume a appartenu à Guillaume, premier évêque de Durham, mort en 1096 (cf. Th. Rud, p. 106). Origine anglaise.

1	Sommaire du XIIe siècle.
2–107	Mélanges de théologie (œuvres de St Jérome principalement) parmi lesquels un traité sur la mesure de la sphère (f. 105v).
107rb–108r	Mesures de monocorde.

107rb: „Monocordum Domni Encheriadis.“ Inc. „Monocordum Encheriadis constat...“ 107vb: Expl. „... singuli extremam suam simphoniam attingant, id est xv sonum.“ (Cf. Smits van WaesbergheG, p. 168, mesure 27; éd. Schmid, p. 236–237.)

107vb: „Mensura Domni Boetii“. Inc. „Totam tabulam divide in quatuor et in prima parte...“ Expl. „... semitonium in diatonico genere.“ (Cf. Smits van WaesbergheG, p. 159, mesure 3.)

107vb: Inc. „Cromaticum et enarmonicum ita facies. Sume medietatem spacii quod est inter .p. et .o. ...“ 108ra: Expl. „... genera quod iterum divides in duo in enarmonico genere.“ (Cf. Smits van WaesbergheG, p. 182, mesure 66 et Durham, Hunter Octavo 100, f. 41v–42.)

108ra: „Mensura Domni Guidonis“ [Guy d'Arezzo, Micrologus, III, 2–11.] Inc. „Γ Gamma itaque inprimis affixa ab ea usque ad finem...“ 108rb: Expl. „... et .g. aliud et reliqua eodem modo.“ (Cf. éd. CSM 4, p. 96–98 et Durham, Hunter Octavo 100, f. 42.)

108v	Schéma de monocorde en notation alphabétique (a–p).
109–137	Lettres et traités de Fulbert de Chartres.

Thomas Rud, *Codicum manuscriptorum ecclesiae cathedralis dunelmensis catalogus classicus* (Durham, 1825), p. 106–109. – MynorsD, p. 38. – CSM 4 (1955), p. 13–14 (sigle Du2). – Ker, p. 66.

DURHAM, The Dean and Chapter Library   Ms. Hunter Octavo 100

Anciens catalogues: A

XIIe s. (premier quart; cf. MynorsD, p. 49). Mélanges d'astronomie (calendriers, tables des épactes...) et de médecine (à partir du f. 81). 121 f. (fol. du XVe s.). Parchemin. 170

× 123 mm. Reliure moderne (c. 1964). Justification: 110 × 71 mm; 27 l. (f. 41v); 96 × 71 mm; 24 l. (f. 42). Origine anglaise d'après le calendrier (f. 1–42). A la fin: „Roger Gandsar (?) his Book 1700".

41v–42   Mesures de monocorde.
          41v: „Incipit modus monocordi secundum Guidonem." Inc.
                                                                        d
          „Primum a .*Γ*. ad finem novem passus..." Expl. „... invenies .d.
          Reliqui vacant." (éd. CSM 4, p. 99–101.)
          41v: „Item alia genera secundum Boetium." Inc. „Cromaticum
          autem et enarmonicum ita facies..." 42: „... quod iterum divi-
          des in duo in genere enarmonico." (Cf. Smits van WaesbergheG,
          p. 182, mesure 66; Durham, Ms. B.II. 11, f. 107vb–108ra.)
          42: „Item secundum Guidonem." [Cf. Micrologus III, 2–14.]
          Inc. „Gamma itaque inprimis affixa..." Expl. „... et intellecta
          vix obliviscatur." (Éd. CSM 4, p. 96–99; Durham, Ms. B.II.11,
          f. 108ra–b.)

Thomas Rud, *Codicum manuscriptorum ecclesiae cathedralis dunelmensis catalogus classicus* (Durham, 1825), p. 396–398. – MynorsD, p. 49–50. – CSM 4 (1955), p. 12–13 (sigle Dul). – Ker, p. 71.

GLASGOW, University Library – Hunterian Museum   461 (V.6.11)
Anciennes cotes: Q.9.25 et Q.9.188.
Début du XVe s. (1411, f. 1v). 191 f. Papier. 220 × 160 mm. Reliure du XVe s. Composition (d'après la description de Young): ... X–3 (f. 31–37), X (f. 38–47), XII (f. 48–59), VI (60–65). Justification: c. 162 × 111 mm (f. 34v–36v); c. 120–200 × 85 mm (f. 38–65). 31–44 lignes. Plusieurs mains (essentiellement françaises ou flamandes du XIVe et du XVe s.). Origine française. Mélanges d'astronomie et d'astrologie, traités d'arithmétique et de médecine.

34v–37   Brevis tractatus super Musicam Boetii.
          34v: „Brevis tractatus super Musicam boecij. Incipit musica Boe-
          cij." Inc. „Ad evidenciam eorum quae dicuntur in musica primo
          sciendum quod causa materialis..." 37: Expl. „... ad 2048. ut in
          demonstratione nec in minori proportione potest reperiri. Hec de
          musica sufficiant." Suivent les définitions de l'apotome et du
          comma.
          37v blanc
38–42   Jean de Murs, Tractatus de proportionibus.
          38: „Proporcionum musicalium per venerande memorie magi-
          strum Johannem de Muris sciencie musicalis expertissimum tra-
          ditarum adipisci noticiam affectantes..." Inc. „Sunt et enim

quinque proportionum inter se distincta genera..." 40v: Expl.
„... et hec sufficiant de generibus proportionum in generali et apparent in sequenti figura. Sequitur figura" (41–42: tableaux).
(Cf. GS III, p. 286–291.)

42v–65 Jean de Murs, Musica speculativa.

    42v: „Incipit prefatio magistri Joannis de muris in mu[si]ce theoriam per eundem copulatam et compilatam." Inc. „Etsi bestialium voluptatum per quae gustus et tactus (...)" 64: Expl. „... volo figuram in hoc ordine consequentem finitur 2. pars hujus libri. (64v) Explicit theorica proportionum musicalium breviter et succinte, subtiliterque composita et solerter diserte quoque tradita per magistrum Johannem de muris musicum precipuum et solennem de territorio normannorum, translata et finita anno dominice incarnacionis 1384° mensis autem aprilis die 16ª per Robertum Robillart tunc temporis Rothomagi [Rouen] residentem pro cujus anima si placeat vobis supplicat exoretis deum trinum et unum cujus opitulante gracia (...)" 65: diagramme du monocorde. (GS III, 255–283.)

65v   Noms des neumes avec leurs figures.

John Young, P. Henderson Aitken, *A Catalogue of the Manuscripts in the Library of the Hunterian Museum in the University of Glasgow* (Glasgow, 1908), p. 381–384. – Le ms. n'est pas signalé par Michels.

LINCOLN, Cathedral Library Ms. 229 (B. 6. 7)

Fin du XIVᵉ siècle. 210 f. Parchemin. 165 × 110 f. Reliure démembrée: ais de chêne recouverts de cuir rouge. Justification: 125 × 70 mm, 30 lignes environ par page. Plusieurs mains. Écriture anglaise. Initiales rouges, marques de paragraphe. 1v: „Pertinet domino Thome Carter" (et f. 2: „Thomas Carter", de la même main; „Lincoln", d'une autre main). Origine anglaise. Le ms se trouve à Lincoln, Cathedral library, depuis la fin du XVIIᵉ s. Mélanges d'histoire ecclésiastique et de théologie: Décrets conciliaires (Londres, 1215–22; 6–17v); Hugo Ripelin, *Compendium theologiae veritatis* (extraits, 22v–29v); *Pictor in carmine* (30v–41); Nicholaus de Hanapis, *Liber de exemplis spiritus sancti* (44–109); Manuel du confesseur (110–124); Richard Rolle, *Emendatio Vitae* (133–153v); Jean de Bourgogne, *Tractatus Epidemiae* (159–163); Thomas Docking, *De decem mandatis* (164–205).
(Description d'après la notice rédigée par le Dr. R.M. Thomson pour le catalogue des manuscrits de Lincoln, Cathedral Library [à paraître].)

128v–132 Metrologus.

    128v: Inc. „In nomine sancte et indiuidue Trinitatis incipit metrologus liber de plana musica id est breuis sermo. Quid est mu-

sica..." 132: Expl. „... de omnibus interpretatur eo quod omnes
habent voces. Explicit." (Éd. Smits van Waesberghe E, p. 67–76.)

Reginald Maxwell Wooley, *Catalogue of the Manuscripts in the Lincoln Cathedral
Library* (Oxford, 1927), 164–165. – Frere, II/1, p. 17. – Smits van Waesberghe, p. 64 (sigle
Li).

LINCOLN, Lincolnshire Archives Office   Maddison deposit, 2/4

XIIIe s. Ancienne cote $\frac{XI}{8}$ sur chacun des bifolia. Cette cote se rapportait peut-être à la
reliure de laquelle ces feuillets ont été extraits.

Deux bifolia. Parchemin. Dimensions extrêmes (h × l): c. 237 × 315 mm (bifol. 1), c. 230
× 315 mm (bifol. 2). Les deux bifolia ont été rognés, d'où une légère perte de texte aux f. 2
et 4. Dimensions actuelles: 237 × 168 mm (f. 1) et 230 × 168 mm (f. 3). Lacunes entre les
f. 1 et 2 et entre les f. 3 et 4. Justification variable: 180–183 × 116–120 mm. 22 à 25 lignes
par page. Écriture de type littera textualis formata du XIIIe s. Encre rouge pour le texte
du traité et noire pour les exemples musicaux sauf au f. 1: „Septem sunt" (noir) et „Voces
mutandi cupiens cognoscere" (rouge). Notation carrée noire sur portées de 4 et 5 lignes
tracées à l'encre rouge. Initiales principales en bleu avec décoration rouge; capitales secondaires en rouge ou en bleu sans décoration. Origine anglaise. Ces fragments présentent trois parties: un tonaire; un traité de contrepoint de type „Si cantus ascendat" etc.;
des exemples en notation modale sans texte ajoutés ultérieurement sur un feuillet blanc.

1r	Table des sept muances suivie du texte „Septem sunt principales mutationes ..." exemples musicaux. Illustration des intervalles de l'unisson à l'octave. Exemples illustrant les muances: „Voces mutandi cupiens cognoscere formam..."
1v	Suite du f. 1r: „Fit tonus sic... Possidet" (incomplet).
2r	„Sciendum est quod octo sunt toni quibus tocius cantus natura distinguitur..."
2v	Suite du précédent recto, finissant: „,imponimus [d]ifferentias"; „Hec vero sunt inceptiones psalmorum singulorum tonorum" suivi des exemples: „Pater in filio. Magnificat. Benedictus domi- nus meus. Beatus vir."
3r	„Primus igitur tonus in quattuor litteris regulariter incipit..." suivi d'exemples concernant l'utilisation du 1er ton.
3v	Suite du précédent recto.
4r	Fin d'un passage relatif au contrepoint. „Si cantus ascendat in octavam..." Expl. „... cum ipso cantu sicut prenotatum" (la suite est perdue). Le passage comprend trois exemples musicaux.
4v	9 portées de cinq lignes. Les portées 1 à 6 contiennent des exem- ples en notation modale sans texte. Portées 7 à 9 sans musique.

Notice rédigée à partir de la description communiquée par M. Adrian J. Bassett (London).
Description sommaire in Ker, III, p. 145.

LONDON, British Library   Add. 4909

XVIIIe s. 106 f. Papier. 382 × 250 mm. Reliure moderne. Copie effectuée pour John Christopher Pepusch des traités de musique de *GB-Lbl* Cotton Tib. B.IX.

1–11   Robertus de Handlo, Regulae.

       1: „Incipiunt Regulae cum Maximis Magistri Franconis cum additionibus aliorum Musicorum compositae." Inc. „Franco, Gaudent brevitate Moderni etc. Item quandocumque punctus quadratus..." 11: Expl. „... hic est omnis Cantor et pro vita scriptoris Deum intente ora. Expliciunt Regulae cum additionibus. Finitae die Veneris proximo ante Pentecost Anno Domini Millesimo Tricentesimo Vicesimo Sexto et caetera. Amen." (CS I, 383a–403b; Peter Lefferts, *The Rules By Robertus de Handlo; the Summa By Johannes Hanboys* [Lincoln, NE, 1990.])

11v–14v   Egidius de Murino, [Tractatus de diversis figuris].

       11v: „Alius Tractatulus de Musica Incerto Authore." Inc. „Incipit Tractatus diversarum figurarum per quas dulces modi discantantur ... secundum Magistrum Egidium de Muris vel de Morino qui ut Deo placuit Scientiam Musicalem..." 14v: Expl. „... octo et unus [!] sic deficeretis. Sic itaque ad completionem hujus operis consecutus sum, et ideo refero gratias Deo. Amen." (CS III, 118a–123b; Schreur.)

       14v: „Superius dictum est de Diminutione et augmentatione Figurarum. Nunc videndum est qualiter ipsas ordinabis ad discantandum ... de tempore imperfecto minori, et de Semibrevibus perfectis / primo..." (CS III, 123b–124b.)

14v–17v   Egidius de Murino, Tractatus cantus mensurabilis.

       14v: „... perfectis /" Inc. „primo accipe Tenorem acutus antiphone vel responsorii..." 17v: Expl. „... et forte Deus dabit tibi per suam gratiam majorem intellectum atque subtilitatem." (CS III, 124a–128a; édition partielle: D. Leech Wilkinson, *Compositional Techniques in the Four-Part Isorhythmic Motets of Philippe de Vitry and his Contemporaries I* [New York, 1989], p. 18–20.)

17v–31v   Traité de musique spéculative et de plain chant.

       17v: „Pro aliquali notitia de Musica habenda. Primo videndum est quid sit Musica et unde dicatur. Secundo quae ejus partes et qualiter dividatur. Tertio quid est Musicus et de Doctrina Musicorum et Cantorum. Quarto quid genus ejus. Quinto quae Materia. Sexto quid Instrumentum. Septimo quid Artifex. Octavo que utilitas. Nono, quae ejus virtus.'' Inc. „Circa primum sciendum quod Musica est Liberalis Scientia...''

20v: „Secundo Principaliter videndum est, primo de Arte Musicae et Elementorum... Secundo qualiter faciendum est Monocordum... Tertio de Consonantia... Quarto, qualiter oriuntur consonantiae. Quinto, de tribus melorum generibus. Sexto de b rotunda et h quadrata... Septimo de Semitonio... Octavo et ultimo de proportionibus musicalibus...''

26v: „In ista parte declarandum est de plano cantu qui in quinque consistit. Primum est de signis et nominibus vocum. Secundum de lineis et spatijs. Tertium de proprietatibus. Quartum de mutationibus et Quintum de octo tropis sive modis...'' 31v: Expl. „... et omnes partes ipsam oblique componentes omnino perfecte sunt excepta sola simpla quae est impartibilis.'' (Cf. Cotton Tiberius B.IX, f. 204–205.)

31v–56	Anonyme I de Coussemaker, De Musica antiqua et nova. 31v: Inc. „Dictis aliquibus circa planum Cantum, restat aliud dicendum de cantu sive Musica mensurabili, circa quod primo dicendum est de quantitate Musicae mensurabilis...'' 56: Expl. „... nam in isto libello nichil apposui quod non ab auctoritatibus et a Magistris peritis et approbatis mediante gratia Dei addici. Explicit.'' (Cf. Cotton Tiberius B.IX, f. 205v–214; CS III, 334a–364b = Quartum principale, CS IV, 254a–298a.)
56v–93	Anonyme IV de Coussemaker, De Mensuris et discantu. 56v: Inc. „Cognita modulatione Melorum secundum viam octo troporum...'' 93: Expl. „... ad quam gloriam possumus omnes pervenire cum Sanctissimo.'' (Cf. Cotton Tiberius B. IX, f. 215–224; CS I, 327a–364b; ReckowA, I, p. 22–89.)
93–94v	De sinemenis (mesure de monocorde). 93: Inc. „Sequitur de Sinemenis sic...'' 94v: Expl. „... praedictis divino instrumento Monocordo dicendo. Omnis spiritus laudet Dominum etc. cuncta bona etc. Explicit.'' (Cf. Cotton Tiberius B.IX, f. 224r–v; CS I, 364a–365b; éd. Herlinger₂, p. 126–134.)
94v–96v	Anonyme V de Coussemaker, De discantu. 94v: Inc. „Est autem unisonus quando duae voces manent...'' 96v: Expl. ... Item si descendat per diatessaron sta in eodem.'' (CS I, 366a–368b.) 96v: Main de solmisation.

	97v: Exemples et exercices de solmisation.
98–104v	Anonyme VI de Coussemaker, Tractatus de figuris sive de notis. 98: Inc. „Cum in isto tractatu de Figuris sive de Notis quae sunt ... fit intentio..." 104v: Expl. „... ad notam subsequentem. Et sic finitur Capitulum tertium etc." (CS I, 369a–377b; CSM 12, p. 40–51.)
104v	„*Faus semblaunt...*" (cf. WolfM, II, p. 15 et s., III, p. 27 et s.)
105–106	Walter Odington, De speculatione musicae (extraits).

1. 105: Inc. „Nota quod est unum genus cantus organici..." Expl. „... et hujusmodi cantus Truncatus dicitur a rei convenientia qui et Hoequets dicitur – haec Odyngton –" (CS I, 245b–246a; CSM 14, p. 139–140.)

2. 105: Inc. „Longa perficitur cum longa praecedit..." Expl. „... vel valor brevis resolute in semibreves sic ¶ ■ ■ ■ ○ ¶" (CS I, 236b–237a; CSM 14, p. 129–130.)

3. 105v–106: Inc. „De modis quibus procedunt cantus organici. Modus in hac parte est longarum et brevium ordinalis processio..." 506: Expl. „... Primus itaque secundi imperfectus." (CS I, 238a–239b; CSM 14, p. 131–132.)

Catalogue of Additions (1756–1782), p. 283. – Hughes-Hughes, p. 303, 304, 306. – HawkinsH, I, p. 149, 176, 184, 221 ss., 238 ss., 253 et s. – Fétis, IV (1862), 219. – CS I, XV, XX et s., XXII. – CS III, p. XXXII et s. – CSM 4, p. 27. – Hiekel, 185 ss. – ReaneyA, p. 12. – CSM 12, p. 39. – Reckow, II, p. 14–16. – CSM 14, p. 14–15 (sigle L₁). – SachsC, p. 193 (sigle Lo₇). – DMA A.III, p. 35 (sigle Lo₁). – Herlinger₂, p. 123–124. – BernhardCC, p. 7, 8, 21, 35.

LONDON, British Library   Add. 4911

Vers 1540 (selon H.G. Farmer, *op. cit.*, p. 106), vers 1580 (selon Maynard, *op. cit.*). 129 f. Papier. 335 × 200 mm. Reliure moderne. Écriture gothique anglaise. Notation mesurée blanche sur cinq lignes; notation carrée sur quatre lignes. Origine écossaise (Edinburgh ou Aberdeen). „Liber Collegij Musaei Mineruae ex dono Fra. Kinaston – 1635" (au f. 1, d'une main du XVIIᵉ s.) Ms. offert par Sr J. Hawkins (30.05.1778).

1–129	The Art of Music (traité de musique mesurée et de contrepoint). 1: „The Art of Music collecit out of all ancient doctouris of Music." Inc. „Qvhat is mensural music? Music mensural (as ornitoparchus)..." 2: „The Secund chaptour. ligatur quhat is it? Gaforus dois vrit..." 4: „The thrid chaptur of pausis or restis. Quhat is ane paus? It is ane figur..."

5: „Quhow monye grets of mensurall music..."

6v: „The Fyvest chaptour. Prolationem quhow mekitt is it? ..."

10v: „The Sax chaptour. Sing quhat is it? It is ane evident takin..."

14: „The Sevnt chaptour. Quhow mony partis of figuris ar..."

15: „The aucht chaptour. Quhat is perfection of figuris? It is ye sam..."

15: „The nynt chaptour. Imperfection. Quhat is Imperfection of figuris? It is ane abstraction of tho thrid part..."

20v: „The nynt (!) chaptour. Ane pwnt quhat is it. It is the leist and smallost sing..."

21v: „The tent chaptur. Alteration. Alteration quhat is it? Alteration in figuris..."

23v: „The levant chaptour. Sincopa. Sincopa quhat is it..."

24v: „The tvelt chaptour. Tactus. Tactus quhat is it? It is ane continuall mocion..."

26v: „The threttend chaptur. Augmentation. Augmentation quhat is it? As Ornitoparchus dois writ..."

27: „The foubend chaptour. Diminucion. Diminucion quhat is it? Diminucion ad gafforius..."

30: „The fyvtint chaptvr. Quhat is ane canone? It is ane Institutione of noittis..."

46: „In this libell consequent the proces of the secund bwik and thrid part of mwsic ordolic is extendit. Heir beginis the first chaptour. Contrapunct."

48: „The Secund chaptour. Quhow mony Rwlis of contrapunt ar..."

54: „The thrid chaptur. The trid chaptur is of the conventent and congrew according of the ferd diatessaron consonance..."

54v: „The fowr chaptour. Discordance quhat is it. It is ane Mixtur of dyversis soundis..."

68: „The First chaptor is of the formation of diversis vocis in setting of songis. The Mesuris of discant befoir vritm formaly be..."

85: „Heir beginnis countering. To proceid furth with the proceis musicall..."

94: „Heir beginnis Faburdon (...) Quhat is Faburdoun? Faburdoun is ane melodius..." 95: „... ane sympill noit is augmentit. Heir followis ye plane sang." (f. 94–95v: éd. BukofzerG, p. 158–160.)

114v: „To produce intelligens of the rehersit kynd of Multiplex and submultiplex gener..."

115v: „The secund chapter. The secund kynd of the mair inequalitie as franchinus sayis is called superparticulare..."

119: „Thrid chaptur. The trid kynd of the mair Inequalitie is callit Superpaciens..."

121: „The ferd chaptour. The ferd kynd of ye mair Inequalitie ... is callet Superparticulare..."

122: „The fivst chaptour. The first kind ... is when ye mair numbre of the consequent nottis..." 129: Expl. „... and nottis vpon ye centrie of said nawe ingrawit so" (suivi des signes de temps parfait et imparfait).

La plupart des chapitres sont accompagnés de très nombreux exemples musicaux de deux à quatre voix.

Catalogue of Additions (1756–1782), p. 283. – Hughes-Hughes, p. 314. – Bukofzer, p. 84–88, 158–160 (éd. f. 94–95v), app. musical n° 17 („Christe qui lux es..."). – Georgiades, p. 96. – Henry George Farmer, *A History of Music in Scotland* (London, [1947]), p. 106. – Heinrich Besseler, *Bourdon und Fauxbourdon. Studien zum Ursprung der Niederländischen Musik* (Leipzig, 1950), p. 108. – Manfred F. Bukofzer, „Fauxbourdon Revisited", *MQ*, XXXVIII (1952), 22–47 (en part. p. 29–31, p. 30 „Te Deum laudamus"). – Anselm Hughes, „An Introduction to Fayrfax", *MD*, VI (1952), 84–104 (en part., 93–94). – Kenneth Elliott et Helena Mennie Shire, *Music of Scotland 1500–1700* (London, 1957: *Musica Britannica*, XV), (sigle *AM*), cf. n° 16, 20, 31, 38–41, 74, 81, 82. – Brian Trowell, „Faburden and Fauxbourdon", *MD*, XIII (1959), 43–78. – Judson Dana Maynard, *An Anonymus Scottish Treatise on Music from the Sixteenth Century, British Museum, Additional Manuscript 4911*, Edition and Commentary (Ph. D. Dissertation Indiana University, 1961). – Franck Harrison, „Faburden in Practice", *MD*, XVI (1962), 11–34. – Paul Doe, *Early Tudor Magnificats: I* (London, 1962; = *Early English Church Music*, 4.), éd., p. 136: „Et exultavit spiritus meus" (f. 101v–102), p. 137: „Et exultavit..." (f. 100). – Roger W. Bray, *The Interpretation of Musica Ficta in English Music, ca. 1490–c. 1580*, (Ph. D. Diss., Oxford University, 1969), I, p. 156 ss., II, p. 71, 77, 88–89. – Edwin B. Warren, *Life and Works of Robert Fayrfax* (American Institute of Musicology, 1969). – John Caldwell, „The ‚Te Deum' in Late Medieval England", *Early Music*, VI (1978), 188–94. – Brian Trowell, „Faburdon – New Sources, New Evidence: A Preliminary Survey", *Modern Musical Scholarship* (London, 1980), 28–78. – Census-Catalogue II, p. 41–42. – Isobel Woods, „A Note on Scottish Anonymous", *R.M.A. Research Chronicle*, XXI (1988), 37–39.

LONDON, British Library   Add. 4912

XVIII° s. 160 f. Papier. 320 × 200 mm. Reliure moderne de la fin du XIX° s. Offert par J. Hawkins en 1778. Copie de *GB-Lbl* Lansdowne 763. Pour les concordances avec les éditions modernes, voir la description de ce manuscrit.

3–79   „Incipit prologus super Musicam Guidonis Monachi... Explicit tonale. Scripto tonale. Deus sit Decus imperiale. J. Wylde." (Cf. Landsdowne 763, f. 3–51v.)

80   „De octo tonis, ubi nascuntur... Explicit Tractatus de octo Tonis." (Cf. *Ibid.*, f. 52r–v.)

81   „Monachus quidam..." (f. 52v) puis „Ex altera parte secuntur versus Mistici huic Gammae pertinentes" suivi des vers: „Ex Magdalene cantandi ... Kendale" (*Ibid.*, f. 53r–v).

81v–82v   blancs.

83–91   „De origine et effectu Musice ... corpore psallendi." (Cf. *Ibid.*, f. 55v–60v).

91v–103   „Metrologus. Liber... Explicit liber Metrologus et octo tonorum incipit." (Cf. *Ibid.*, f. 61–68v.)

103r–v   „Tractatus Metricus. Primus est tonus... G plaga tetrardi C D E F g a ♮ c d e. Per istam formulam demonstratur quis modus recipit b mollum et ♮ quadratum et de limitibus regularibus elevationem et depositionum tonorum sive modorum." (Cf. *Ibid.*, f. 68v.)

104–119   „De origine Musicae artis... Explicit Tonale." (Cf. *Ibid.*, f. 69–87.)

119v–120   „Distinctio inter colores ... secundum dignitatem unius generis." (Cf. *Ibid.*, f. 88v–89.)

120v–122   „Declaratio trianguli... Explicit Trianguli et Scuti Declaratio." (Cf. *Ibid.*, f. 90–91.)

122–125v   „Et sequitur octo tonorum proportio ... dyapason" (Cf. *Ibid.*, f. 91–94.)

125v–126   „Septem sunt species ... per duodecimam et finiri." (Cf. *Ibid.*, f. 94.)

126r–v   „Praeterea sciendum est ... quod J.W." (Cf. *Ibid.*, f. 94r–v.)

127–131v   „Regulae Magistri Johannis de Muris incipiunt ... de distantia et mensura vocum." (Cf. *Ibid.*, f. 95–98.)

132–141   „Regulae Magistri Thomae Walsingham... Expliciunt regulae Magistri Thomae Walsingham." (Cf. *Ibid.*, f. 98v–105.)

141v–148   „An English Treatise of the accords in Musick by Lyonell Power. This Treatise ... in a short time. Lyonell Power." (Cf. *Ibid.*, f. 105v–113.)

148–152   „Here follows a little treatise ... degree of Descant." (Cf. *Ibid.*, f. 117–122v.)

159–160   „Proportio est duarum rerum ... ut 9 ad 8. Liber Sanctae Crucis Waltham." (Cf. *Ibid.*, f. 123–124.)

Catalogue of Additions (1756–1782), p. 283. – Hughes-Hughes, p. 309. – CSM 4, p. 34 (sigle Lo9). – Smits van WaesbergheE, p. 64. – HugloT, p. 345.

LONDON, British Library   Add. 4913

Fin du XVe s. 72 f. (fol. erronée, omission des f. 65 et 66). Papier. 287 × 200 mm. Reliure moderne. Justification: une colonne de 140 mm; environ 40 lignes par page. Écriture humanistique italienne ou française. Illustration représentant Tubal, Pythagore et Philolaos au f. 17r. Origine italienne ou française. Provenance: Bibliothèque J. Hawkins (cf. f. 1: „Presented by M. John Hawkins. May 30. 1778.")

2–71v   F. Gaffurius, Theoricum opus (copie glosée de l'édition de 1492). 2: „Theorica Musice Franchini Gafuri Laudensis." 2v–3: Préface. 3v: Adresse au lecteur. 4: Inc. „[D]Iuturni studii lectione deprehendi musices…" 17v–26: Livre II. 27–40v: Livre III. 40v–51: Livre IV. 51–71v: Livre V. 71v: Expl. „… Cingat Tespiaci tempora musici." 72r–v: Table.

Catalogue of Additions (1756–1782), p. 283. – Hughes-Hughes, p. 309.

LONDON, British Library   Add. 4915

XVIIIe s. 59 f. Papier. 325 × 175 mm. Reliure du XIXe s. Offert par J. Hawkins en 1778. Copie de J. Hawkins de *GB-Obc* 173A, f. 82–119v.

3–19   Guy d'Arezzo, Micrologus.
             „Gymnasio musas placuit … per cuncta viget saecula." (Cf. *GB-Obc* 173A, f. 82–91v; éd. CSM 4, p. 79–233.)

19–23v   Guy d'Arezzo, Regulae.
             „Gliscunt corda meis… Gloria sit Domino Amen." (Cf. *Ibid.*, f. 91v–94v.)

23v–26   Guy d'Arezzo, Prologus in Antiphonarium.
             „Temporibus nostris … industria componantur." (Cf. *Ibid.*, f. 94v–96.) (Éd. DMA.A.III., p. 59–81.)

26–33v   Guy d'Arezzo, Epistola ad Michaelem.
             „Beatissimo atque dulcissimo … philosophis utilis est." (Cf. *Ibid.*, f. 96–100.)

33v–45   Odon, Dialogus de Musica.
             „D. Quid est Musica? M. Veraciter canendi scientia… in saecula saeculorum Amen." (cf. *Ibid.*, f. 100–106.)

45–59   Bernon, Prologus in tonarium.
             „Domino Deoque dilecto … ut finis sit prologi." (Cf. *Ibid.*, f. 106–119v.)

Catalogue of Additions (1756–1782), p. 283. – Hughes-Hughes, p. 288, 299, 301. – CSM 4, p. 27 (sigle Lo₁). – Hüschen, col. 1852. – DMA.A.III., p. 35.

LONDON, British Library   Add. 4920

Début du XVIᵉ s. (1510, cf. f. 37v). 40 f. (ancienne foliotation – du XVIIIᵉ s? – de 70 à 109). Papier. 205 × 155 mm. Reliure moderne. Cahiers montés sur onglets (5 × III, II). Justification: 140 × 105 mm; 18 lignes. Écriture humanistique italienne; écriture plus cursive aux f. 38–39. Notation mesurée blanche sur cinq lignes. Aux f. 1v et 40 monogramme „S" (Spataro). Origine italienne. Provenance: bibliothèque de J. Hawkins (ms. offert par J. Hawkins le 30.5.1778, cf. f. 1).

1	Règles des ligatures. Inc. „Prima carens cauda sit longa . . . cauda scribatur parte sinistra." 1v: monogramme „S".
2–37v	G. Spataro, Utile et breve regule di canto (traité de musique mesurée). 2: „Utile et breve regule di Canto composte per Maestro Zoanne di spadari da bologna. Dele spetie dil Canto figurato." Inc. „Nel Canto figurato .overo mesurato. habiamo tre spetie. Modo. Tempo. Prolatione..." 37v: Expl. „... de la missa nostra nel tenor del primo Agnus dei. finis. In die .S. Augustini ad calcem perductum est perutille compendium musicale magistri et honorati musici Io. Spadarij Bononiensis per unum cartulistam M.D.X. Omnipotenti deo semper gloria laus et honor. (Éd. G. Vecchi, *art. cit.*, p. 13–68.)
38–39	Note sur l'exécution des chants: solmisation, mesure... 38: „Nota che cantando se trouaray nel canto afigurato..." „Nota che quando la cantilena se canta per medium la mensura..." (note sur le tactus). 38v: „Nota che nula cantilena el tracto che se trove neli circuli denota..." „Nota che trouando nele cantilene le nota cioe longa breve semibreve..." 39: Expl. „... deli moteti nela cantilena Requiem eternam nel alte (?)"
39v	Liste des consonances parfaites et imparfaites. „Unisonus. quinta. octava . . . septimo et vigesima."
39v	Note sur le contrepoint. Inc. „Ad fare contrapuncto ad videndum sopra el canto piano si debbe pigliar una octava sopra el canto fermo et far delle cadentie dove meglio sonando. Le unisono rende la octaua..." Expl. „... La octaua dj sotto rende lo unisono." 40: monogramme S (cf. f. 1v). 41v: „Si naturam cupis scire mentem perlege lector..." (10 vers). Liste des hauteurs: „Gamaut, Are . . . Ela".

Catalogue of Additions (1756–1782), p. 284. – Hughes-Hughes, p. 313–314. – Giuseppe Vecchi, „Le utili et breve regule di canto di Giovanni Spataro nel Cod. Lond. British Museum Add. 4920", *Quadrivium*, V (1961), 5–68.

LONDON, British Library   Add. 8866

Ancienne cote: PLUT. CLXVIII.C. (au dos, avec la cote usuelle).
XVe s. (vers 1470). 86 f. Parchemin (papier, f. 1–3). 210 × 145 mm. Pleine reliure de cuir sur ais de bois. Composition: 2 × IV (4–19), IV-1 (20–22; 23–26), 2 × IV (27–42), IV-2 (43–48), 4 × IV (49–80), III (81–86). Cahiers signés de b à j. Justification: 145 × 82 mm; 34 à 36 lignes. Écriture bâtarde. Une seule main. Notation carrée sur 4 lignes rouges; notation mesurée noire sur lignes rouges (2 à 4 lignes). Initiales bleues avec lacis rouges. Origine anglaise.

1–2v	Notes sur le contenu du manuscrit (XIXe s.).
4–64	Anon. dit Simon Tunstede, Quatuor principalia musicae.
	4: Inc. „Quemadmodum inter triticum et zizaniam..." 64: Expl. „... sanctae matris ecclesiae atque proximorum utilitate in scriptis apposui. Explicit cujus quidem finis primo erat pridie et Nonas Augusti Anno domini 1351." (Cf. CS IV, p. 200–298.)
64	Metrologus (extrait).
	„Sciendum est tamen neupme loco sunt pedum et distinctiones loco et versuum utpote ista neupma Dactylus ... et distinctiones neupmarum atque verborum etc." (Cf. Smits van WaesbergheE, p. 86, 1. 2–88, 1. 6.)
64r–v	Définition de la synemmenon.
	„Sinemenon est figura quedam et dicitur conjunctatio ... et est in alphabeto & ut dicit hanboys libro primo capitulo 6°."
64v–86	John Hanboys, Summa.
	64v: „Hic incipit musica magistri Franconis cum addicionibus et opinionibus diversorum." Inc. „Cum de plana Musica quidam philosophi..." 86: Expl. „... temporibus mensurati. Explicit Summa Magistri Johannis Hanboys, Doctor Musicae reverendi super Musicam continuam et discretam." (Éd. CS I, p. 403–448; P. Lefferts, [cf. supra, p. 25].)

Catalogue of Additions (1831), p. 25. – Smits van WaesbergheE, p. 63. – ReaneyA, p. 12. – SachsC, p. 193 (sigle Lo₁₃). – Andrew Hughes, „Hanboys, John", *New Grove*, 8, p. 80. – BernhardCC, p. 9, 35.

LONDON, British Library   Add. 10335

XI·XIIe s. iii + i + 30 + iii f. Parchemin. 192 × 129 mm. Reliure moderne. III, II (premier et dernier feuillet montés sur onglet), 2 × III. Justification: c. 150 × c. 85 mm (f. 1–22v),

c. 150 × c. 100 mm (f. 23v–30). 29 lignes (f. 1–22v), 11 lignes de texte + musique (f. 23v–24v), 9 lignes de texte + musique (f. 25–30). Écriture: minuscule caroline. Notation alphabétique: f. 3, 9 (sur trois portées de trois lignes tracées à l'encre); notation neumatique sur trois lignes tracées à la pointe sèche: f. 9, 11 (clefs: ut, ré, fa, la ou si♭, ré, fa), 13–14 (clef de fa), 23–24v (ligne de fa passée à l'encre rouge, clef de fa et d'ut), 25–30 (ligne de fa en rouge, ut en jaune, clefs de fa et d'ut). Décoration: initiales rouges ou rehaussées à l'encre rouge; diagrammes tracés à main levée. Origine: Italie du Nord. Description matérielle rédigée d'après une description communiquée par Mme Catherine Harbor (London).

1–10v	Guy d'Arezzo, Micrologus (incomplet).
	1: Inc. „antiphonam per se valent efferre semper discentes…"
	10v: Expl. „… obtineat principatum, ut aptissimum supra ceteros." (Éd. CSM 4, p. 86, l. 2 – p. 207, l. 6.)
11	Guy d'Arezzo, Prologus in antiphonarium (fragment).
	Inc. „subitaneae vel quomodo cantilena distinctionibus dividatur…" Expl. „… sicut debent, ex industria componantur." (GS II, 37a, l. 22–28; éd. DMA.A.III, p. 81.)
	Description des intervalles avec des neumes: *„Tonus. Semitonus. Ditonus. Semiditonus. Diapente. Diateseron. Simphonie et intente et remisse pariter Consonancia diapason."*
11–14v	Guy d'Arezzo, Epistola ad Michaelem.
	11: Inc. „Beatissimo atque dulcissimo Fratri…" (13: *Ut queant laxis … , Trinum et unum …*; tableau de solmisation 13v: *Ut re fa re mi re … , Ut re mi fa sol la …*; 14: *Alme rector mores nobis da sacratos. Summe pater seruis tuis miserere. Salus nostra honor noster esto deus. Deus judex iustus fortis et paciens. Tibi totus seruit mundus une deus. Stabunt justi ante deum semper lenti (?). Omino laudes omnis creatura dicat."* 14v: „… sed dissimiliter designantur hoc modo." (GS II, 43–46). „Haec pauca, quasi prologum…" Expl. „… sed solis philosophis utilis est." (GS II, 50b, l. 12–24.) A la suite, les quatre premiers vers des *Regulae rhythmicae*: „Gliscunt corda meis … me primo qui carmina scripsi." (GS II, 25; éd. DMA.A.IV, p. 93.)
14v–22v	Pseudo-Odon, Dialogus de Musica.
	14v: Inc. „Petistis obnixe, carissimi fratres…" 22v: Expl. „… qui est benedictus in secula seculorum. Amen Deo gratias." (GS II, 251–264; éd. du prologue HugloP, p. 138–140.)
22v–30	Tonaire (incomplet).
	22v: Inc. *„sicut erat in principio. Tertia dies…"* 24: *„Quarta vigilia…"* 25: *„Quinque prudentes… Sexta hora sedit…"* 27: *„Septem sunt spiritus…"* 28v: *„Octo sunt beatudines…"* 29v–30: *Justum deduxit dominus Immortalis est enim memoria."*

(*CAO* IV, n° 7059.)

30v   „Γ Tonus A tonus B semitonus…" suivi d'essais de plume.

Catalogue of Additions (1830–1840), p. 30. – Hughes-Hughes, p. 298, 299–300, 302. – Oesch, p. 34. – CSM 4, p. 27 (sigle Lo2). – Hüschen, col. 1852. – HugloD, p. 123. – HugloP, p. 137 (sigle Lo). – HugloT, p. 198–199 (sigle L). – DMA.A.III, p. 35–36 (sigle Lo2). – HugloO, p. 504. – DMA.A.IV, p. 61 (sigle Lo2). – MerkleyT, p. 145–147. – BernhardCC, p. 11.

LONDON, British Library   Add. 10336

Fin du XV⁰ siècle (1500, au f. 73v). 119 f. Papier. 147 × 108 mm. Reliure restaurée en 1976. La reliure ancienne était en cuir sur ais de carton; cuir estampé (motifs géométriques et végétaux; maximes illisibles). Sept cahiers signés a–g: 3 × VIII (6–52), VIII-1 (53–58; 59–67), VIII (68–83), X (84–103), VIII (104–119). Cahiers remontés. Justification: une colonne de 65 mm environ. Écriture cursive de la fin du XV⁰ siècle. Notations mesurées noire et blanche. Notes de couleur (bleu, rouge, jaune, vert, marron). Initiales rouges. Le copiste principal dont le nom apparaît à plusieurs endroits est J. Tucke, maître ès arts à New College (Oxford) (cf. CSM 31, p. 13). Origine anglaise (Oxford?). Provenance: vente Herbert (1836).

6–18   Jean de Murs, Libellus cantus mensurabilis.
             6: „Quilibet in arte practica mensurabilis cantus erudiri mediocriter affectans…" 18: Expl. „… cantus anhelantibus introduci. Explicit." (Cf. CS III, p. 46–58).

18   Ténor du motet „Veni sancte spiritus" signé „Quod Dunstable" (Éd. M. Bukofzer, „Über Leben und Werk von Dunstable", *AMl*, VIII (1936), 117).

18v   Cloches et marteaux.

18v–31v   De typo et eius natura.
             18v: „Imprimis loquamur de typo et ejus natura." Inc. „Typus est ergo grecis dicitur transumpcio latine…"
             19: „Cantus stat in arse tempore quando canitur retrorsum…"
             20: „Epogdayas est figura et accidit quando cantus componitur per figuras algorismi…" 20v: „Diaphonicos est mirabilis figura et accidit quando cantus est compositus per colores…"
             22: „Emyolica est figura et accidit quando cantus est compositus per naturas gemme…" 23: „Metamorphoseos est figura et accidit quando cantus est compositus per septem planetas vel per septem species metallorum vel per novem musas…" 24r–v, 25v, 26: tableaux de correspondance entre les planètes, les métaux, les muses et les sons.
             27: „Tunc de simplici, duplici, triplici longa dicendum est (27v:) Simplex longa stat simpliciter in omnibus prolationibus…"

28v: „Jam dicendum est de conceptione et est consilium figurarum ab unitate multiplicata..." 29: „Ambigua est figura et contingit in musica..." 29v: „Exocontalicos est figura est dicitur gamma armonice..." (29a r–v: blanc).

30r–v: tableaux des signes de la prolation majeure et mineure.

31: „Pro majori declaratione superioris formule notandum est quod omnes maxime longae possunt poni ad libitum in numero..." 31v: Expl. „Idemque judicium est dandum de aliis 4 modis de minori prolatione..." (Cf. *GB-Llp* 466, f. 10–18 et *GB-Cmc* Pepys 1236, f. 104–108v.)

31v–57v Traité sur les nombres.

31v: Inc. „Omnis numerus circum se positorum et sibi invicem naturali dispositione cunctorum..."

58–62v Traité des proportions (attribué à John Hothby).

58: Inc. „Quid est proportio? Est duarum quantitatum ejusdem generis..." 62v: „... continet in se semel totum minorem et ejus partem non aliquotam tres quartas, ut infra" suivi d'un tableau „Exempla multiplicium in radicibus." (Cf. *GB-Llp* 466, f. 19–22v.)

62v–73v [Regulae cantus mensurati secundum Johannem Otteby.]

62v: Figure enim cantus choralis sunt octo seu proprie quinque dumtaxat que dicuntur partes prolationis..." 73v: Expl. „... loco sonorum tamquam eorundem signa. Proportiones secundum joannem otteby magistrum in musica expliciunt feliciter vicesimo sexto die martij 1500. Scriptus per me dominum Joannem Tucke in artibus bacchalaurium necnon hujus artis non inexpertum." (Cf. *GB-Llp* 466, f. 22v–30v; éd. CSM 31, p. 51–59.)

74–81v Ars algorismus.

74: Inc. „Hec algorismus ars presens dicitur in qua talibus..." 81v: Expl. „... fiat ulterius saltus et retractio versus departum (!)"

82–83 Formules versifiées. „Littera, scilicet dominicalis, bissextus primacio ... formosos dico colores."

83v blanc

84–97v Traité sur les proportions.

84: Inc. „Omnis proporcio vel est communiter dicta vel proprie dicta..." 97v: „... Sed inter 4 et 3 est proportio sesquetertia, que minor est quam proportio ... vera. Et hec sufficiunt ad presens."

97v–98 Note sur les couleurs et les proportions.

97v: Inc. „Nota bene. Rede to blacke ys sesquealtra as ▮▮. The blaks..." 98: Expl. „... Item Rede to blew sesqueoctava." (Cf.

GB-Llp 466, f. 37.)

98v–99   Abrégé des chapitres 2–5 du second „Principale" des *Quatuor Principalia* de S. Tunstede (cf. CS IV, 206b–208a).
98v: Inc. „Moyses dixit repertorem huius artis musice fuisse Tubal..." 99: Expl. „... secundi septenarii littere sunt acute. Cetere vero sunt superacute." (Cf. *GB-Llp* 466, f. 31r–v.)

99v   De proportionibus semiditoni et ditoni.
Inc. „Proportio semiditoni est proportio superquintipartiens..."
Expl. „... veluti 81 ad 64." (Cf. *GB-Llp* 466, f. 32v.)

100r–v   Court traité sur la valeur des figures.
100: Inc. „Secundum figuras et secundum exigentiam figurarum connumerantur proportiones. Notule que nigre et rubie plene seu vacue secundum diversas modorum exigentias..." 100v: Expl. „Figure sunt iste 8: ☉ ◯ ℭ ⊂ ⌀ ¢ ⌇ ⌇ ". (Cf. *GB-Llp* 466, f. 32r–v.)

100v–102   Court traité sur la constitution des intervalles.
100v: „Ditonus fit ex duobus tonis immediate conjunctis..."
103: Expl. „... et semitonio et tono sic vt sol vt a G in D." (Cf. *GB-Llp* 466, f. 33–34v.)

102v–103   Signification des termes désignant les intervalles.
102: Inc. „Diatessaron dicitur a dia quod est..." 103: Expl. „... 3ª maior consonantia quod in dupla proportione consistit." (Cf. *GB-Llp* 466, f. 33–34.)

103r–v   [De proprietate unitatis.]
103: Inc. „Nota quatuor esse proprietates vnitatis..." 103v: Expl. „... vnitas est positus a virtute omnis (103v) numeris." (Cf. *GB-Llp* 466, f. 35v.) Puis: „Naturales sonos numerorum est progressio in quam secundum vnitatis ad dictionem ... quo maior abundat a minore."

103v   Note sur les proportions.
103v: „Nota duas bonas regulas de omni numero pari. Prima est quod numerus par..." Expl. „... circa se positus equi (?) distantis et coniunctis." (Cf. *GB-Llp* 466, f. 36.)

103v–104v   Signification des termes désignant les proportions.
103v: Inc. „Sesqui nomen grecum est totum... Sesquialtera grece vocatur emyolya..." 104v: Expl. „... ista vox ut in monacordo potest reperiri. La fine quod Dominus Johannes Tucke Socius quondam perpetuus novi collegii Beate Marie wyntonie in oxonio / ac in artibus bacchalarius cujus anime propitietur deus." (Cf. *GB-Llp* 466, f. 36–37.)

105   Table des mètres.

„Dactilus ex prima longa et duabus brevibus... Dispondeus ex ￼￼￼￼.“

105v–106 Eléments de notation mesurée relatifs à la perfection et à l'imperfection.

105v: Inc. „Nota quod ex duabus minimis fit semibrevis imperfecta et ex tribus...“ 106: Expl. „... tamen duas minimas tunc dicitur major (!) prolatio.“

106v Note sur les proportions et les couleurs.

„Blacke full ys perfet of ... full to blacke voyde ys subdupla.“

107 Commentaire sur les syllabes de solmisation.

„Interpretatio sex notarum videlicet. la sol fa mi re ut. Isayas. la lanamini et mundi estote. Paulus sol soliciti sitis... ut abstineatis vos a carnalibus desideriis.“

107–108v Définitions de figures et de termes divers.

„Sincathegorema est figura et accidit quando cantus et paratus est consignificatio notarum etc. Sintonus est ... Sintagnaci est figura ... Typus ... Exaticon ... Tetras ... Tetraydas ... Epogdus ... Epitritus ... Metamorphosis ... Diaphonisticos ... Stema ... Thesis ... Sinterenis ... Polisurtecon ... Diazeugmenon...“ 108v: Expl. „... multiplicat aliam a principio usque ad finem, ut 1 2 3 4 5 6 7 8 9 10 etc.“

108a r–v blanc

109–114v Recettes médicales en anglais.

Catalogue of Additions (1836–1840), p. 30. – Hughes-Hughes, p. 305, 311, 313. – Anton Wilhelm Schmidt, *Die Calliopea Legale des Johannes Hothby* (Leipzig, 1897), p. 10. – Michels, p. 121 (sigle Lo$_1$). – WatsonB, I, p. 28; II, pl. 897 (= f. 15v). – CSM 31, p. 47–49 (sigle L$_1$). – BernhardCC, p. 35.

LONDON, British Library   Add. 11035

Xe s. 120 f. + garde collée sur le plat inférieur. Parchemin. 115 × 235 mm. Reliure: ais de bois, dos en peau de porc. Ex libris sancti Eucharii (= St Matthias) de Trèves. Marginalia du cardinal Nicolas de Cues. Cicéron, Songe de Scipion (2–8v), Jean Scot Érigène, *De divisione naturae* (9v–85), Prudence, *De libro apotheosis* (86–103v).

103v Mesure de monocorde.

„[Pythagoric]a proportio de monocordo. Monachordum per VII discrimina vocum divide per II aut per IIII una tibi divisio occurrit sinemenon. Per III aut per VI tritus finalis quod est diatessaron. Ceterum moderante distinctione novena invenies tonos et se-

mitonia. idem duo tetrachorda quod sunt II diatessaron cum semitonio sinemenon. idem diatessaron et diapente."

Notice rédigée d'après une description communiquée par M. Michel Huglo.
Catalogue of Additions (1836–1840), fasc. 2, p. 26.

LONDON, British Library   Add. 16896

XIe–XIIe s. 189 f. Parchemin. 210 × 140 mm. Reliure en cuir clair sur ais de bois; trace
de cinq boulons; fermoirs en laiton avec boucles de cuir. Recueil composite. Notation
neumatique allemande à *campo aperto* (f. 43r–v, 103r). Nombreuses initiales décorées.
Origine allemande. Provenance: vente Th. Rodd, 17 avril 1847. XIe–XIIe s. St Augustin,
divers traités (cf. Römer, p. 150); Cassiodore, *De anima*.

43r–v   Hymnes notés. *Laudes crucis adtollamus nos qui crucis exulta-*
             mus (Hugues le Primat d'Orléans, *AH* LIV, n° 120), *Hec est scala*
             peccatoris per quam Christe rex... Quam venerabilis inpretiabi-
             lis hic ades o crux (*AH*, XXXI, n° 77).
103   Hermann Contract, vers mnémotechniques.
             „Ter terni sunt modi ... comprehendere notitiam" (Cf. GS II, p.
             152–153).

Catalogue of Additions (1846–47), p. 316–317. – Hughes-Hughes, p. 301.

LONDON, British Library   Add. 16900

Fin XVe–début XVIe s. 59 f. Parchemin (1–39, 42, 44–45, 46, 49, 51–52), papier. 280 ×
192 mm. Demi-reliure de cuir sur ais de bois; cuir estampé à la roulette (animaux: chien
et cerf; motif de chasse); deux fermoirs en laiton ciselé. 4 × IV (1–32), III (33–34, 35: dépliant de 280 × 380 mm, 36, 36bis coupé), 2 × IV (37–51), IV (52, 53, 53bis coupé, 54, 55,
55bis-ter-quater coupés), II (56–59). Justification: 200 × 118 mm à l'encre rouge; 30
lignes. Écritures cursives posées; 2 mains (1–36v, 37 et ss.). Notation musicale à clous
sur quatre ou cinq lignes tracées à l'encre rouge (f. 4, passim), notation mesurée blanche
sur cinq lignes. Initiales et rubriques rouges. Origine allemande. Provenance: vente
Th. Rodd, 17.4.1847 (f. 1).

1–36v   Traité de plain chant.
             1: „Compendium Artis Musices. In quo de natura cantus Grego-
             riani ast[!] efficacia per regulas lucidas faciles et breves progredi-
             tur. Dominibus simplicioribus religiosis personisque secularibus
             hanc artem cupientibus apprime proficium et necessarium." 1v:
             blanc. 2: „Prefaciuncula." Inc. „Inter omnes artes quas liberales
             vocant nulla extat..."

3: „Capitulum primum. Capitulum primum est de litteris, vocibus, clavibus et cantibus. Unde septem sunt littere..."

5: „Capitulum secundum. Capitulum secundum est de mutationibus. Mutatio est unius vocis pro alia in eadem clave..."

9: „Capitulum tertium. Capitulum tertium est de modis seu vocum proportionibus. Est autem modus soni acuti gravisque distantia..."

13: „Capitulum quartum. Capitulum quartum duas habet partes. Una de conjunctis seu musica ficta. Aliam de clavium trans-
positione. Primo nota quod Musica ficta seu conjuncta..." (avec
de nombreux exemples: 11–12v: *Odarum modos bissenos moder-
norum*... (mélodie mnémotechnique relative aux intervalles);
14r–v: *Ite in orbem universum – Sancta et immaculata poterunt
– Fuerunt calicem domini*; 15r–v: *Gaude Maria interemisci – Ac-
cepi Jhesus sanguine – Nec facite in meam – Requiem eis do*; 16:
Sancte Paule elegit ut digni – Alle[luia] de beata virgine Maria;
16v: *Sub tuum presidium confugimus sancta dei genitrix* (...);
17–18: *Monstri crudelis multorum mota querelis* (...)

18: „Capitulum quintum. Capitulum quintum et ultimum est de
tonis. Unde tonus est recognitio cujuslibet cantus..." 33v: „Conclusio epistolaris hujus opusculi perlucidi ad reverendum in
Christo patrem dominum Virgilium Abbatem S. Petri Saltzb[ur-
gensis]. Venerabilis pater et Domine. Quanquam plurimorum
inanem quamdam..."

35: Tableau de solmisation et „Divisio scala boetiana Pytagorica"
(grand système parfait de Boèce). „Dispositio presentis figure fere
singulorum capitulorum sententias brevi intuitu epilogando ino-
tescit. Prima etenim ejus sectio priori..." 36v: Expl. „... ut sunt
tetracordum finalium et affinalium."

37–45   Traité de musique mesurée.

37: Inc. „Arepto januam paulisper virium spiramine volens item-
que his animum..."

„Capitulum primum quatuor habet considerare videlicet de figura, modo, tempore et prolatione. Figura prout hic sumitur est
dispositio per quam visa ab alia..."

38v: „Capitulum secundum in quo quatuor sunt deducenda videlicet (39:) Signum, tactus, punctum et tractus. Unde signum facit
cognoscere..."

40v: „Capitulum tertium habet considerare duo videlicet de al-
teratione et perfectione. Unde alteratio est proprii valoris secundum formam..."

42: „Capitulum quartum agit de ligaturis hoc est de valore earum notarum que ad invicem ligantur per tactus (42v:) sive sursum sive deorsum de quibus dantur regule sequentes. Prima regula: omnis nota quadrangularis cujus longitudo..." (8 règles)
43: „Capitulum quintum et ultimum datur de singulis proportionibus que in cantu figurativo dari possunt licet ob difficultatem non dantur. Est autem proportio duarum quantitatem ejusdem generis..." 45: Expl. „... locatam supra octonariam vel etiam sic $\frac{9}{8}$."

45v   blanc.

46–53   Traité d'accentuation.

46: Inc. „[A]ccentuandi regularis modus quo eulogii scemate..."
53: Expl. „... ante So vel etiam a ante to, ut petaso aut peto, agaso penultima (?) producat."

Catalogue of Additions (1846–1847), p. 317. – Hughes-Hughes, p. 312.

LONDON, British Library   Add. 16975

XIIIe s. (2e moitié). 264 f. Parchemin. 300 × 207 mm. Reliure moderne. Justification: 210 × 130 mm; 22 l. Écriture textuelle du XIIIe s. Notation carrée sur système décilinéaire: hymnes à deux voix „Conditor alme syderum" (f. 166), „Veni creator spiritus" (f. 188v), „Ave maris stella" (f. 192) (cf. Göllner, p. 126–127). Origine française (Abbaye de Lyre). Provenance: Baynes & Sons, 12 juin 1847. Psautier-bréviaire.

162–165v   Modus psallendi in choro.
              162: „Modus psallendi in choro." Inc. „Venerabilis pater noster. Sanctus bernardus abbas clarevallensis precepit monachis hanc formam canendi tenere..." 165v: „... eternam me pietate tua perducere digneris. Amen."

Catalogue of Additions (1846–1847), p. 335–336. – Hughes-Hughes, p. 302. – Van Dijk, p. 104 (sigle A). – Isa Ragusa, „An illustrated Psalter from Lyre Abbey", *Speculum*, XLVI (1971), 267–281.

LONDON, British Library   Add. 17808

XIe s. (vers 1040, cf. f. 86v et Vyver, p. 668); début du XIIe s. selon Schmid, *op. cit*, p. VII. 100 f. (pagination ancienne de 1 à 197). Parchemin. 285 × 160 mm; 58 × 105 mm (f. 14). Reliure récente (XIXe s.). Composition: IV + 1 (1–9), IV (6–13), 1 (14), 4 × IV (15–46), IV + 1 (47–54; 55), 3 × IV (56–87), IV-1 (88, 89r–v blanc, 89bis coupé, 90–93), IV-1 (94–100). Justification à la pointe sèche: 225 × 105 mm; 41 lignes tracées à la pointe sèche. Écritures du XIe s.; une seule main pour les f. 56–100v. Notation alphabétique (f.

3v); neumatique diastématique f. 15, 20, 22, alphabétique spatialisée (f. 5v, 6, 10v, 11, 14v), neumatique *a campo aperto* (f. 21, 54), dasiane (12, 23 et suivants). Sur les pages de garde figurent des références au crayon à la Bibliothèque du Roi (Paris); cf. Florence, Laur. Acq. e Doni 33 (cf. HugloT, p. 302, n. 6). Origine française (selon Vyver), Nord de la France ou Belgique (?) (selon Smits van Waesberghe, DMA.A.IV), allemande (selon HugloT, p. 302, – d'après la notation). Provenance: Vente Asher, Berlin 30 juin 1849. Traités de musique; traité de l'abaque; traité de l'astrolabe; mathématique et astronomie.

1v–11v	Guy d'Arezzo, Micrologus. 1v: „Musice guidonis" (en marge) „In nomine Sanctae et individuae Trinitatis. Incipit Michrologus id est brevis sermo in Musica. Compositus a Domno Guidone peritissimo musico." (en capitales). Inc. „Gymnasio musas placuit..." 11v: Expl. „... per cuncta viget secula. Finit liber Michrologus." (Les trois derniers mots en majuscules; GS II, p. 2–24; CSM 4, p. 79–233.)
11v–16v	Guy d'Arezzo, Regulae rhythmicae. 11v: Inc. „Gliscunt corda meis... primo qui carmina finxi. Musicorum et cantorum magna est distantia..." 16: „... Auctor indiget et scriptor. Gloria sit Domino.AMHN. Omnibus ecce modis..." 16v: Expl. „... Inde duo signum variant loca cuius idipsum." (GS II, p. 25–34; éd. DMA.A.IV, 91–133.)
17–18v	Guy d'Arezzo, Prologus in Antiphonarium. 17: Inc. „Temporibus nostris super omnes homines fatui sunt cantores..." 18v: Expl. „... figura monstratur sicut debent ex industria componantur." (GS II, p. 34–37; DMA.A.III, p. 58–81.)
18v–22v	Guy d'Arezzo, Epistola ad Michaelem. 18v: „Hec pauca quasi in prologum antiphonarii de modorum..." Expl. „... sed solis phylosophis utilis est." Inc. „Beatissimo atque dulcissimo fratri M.G. per anfractus..." 22v: (Expl.) „... concordiores quantum similiores." (GS II, p. 43–50).
23–49v	Musica et scolica enchiriadis. 23: „Musica enchyriadis". Inc. „Sicut vocis articulate..." 49v: Expl. „... tropique retinet modum. Explicit musica Enchyriadis" (GS I, p. 152–212; Schmid, p. 3–156.)
50–55v	Ratio breviter excerpta de musica cum tonario (Anonyme II de Gerbert.) 50: „Ratio breviter excerpa de musica". Inc. „Quinque sunt consonantie musice diatessaron quae et sesquitercia dicitur..." 51v: Expl. „... plagi id est laterales vel particulares." (Cf. GS I, p. 338a–342b.) Tonaire.

51v: Inc. „Primus igitur qui grece inscribitur autentus protus id est magister..." 55v: Expl. „... Radix iesse. Virgo israel. Dies sanctificatus. Ecce Adam. Parypatemeson. Hic est dies." (Éd. BernhardC G1, p. 90–189.)

56–73	Bernelinus, *Liber abaci* (en quatre livres).
73	Fulbert de Chartres, *Versus de libra vel partibus eius.*
73v–85	*De utilitatibus astrolabii.*
85v–99v	Alchandreus et Alexandre, Traités d'astrologie (cf. Vyver, *art. cit.*, p. 667, *passim*).

Catalogue of Additions (1848–1853), p. 55. – Hughes-Hughes, p. 298, 299–300. – André van de Vyver, „Les plus anciennes traductions latines médiévales (X^e–XIe siècles) de traités d'astronomie et d'astrologie", *Osiris*, I (1936), 658–691, notamment p. 667–668 (sigle B). – Smits van WaesbergheG, p. 24, 140, 153, 187, 191. – CSM 4, p. 27–28 (sigle Lo3). – Eggebrecht, p. 63. – HugloT, p. 302 et s., 456. – DMA.A.III, p. 36 (sigle Lo3). – Norbert Hörberg, *Libri Sanctae Afrae* (Göttingen, 1983), p. 145–146, 303. – Schmid, p. VII (sigle Ad). – DMA.A.IV, p. 61 (sigle Lo3). – BernhardCG1, p. 85–89.

LONDON, British Library   Add. 18347

XIVe s. (1ère moitié). 135 f. Parchemin. 205 × 155 mm. Reliure ancienne: cuir sur ais de bois; cinq boulons sur chaque plat; fermoirs ouvragés. Recueil factice: 1. (1–76), 2. (77–110), 3. (111–135), 4. (24–27). Origine allemande. Provenance: S. Georgenberg (Autriche), cf. J. Riedmann, *art. cit.*, p. 270. Provenance: Vente Asher, 8 octobre 1850. Mélanges de droit ecclésiastique, patristique et de littérature dévotionnelle (*sermones...*).

27	Main de solmisation.
	Légende: „Musice solfare docet hec manus et iubilare ... scitis" (de bas en haut, à gauche:) „ascensus: ut re mi fa sol la / mi fa sol la / re mi fa sol la / mi fa sol la / re mi fa sol la." (de haut en bas, à droite:) „descensus: sol fa mi re ut / sol fa mi re ut / fa mi re ut / sol fa mi re ut / fa mi re ut."

Catalogue of Additions (1848–1853), p. 102. – Hughes-Hughes, p. 304. – Josef Riedmann, „Unbekannte frühkarolingische Handschriftenfragmente in der Bibliothek des Tiroler Landesmuseum Ferdinandum", *Mitteilungen des Instituts für Österreichische Geschichtsforschung*, LXXXIV (1976), 262–289.

LONDON, British Library   Add. 18752

Première moitié du XVe s. (recueil factice, XIVe–XVIe s.). 216 f. Parchemin (f. 1–27, 93, 100, 101, 108, 109, 116, 123–148, 155–157, 212–216) et papier. 205 × 140 mm. Reliure moderne. Composition: V (1–10), V (11–18; 19), III (20–25), II (26–27)... Justification:

90 mm, 30 à 32 lignes. Écriture cursive. A plusieurs endroits apparaissent les noms de
John Gryntter de Hawkchurch et de Margaret Chechester (f. 99v). Origine anglaise.
Mélanges d'astronomie et de médecine.

18r–v   Traité sur les intervalles suivi d'une recette de fabrication des
               cordes.
               18: Inc. „Musica docet de numero sonorum. Primi autem hujus
               inventores primo perceperunt convenientiam soni per percussio-
               nem malleorum..."
               „Voces a se invicem distinguuntur 6 modi scilicet tono..." „Nam
               accipe cordam sonantem et cordam sithare..."
               18v: „divide a.b. ut prius in .9. partes..." (division du mono-
               corde) „Quantum ad proportiones nota quod proportio toni ad
               tonum est sesquioctava..." (Cf. *GB-Cmc* Pepys 1236, f. 109–110;
               GB-Lbl Add. 32622, f. 34v–36v; Harley 866, f. 7r–v.)
               „Quum facere volueris cordas lire..." (fabrication des cordes)
               Expl. „... et ea prova."

Catalogue of Additions (1848–1853), p. 145–146. – Hughes-Hughes, p. 304.

LONDON, British Library   Add. 19835

XIIe s. 48 f. Parchemin. 250 × 175 mm. Reliure moderne. Composition: 6 × IV (1–48).
Justification: 190 × 115 mm, 35 lignes. Écriture du XIIe s. Initiales vertes et rouges. Origine anglaise (cf. D.M. Schullian, *art. cit.*). Provenance: vente William Betham (1er juin
1854). Suétone, *Vie des Césars* (extraits); Valerius Maximus; mélanges de théologie
(*quaestiones* en partie en anglais; Fulbert de Chartres, *Epistolae*, *Sermones*; St Jérôme).

26v–29   Mélanges relatifs à la liturgie.
               26v: „Quid cantari vel legi debeat toto anno." Inc. „In Septuage-
               sima cantatur et legitur in principio..."
               27v: „Ymnos primum eundem David prophetam condidisse ...
               hymni dicuntur."
               „Antiphonas greci primi composuerunt, duobus choris alterna-
               tim ... idem usus inerebuit."
               „Responsoria ab italis longo ante tempore sunt reperta ... in plu-
               ribus repondere."
               „Precibus ... Lectiones..."
               29: „Laudes hoc est alleluia canere. Antiquum est hebreorum cu-
               ius expositio ... cerena monstretur."

Catalogue of Additions (1854–1860), p. 9. – Hughes-Hughes, p. 302. – Dorothy M. Schullian, „The Excerpts of Heiric ‚Ex libris Valerii Maximi Memorabilium dictorum vel fac-
torum' ", *Memoirs of the American Academy in Rome*, XII (1935), 155–184. – Riccardo

Quadri, *I Collectanea di Eirico di Auxerre* (Fribourg, 1966; *Spicilegium Friburgense*, 11), p. 31–32.

LONDON, British Library   Add. 19966

XVIe s. 153 f. Parchemin. 193 × 125 mm. Reliure du XVIIe s. Justification: 140 × 80 mm, 24 lignes. Notation carrée sur quatre lignes (6 portées par page). Initiales décorées (motifs végétaux). Origine française (Noyon). Vente Sotheby du 28 août 1854, lot 235. Processional de Noyon.

136–143v   Règles concernant le chant des antiennes suivies d'un tonaire.
               136: Inc. „Primo dicendum est de regulis antiphonarum quarum prima talis est. Omnis antiphona terminans in .Re. cujus Seculorum incipit in .la. primi toni est...“
               139v: „Pri re la. Se re fa. Ter mi fa... Oct tenet ut fa.“
               140: „Ad maiorem declarationem habendam tam eorum que dicta sunt... Sciendum est quod quando aliquis versus mediatur per nomen monosillabum... Item sciendum est quod omnis cantus ecclesiasticus secundum dispositionem et naturam octo tonorum...“ 140v–143v: intonations. 143v: Expl. „... *et exaudi me.*“

Catalogue of Additions (1854–1860), p. 23. – Hughes-Hughes, p. 315. – HugloT, p. 425, 456.

LONDON, British Library   Add. 21149

XVIe s. (v. 1515–1516). 107 f. Papier. 295 × 190 mm. Reliure XIXe s. (comme Add. 17808). Justification: une colonne de 142 mm. Écritures humanistiques cursives. Notation gothique. „Anno 1515“ (f. 25); f. 2: „Liber Bibliotheca regalis Abbatiae Ss. Petri et Pauli Erffurti.“ f. 107: „Finis huius libelli Anno 1516... die 17 mensis Apprilis. Johannis Zaebelstein Vicarius in Hambach“ (copiste principal du volume; les suppléments aux f. 25v et 107v sont probablement d'une seconde main). Origine: Allemagne. Provenance: Erfurt. Acquisition du 8 septembre 1855, vente J.M. Stack. Coutumier des Bénédictins de la Congrégation de Bursfeld.

25v   Modus cantandi versiculum.
               „Modus cantandi versiculum. *Exurge Christe adjuva nos.* Precepta musicalia...“ (Définitation de la muance, règles de solmisation et tableau de solmisation.)
26–43   Accentuarium.
               26: Inc. „Quoniam innocua simplicitas aut inerudita temeritas, aut pertinax proprie sententie... Accentum in duas species par-

tiri quantum ad propositum pertinet..." 43: Expl. „... est voca-
lis et facit sillabam per se. Finis hujus libri 1515." 43v: blanc.

107   Tableau de solmisation.

Catalogue of Additions (1854–1860), p. 331. – Hughes-Hughes, p. 314. – WatsonB, I,
p. 59.

LONDON, British Library   Add. 21455

Ancienne cote (?): B 401 (f. 1).
Début du XVe siècle (vers 1400 selon G. Reaney CSM 8, p. 71). 13 f. Papier et parchemin
(f. 1). 215 × 145 mm. Reliure du XIXe siècle. Composition: senion isolé? Justification:
deux colonnes de 60 mm (f. 3–4v, 5v–8v). Écritures cursives: A (f. 3–8v), B (f. 9), C
(f. 9v–11). Notation mesurée noire. Origine anglaise. Provenance: John Wilson Croker
(16 juin 1856).

1v	blanc.
2	Tableau de solmisation.
2v	blanc.
3–6	De mensurabili musica (Abrégé de l'*Ars nova* de Philippe de Vi-try).
	3: Inc. „Cum de mensurabili musica sit nostra presens intentio... Videamus primo quid sit figura..." 5v: „Item sciendum est quod octo sunt concordancie... Octaua in XV^{mo} loco. etc." (SachsC, p. 98, 193.) 6: Expl. „... et sic erit falsa musica." (Éd. A. Gilles et G. Reaney, *art. cit.*, p. 61–66 = CSM 8, p. 73–78.)
6–7	Regula discantus.
	6: Inc. „Primus igitur gradus incipit in Diapason..." 7: Expl. „... tertium obviande octave note etc." (Cf. SachsT, p. 267.)
7–8v	Trianguli et scuti declaratio de proportionibus musicae mensura-bilis
	7v: Inc. „Ad habendam notitiam perfectam artis musice mensura-lis sciendum est quod ad laudandum..." 8v: Expl. „... in angulo sinistro ponitur nota omnino imperfecta." (Éd. CSM 12, p. 58–59.)
8v	Regula de monocordo.
	„Regula de monocordo." Inc. „Γ a b c d e... Quarum dispositio a doctoribus..." Expl. „... ab f. vero quatuor passuum." (Éd. A. Gilles et G. Reaney, *art. cit.*, p. 60–61 = CSM 8, p. 72–73.)
9	Traité de déchant.
	Inc. „It is to wyte that ther are III degres of discant..." Expl.

„... bot ther follow a xv. to the quatrebull." (Éd. Bukofzer, *op. cit.*, p. 137–138 et Georgiades, p. 27–28.)

9v–10   Traité de déchant.

9v: Inc. „Circa modum discantandi primo attendum est. quot..." 10: Expl. „... discurrat discantus per concordancias. Exemplum." Table des consonances. (Éd. Bukofzer p. 138–139 et Georgiades, p. 28–30.)

10r–v   Liste des consonances.

10: Inc. „B quadrata in Gamaut ut mi sol la... Hic incipiunt concordancie que sunt omnes sub tonorum..." 10v Expl. „... fa fa mi ut in Ela sol fa etc."

11   Traité de déchant.

Inc. „Septem sunt concordancie in discantu ... ad libitum tuum. Ista sufficiunt de discantu et contranota." (Éd. Bukofzer, p. 141.)

Catalogue of Additions (1854–1860), p. 384. – Hughes-Hughes, p. 311. – Bukofzer, p. 37 sqq. – Georgiades, p. 9. – André Gilles et Gilbert Reaney, „A New Source for the *Ars Nova* of Philippe de Vitry", *MD* XII (1958), 59–66. – CSM 8, p. 71–72. – CSM 12, p. 8, 9, 55 (sigle A). – SachsT, p. 257, 267. – SachsC, p. 193 (sigle Lo$_8$).

LONDON, British Library   Add. 22315

XVe s. (1473). 65 f. Papier; parchemin (f. 15). 425 × 230 mm; f. 15: 690 × 205 mm (dépliant). Reliure du XIXe s. IV (1–8), VII+1 (9–23), III (24–29), VII (30–43), 5 × 3 (44–49, 50–55, 56–61, 61a–b, 62a–c, 62d–f, 63–65). Justification: 210 × 147 mm; 37 lignes. Écriture humanistique néo-caroline. Notation carrée sur 3 ou 4 lignes; notation mesurée blanche avec color noire (f. 62r–v). Origine italienne. Le copiste est Nicolas Burzio (après 1473, cf. f. 60). Le volume appartenait autrefois à la bibliothèque du Marquis G.B. Costaboli († 1841) avant de passer en vente à Paris en 1858 (cf. Massera, *art. cit.*, p. 96).

1–60   J. Gallicus, Libellus musicalis de ritu canendi vetustissimo et novo.

1: „Prefatio libelli musicalis de ritu canendi vetustissimo et novo." Inc. „Omnium quidem artium etsi varia sit introductio..."

1v: „Incipit liber primus. (...) Miror viros nostri tempori..." 8v–18v: livre II; 18v–28: livre III.

28v: „Incipit secunde partis de diverso ritu canendi planum cantum primus liber." 29: „Vera quamquam facilis ad cantandum atque brevis introductio. Pauperibus ecclesiae dei clericis..." 37v–52: livre II; 52–59v: livre III. 59v: Expl. „... Si discere cupis, fac ubique similiter. Explicit. Finis". 60: „Explicit liber Nota-

bilis Musicae Venerandi Viri Domini Johannis Gallici ... cujus
ego Nicolaus Burtius proprius discipulus ... hunc propria manu
ex eo quem ediderat transcripsi ac notavi: obiit autem vir iste
Anno Domini M.cccc Lxxiij..." (CS IV, p. 298–396).

61 Traité de contrepoint.
Inc. „Contrapunctus secundum magistrum Johannem de Muris
est facere unam notam supra unam tenoris...
Item nota quod contrapunctus semper debet incipi et finiri per
consonantiam...
Item nota quod concordantie in Musica sunt novem...
Et nota quod quaelibet disonantia in descensu suo requirit..."
Expl. „... Item nota quod possumus ascendere et descendere."

61v blanc.

62r–v Traité sur les proportions (d'une autre main).
62: „De prolatione sexquialtera perfecto minore antecente." Inc.
„Nota quod in proportione sexquialtera supra tempus perfectum... 62v: „De sexquialtera per semi vel de alia prolatione
supra dicta proportione. Et nota quod quandoque in aliqua prolatione ponuntur nigre..." 62v: Expl. „... Nota quod in proportione subsexquialtera in quacumque prolatione" (la suite manque).

63 blanc

63v Remarques sur la signification de quelques expressions et mots
latins.

64–65 Citations latines.

65v Remarques sur la tragédie et la comédie.
Boèce, De institutione musica (extraits).
„Boethius. Dyatoni vocatur quasi quod per tonum ac per tonum
progrediatur. Chroma autem quod dicitur color ... in enarmonico per diesin et diesin ac ditonum" (Cf. Friedlein, p. 213, l. 7–
16). „Armonia putatur concordabilis inequalium vocum comparatio. Musica ipsius concordationis ratio."

Catalogue of Additions (1854–1860), p. 631. – Hughes-Hughes, p. 297, 304, 309. – Giuseppe Massera, „Nicolai Burtii Parmensis Regulae Cantus Commixti", *Quadrivium*, VII
(1966), 91–101, VIII (1967), 33–49. – Michels, p. 40 n. 82, 121 (sigle Lo$_2$). – HugloT, p.
315, 456. – SachsC, p. 89, 180 (sigle Lo$_2$).

LONDON, British Library Add. 23220

XVe s. 28 f. Papier. 218 × 145 mm. Reliure moderne. Composition: VI (1–12), IV (13–20),
IV (21–28). Justification: une colonne de 100 mm. Écriture cursive; texte effacé par en-

droits. Notation carrée (f. 2r–v) et mesurée noire (*passim*). Provenance: famille Conway, puis Rt. Hon. J.W. Croker († 1857).

1–7   Traité de solmisation.
           1: „Quoniam quidem antelapsis temporibus … procedere dei gratia mediante." (Éd. Ellsworth, p. 30). Inc. „Cum autem cujus toni…" 7: Expl. „… quas quia bono modo notari non possent hic ponere non curavi." (Éd. Ellsworth, p. 32–108.)

7–11v   Traité de contrepoint.
           7: „Sequitur secundus liber scilicet de contrapuncto." Inc. „[M]oderni cantores ab antiquorum usu philosophorum discrepare nolentes…" 11v: Expl. „… securum iter invenire poterunt per ea acquirere quod fundamentum. Et sic est finis secundi tractatus." (Éd. Ellsworth, p. 110–146).

11v–14   Jean de Murs, Libellus.
           11v: „Sequitur tertius tractatus de cognitione notulorum cum suis pertinentiis practicalibus." Inc. „[Q]uilibet igitur in arte practica mensurabilis cantus…" 14: Expl. „… hec predicta quamquam rudia sufficiant in artem practicam mensurabilis cantus mediocriter hanelantibus introduci. Explicit. Explicit." (Cf. Michels p. 121; CS III, 46–58.)

14v–21v   Johannes Boen, Ars musicae.
           14v: „ ▮ ■ ◆ ↓ Hec sunt quatuor note quibus omnis mensurabilis contexitur cantelena…" 21v: Expl. „… ideo in clave gsolreut littere precedentium reiterantur. Explicit ars Johannis boen de rijnsborghm holl[andrin]i ad rogatum quorundam juvenum sub brevitate formata." (Éd. Frobenius, *op. cit.*, p. 32–78 et CSM 19, p. 15–39.)

22–28v   [Ars musicae.]
           22: Inc. „[M]usicis studium a cunctis summopere amplectendum fore…"
           24: „Sequitur secundum capitulum quod est de primis elementis hujus artis…"
           25: „Consequenter in 3° capitulo de proportionibus musicalibus dicemus notando primo quod ipsam est vocum…"
           27: „Sequitur quartum capitulum quod est de tonis ad consonantiam intelligendum quod…" 28v: Expl. „… diversimode assignatur sed convenientius" (la suite manque).

Catalogue of Additions (1854–1860), p. 852. – Hughes-Hughes, p. 305, 310. – Margaret Bent, „A postscript on the Berkeley theory manuscript", *AMl*, XL (1968), p. 175. – Michels, p. 121, 28, 29 n. 26, 44 n. 95 (sigle Lo₃). – Wolff Frobenius, *Johannes Boens Musica und seine Konsonanzlehre* (Stuttgart, 1971: *Freiburger Schriften zur Musikwissen-*

schaft, II), p. 29. – CSM 19, p. 9–10 (sigle L). – SachsC, p. 193 (sigle Lo₃). – Christopher Page, „Fourteenth-century Instruments and Tunings: a Treatise by Jean Vaillant? (Berkeley, MS 744)", *The Galpin Society Journal*, XXXIII (March 1980), 17–35. – Ellsworth, p. 26.

LONDON, British Library   Add. 23892

XIIIᵉ s. iv + i + 90 f. (fol. 2–91) + ii + iii. Ancienne fol. à l'encre de 1 à 132 (correspondant à la fol. de 1 à 80) avec des lacunes dans la numérotation (24 à 31, 56 à 86, 102 à 110, 114 à 123). Parchemin. c. 168 × c. 120 mm. Reliure moderne (XXᵉ s.) de toile sur ais renforcée de cuir au dos et aux coins. Justifications diverses (118–155 × 55–100 mm); 18–40 l. Diverses écritures gothiques, essentiellement de type *littera textualis*. Initiales à l'encre rouge, verte ou bleue; initiales secondaires à l'encre noire rehaussées d'une petite décoration à l'encre rouge ou d'un badigeon de jaune. Origine: allemande. Provenance: vente Rvd J. Mitford 9 VII 1860. Traités de grammaire, de métrique, de prosodie et de rhétorique.

17	Hexamètres avec le nom des neumes (Cf. Frutolf, *Breviarium*, ch. XIV).
	„Eptaphonus, strophicus, punctum, porrectus, oriscus... Depressus minor et maior, non pluribus utor." (Éd. HugloN, p. 57.)
62–63v	Traité de philosophie contenant un passage sur la division de la musique.
	62: Inc. „Dicendum primo est vnde dicatur philosophia..."
	63: „Secunda pars mathematice, musica scilicet, in suas partes subdividatur, scilicet mundanam, humanam et instrumentalem. Humana est que consistit in concordia et in moderatione vocis humane, que tripartito dividatur..." Expl. „... instrumentalis vero musica est que consistit in modulatione et concordia instrumentorum." 63v: Expl.: „... quibus utendum est corpori, observare docemur."

Notice rédigée d'après une description communiquée par Mme Catherine Harbor (London).
Catalogue of Additions (1854–1860), p. 911–913. Henry Marriott Bannister, *Monumenti Vaticani di paleografia musicale latina* (Leipzig, 1913), p. 2. – HugloN, p. 53–67 (sigle M).

LONDON, British Library   Add. 31388

XVᵉ s. (1497, cf. f. 10). 42 f. Papier. 205 × 140 mm. Reliure restaurée en 1976, cahiers remontés. IV (1–8), II (9, 10, 10a, 11), IV (11a, 12–18), V-1 (19–27), IV-1 (28–34), V-1 (35–38, 38a, 39–42). Justification: 90 mm. Environ 32 lignes. Plusieurs mains (écritures humanistiques courantes): A (1–8), B (9), C (9v, moitié supérieure), D (9v, moitié inférieure et 10), E (11r–v), F (12–24), G (24v–28), H (29–38v). Notation gothique sur quatre lignes. Origine allemande (Augsbourg). Ex libris Julian Marshall (10.7.1880).

1–9v	Bartholomeus Frisonis Carthusiensis, De ortu et revelatione Antichristi Epistola.
9v	Liste d'octaves (main D)

Гut ^{t} Are ^{t} Bmi ^{s} Cfaut ^{t} Dsolre ^{t} Elami ^{s} Ffaut
Are ^{t} Bmi ^{s} Cfaut . . .

. . .

ffaut ^{t} gsolreut ^{t} aalamire ^{s} bbfabmi ^{t} ccsolfa ^{t} ddlasol ^{t} ela.

10	„In Christi nomine amen. Ego frater petrus berckenmare de Augusta. . . Anno. . . domini millesimo quadringentesimo nonagesimo septimo in festo sancti Wolfgangius episcopi seu in vigilia omnium sanctorum."
10v	blanc
11–38v	Traité de plain chant.

„De musica guidonis." Inc. „Note seu claves in manu sunt hec. Inprimis pone Г grecum. . ." (11v blanc)

12: „Secundum capitulum est de modis cantandi. Continens tres particulas. Prima est de modo diffinitive et divisive et quod unisonus proportione non est modus. Modus quid est. Dico quod modus est intervallum. . ."

12v: „Secunda particula continet descriptionem uniuscujusque modi in speciali." 13: „Unisonus quid est. Dico quod unisonus est unius et ejusdem vocis iteratio. . ."

15v: „Tertia particula continet declarationem predictorum modorum per cantus demonstrationem. Et primo ponitur figura intervallorum. . ." 16: exemples d'intervalles en notation neumatique. 16v: blanc.

17: tableau de solmisation.

17v: „Item musica dividitur in musicam choralem seu planam et mensuralem. . . Clausula sive scala dividitur in vocem et clavem. . ."

18: „Item queritur quid sit musica. . . Item quare et item ad quid valeat musica. . ."

19: „Modus proprie simplex est intervallum inter vocem et vocem. . ." (analyse des intervalles).

21v–24v: règles de solmisation.

24v: „Musice artis opusculum duas partes prohemialem scilicet et executivam continet. . . Unde dicitur quis sit ejus effectus et qui sint ipsius inventores. . . Primum est de tribus alphabetis. . .

Linee et spacia in manu quot sunt. Dico quod in manu sunt linee decem..."

25v: „Secunda particula est de vocibus musicalibus et de cantibus. Voces musicales quot sunt et quotiens ponuntur in manu. Dico primo quod sex sunt..."

26: „Tertia particula est de mutationibus vocum tribus alphabetis. Mutatio quid est. Dico quod est unius vocis in alteram variatio..."

29: „Tertium capitulum est de tonis... Prima [particula] est de tonis quo ad eorum diffinitionem, divisionem et differentias. Tonus est regula..."

30: „Secunda particula est de tonis quo ad claves in quibus cantus ipsorum finitur... Toni quantum ad claves finales quot regulas cognoscuntur..."

32: „Tertia particula est de singulorum tonorum cum differentiis eorumdem..." (suivent les formules d'intonation, f. 34v–37v);

38v: Expl. „... *Stella ista. Misit dominus.*"

39a r–v et 39b r blancs (39a r–v, justifié, portées).

39v–40   „Ad faciendum quadratum (raturé et remplacé par:) horologium..."

40v–42   „Ad faciendum instrumentum per quod horologium..." (avec plusieurs schémas).

Catalogue of Additions (1876–1881), p. 188. – Hughes-Hughes, p. 301, 309–310.

LONDON, British Library   Add. 32622

Début du XIVe s. 180 f. (fol. ancienne: 1 (f. 116) à 63 (f. 177)). Parchemin. 137 × 80 mm. Reliure du XIXe s. A l'intérieur de chaque plat sont conservés les vestiges de la reliure ancienne: cuir brun estampé. Plat sup.: blason flanqué d'un dragon et d'un chien (?). Plat inf.: maxime et deux anges. Volume composite. Justification: 107 × 55 mm, 26 lignes. Cursive anglaise (plusieurs mains). Initiales bleues et rouges. Origine anglaise. „Johannis Bayly 1611..." (f. 179). Acquis en 1885. *Secretum philosophorum*; *Experimenta Alberti* „Sicut dicit philosophus..." (Thorndike, c. 1486); *Liber de aquis* „Actus mirabilis aquarum quas composuit Petrus Hispanus..."; *Summa experimentorum medicinalium Magistri Petri Ispalensis...*

34v–36v   Traité sur les intervalles suivi d'une recette de fabrication des cordes.

34v: „De Musica" Inc. „Musica docet de numero sonoro..."

35: „Voces a se invicem distinguuntur..."

35v: „De divisione monocordi. Dicto de proportione vocum iam dicendum est de probatione proportionum..."

36: „Ad faciendum cordas lyre. Cum autem volueris facere cordas lyre..." 36v: Expl. „... et ea prova." (Cf. *GB-Cmc* Pepys 1236, f. 109–110; *GB-Lbl* Add. 18752, f. 18r–v; Harley 866, f. 7r–v.)

Catalogue of Additions (1882–1887), p. 163. – Hughes-Hughes, p. 304.

LONDON, British Library   Add. 33519

Anciennes cotes: O.2.J. (f. 1); T-9 (cote Hopetoun).
XV⁰ s. (1477, cf. f. 110v). 110 f. Papier. 285 × 200 mm. Reliure du XVIIIᵉ s. II (1–4), VII (5–6, 6a, 7–11, 11a–f), 4×V (12–21, 22–31, 32–40–40a, 41–50), IV (51–58), 2×V (59–68, 69–78), VI (79–90), 2 × V (91–100, 101–110). Erreurs de reliure (cf. Seay, art. cit., p. 121–122). Justification: 190 × 120 mm. Écriture humanistique. Initiales ornées. Le volume a appartenu à Gaffurius (cf. f. 4v, 110v). Origine italienne. Ex-libris Hopetoun (vente Hopetoun, 28.2.1889 chez Sotheby).

4v–110v   Ugolino Urbevetano, Declaratio musicae disciplinae.
4v: „Liber Franchini Gafurii laudensis Mediolani profatentis."
5: „Declaratio Musice Ugolini Urbevetanis..." Inc. „Potentiarum anime nobilissima esse noscitur..." (Livre I; Proemium, I–XIV; éd. CSM 7, I, p. 13–36.)
12: „Tres esse musicas, mundanam scilicet humanam et instrumentalem..." (Livre IV; éd. CSM 7, III, p. 1–84.)
41: „Etsi in hujus operis nostri primordio de excelentia..." 96: Expl. „... plures species dyatonici. Finis huius quinti libri. Deo gratias." (Livre V; éd. CSM 7, III, p. 85–226.)
96v–97: blancs
97v–109v: Tractatus monochordi.
97v: „In nomine sanctissime et individue trinitatis." Inc. „Musice discipline quinque partium pratice et speculative..." 109v: Expl. „... Hujus autem ficte secunde divisionis demonstratio est hoc." (Éd. CSM 7, III, p. 227–253.)
110: blanc
110v: „Explicit liber quintus Musicae Magistri Ugolini Urbevetani Ferariensis Archipresbiteri, scriptus a me Fratre Nicolao de Curte Papiensi ad requisitionem Venerandi Religiosi Domini Iacobi de Cincinnatis de Gravina Pisauri Canonici, et cetera, 1477, die secunda Januarii, tempore quo auditum est flagitiosum et nefarium facinus et proditorium, scilicet, proditorem quendam occidisse Illustrissimum ducem Mediolani Galeazzum quintum Sfortiam, facinus lamentabile et fere et omnino mestum atque lacrimabile et maxime memorabile atque admodum atrum." Plus

bas, d'une autre main: „Finis Deo gracias Amen. Franchini Gafori laudensis musicae professoris est hic liber."

Catalogue of Additions (1888–1893), p. 39–40. – Hughes-Hughes, p. 306. – Alessandro Caretta, Luigi Cremascoli, Luigi Salamina, *Franchino Gaffurio* (Lodi, 1951), p. 117–118. – Emilio Motta, „I libri della Chiesa dell'Incoronata di Lodi nel 1518", *Il libro e la Stampa*, I (N.S.), fasc. 4–5, p. 105–112. – Seay 119–128. – Albert Seay, „The Declaratio Musice Discipline of Ugolino of Orvieto: Addenda", *MD*, XI (1957), 126–133. – CSM 7, I, p. 3–4 (pl. 4 = f. 1). – HugloT, p. 437, 456. – WatsonB, I, p. 76; II, Pl. 797 (= f. 43v).

LONDON, British Library   Add. 34200

c. 1450. 60 f. Papier: filigrane type tête de boeuf (Briquet 14874) (f. 3/10); type lettre P (cf. f. 53–60). 198 × 145 mm. Reliure récente, cahiers remontés (1981). Composition: 2 × VI (1–24), IV+1 (25–31, 32), V (33–42), VI-2 (deux feuillets coupés après les f. 42 et 50; filigrane isolé: type tête de boeuf [Briquet 15154]), V (52–61, filigrane isolé). Justification: c. 165 × 105 mm. Écritures cursives allemandes; cinq mains (1–33v, 34–35v, 35v–39v et 41, 39v–40v, 42–49). Notation neumatique gothique sur 4 ou 5 lignes; notation mesurée blanche; ligne rouge pour le Fa. Origine allemande. Provenance: Abbaye bénédictine St Maximin de Trèves. Le manuscrit avait été déposé à la Bibliothèque Municipale de Trèves au début du XIXe siècle; il fut par la suite en la possession d'Anselm Schubiger (1815–1888) qui en fit une copie publiée par Coussemaker. Il a été acheté le 13 juin 1892 chez Leo Liepmannssohn (Berlin).

1–33	Anonyme XI de Coussemaker, Traité de solmisation et tonaire.
	1: Inc. „Item diceres quare musica studere? Respondetur quod illo modo quod cultus divinus, sive laus divina..." 11v–33v: tonaire. (Éd. CS III, p. 416–462; éd. R.J. Wingell, *op. cit.*, p. 1–136.)
34–35v	Traités de contrepoint.
	34: „Ars componendi cantum figurativum Simphorice ac dulciter sonantem." Inc. „Et primo de contrapuncto plano pro cujus intellectus... Notandum id quod in figura subsequitur patebit, scilicet contrapuncta..." 34v: Expl. „... tunc fiat tamen aduerte regulas post dictas."
	34v: „Ars cujuslibet discantus." Inc. „Et primo de sincopatione cujuslibet note unde sciendum est quod..." 35: Expl. „... sub fine illius discantus Exemplum patet practicanti." (L'exemple manque.)
	35: „Sequitur ars contratenoris." Inc. „Si enim his (sous rature) quis vult facere contratenorem super quemlibet tenorem..." 35v: Expl. „... quod contratenor in quantum est gravior tenor dicitur tenor."

35v: „Secuntur regule quinque nunc in forma per quas formari potest contratenor cujuslibet contrapuncti." Inc. „Prima. Quando discantus habet octauam ... potest haber 8^{uam} vel 5^{tam} sub tenore etc."

35v (d'une autre main): Inc. „7 sunt consonantie per quas omnis melodia componitur scilicet unisonus ... et tonus cum diapente cum earum reiteracionibus." (Éd. CS III, p. 462–466; éd. Wingell, p. 137–148.)

36   Table des hauteurs accompagnée de commentaires (Éd. CS III, p. 466–467; Wingell, p. 149–152.)

36v   Diagramme circulaire représentant les relations métriques entre les figures de la notation mesurée dans les différentes combinaisons de mode, de temps et de prolation (Éd. CS III, p. 467–468; Wingell, p. 152–155).

37–39   De naturis conjunctarum.

37: „Sequitur de Naturis conjunctarum." Inc. „Pro quo notandum quod conjuncta secundum vocem hominis vel instrumenti est facere de tono semitonium..." 38v: Expl. „... est in modo musicali qui dicitur semitonium etc." (Cf. f. 7v–10; CS III, p. 426a–430a). Suivi d'exemples musicaux en notation blanche (f. 38v–39; éd. CS III, 469b–470a).

39v   Liste et composition des intervalles.

„Notandum quod secundum musicam duplices sunt modi ... d... Unde va." (Éd. CS III, p. 470b–471b; Wingell, p. 158–162.)

40   Traité sur les proportions musicales.

„Sequitur hic aliqua declaratio atque denominatio cum realibus exemplis." Inc. „Omnium proportionum musicalium quas in eodem..." 40v: Expl. „... proportionis dupla habeantur. Et sic est finis." (Éd. CS III, p. 471b–474a; Wingell, p. 163–169.)

40v   Note sur la solmisation.

„Nota quotienscumque in primo ... minus proprie per b molle. etc." (D'une autre main; éd. CS III, p. 474a; Wingell, p. 170.)

41   Notes sur les proportions.

„Proporcio est duorum terminorum vel duorum numerorum... vel signum 9/6" (Éd. CS III, p. 474a–475b).

„Sex sunt numeri proporcionales secundum Macrobium... Epogdous dicitur sexquioctavus." (Éd. CS III, p. 475b; Wingell, p. 171–173.)

41v   Compilation sur le musique.

„Musica est scientia liberalis modum cantandi artificialiter administrans ... genera instrumentorum musicalium" (Ce texte coïn-

	cide sensiblement avec le premier chapitre de l'Anonyme XII de Coussemaker qui suit; cf. CS III, 475a–477a, l. 14.)
42	Anonyme XII de Coussemaker.

42: Inc. „Quoniam per magis noti notitiam ad ignoti facilius...“
49: Expl. „... duo tempore, ut hic“ (suivi d'exemples de ligatures; éd. CS III, p. 475–489; CSM 35 [en préparation].)
49v blanc.

| 50 | Diagramme circulaire avec les valeurs des notes (éd. CS III, p. 490). |

50v–51 blancs.

| 51v | Diagramme (Éd. CS III, p. 491). |
| 52–56v | Traité de notation mesurée. |

52: Inc. „Discantus est diversorum cantuum secundum modum...“
56v: „... valet tres minimas.“ (CS III, p. 491–495.)
57: *„Je veul prend“*
57v–58: *„Sans amer home que voÿ...“*
58v–59: *„Quant vous plareaÿ madame...“*
59v–60: *„Bonum vinum cum sapore bibit...“*

Catalogue of Additions (1888–1893), p. 234. – Hughes-Hughes II, p. 120; III, p. 306–307. – CS III, p. XXXVII–XXXIX, 416–495. – HugloT, p. 422, 427, 456. – SachsC, p. 193–194 (sigle Lo₉). – Richard Joseph Wingell, *Anonymous XI (CS III): An edition, translation, and commentary* (Diss. University of Southern California, 1973). – Id., „Anonymous XI and Questions of Terminology in Theoretical Writings of the Middle Ages and Renaissance“ *Music Theory Spectrum*, I (1979), 121–128. – Tom R. Ward, „A central European repertory in Munich, Bayerische Staatsbibliothek, Ms. Clm 14274“, *Early Music History* I (1981), 325–343. – Census-Catalogue II, p. 70–71. – BernhardCC, p. 30–32.

LONDON, British Library   Add. 34296

XVe s. 28 f. Parchemin. 125 × 100 mm. Reliure moderne. Composition: 2 × V (1–20), IV (21–28). Justification: 95 × 73 mm, 18 lignes. Écriture humanistique ronde. Notation carrée sur quatre lignes tracées à l'encre rouge (jusqu'au f. 20v) ou à l'encre noire, f. 21–28v). Initiales bleues avec lacis rouge. Titres en rouge. Origine italienne. Provenance: vente Leo Liepmannsohn du 15 mai 1893.

| 1v | Main de solmisation. |
| 2–27 | Traité de plain chant. |

2: Inc. „Questa sie la regula de canto fermo et... In primis bisogna sapere la manu zioe gamaut, Are...“
3: „Sequita de la mutacione. Regula. Nota che le mutacione se fanno in ogni loco...“

3v: „Sequita de la formacione. Regula. Nota che noi avemo septe formacione..."

4: „Adeso sequita de le littere grave acute et superacute. Nota che noi avemo vinti lettere..."

4: „Sequita deli finali et deli toni regulari et irregulari. Nota che li finali regulari sono questi neli..."

5v: „Sequita deli tonj autenti et placali. Nota che deli toni octo..."

6: „Adesso sequira de b molle. Per cognoscere tutte le differencie de b molle..."

7: „Adesso sequita de le specie quantele sono. Nota che le specie del canto sono sedeci..."

11: „Sequita le regula de cognoscer li toni..." Suivi d'un tonaire.

27: Expl. „... *redemptor omnium*".

Catalogue of Additions (1888–1893), p. 289. – Hughes-Hughes, p. 313. – HugloT, p. 425, 456.

LONDON, British Library　　Add. 36986

Fin XVe – début XVIe s. 43 f. Papier. 137 × 105 mm. Reliure moderne. Composition: 3 × IV (1–25), V (26–35), IV (36–43). Lacune de 23 f. entre les f. 34 et 35 (constatée par Hughes-Hughes, *op. cit*, p. 311). Justification: 105 × 85 mm. Écriture humanistique ronde. Notation carrée et notation mesurée blanche. Rubriques jaunes. „Questo libro sie di me Zacharia da villa calamdrina. Hic liber est meus ... Zacharie ville Callamandrine." (f. 1). Origine italienne.

2–24v　　John Hothby, Tractatus quarundam regularum.
　　　　2: „Incipit tractatus quarundam regularum artis musice editus a magistro Joanne octobi anglico... Incipit ordo ad faciendum Monocordum." Inc. „Pertinentia vocum sunt quatuor scilicet proportionalis divisio..." Expl. „... El septimo la quinta, Ell ottavo la quarta overo equale."

24v–33v　　Traités de contrepoint.
　　　　24v–25: „De contrapunto." Inc. „Debemus scire quod omne contrapuntum debet incipere..." Expl. „... sesta quintadecima ad octavam reducibiles sunt."
　　　　25v–26: Table des consonances.
　　　　26–30: „Regole di far contrapunto di nota per nota." Inc. „Ogni contrapunto de' cominciare da consonantia perfecta..." Expl. „... disotto. sol. 6. disotto la .5. disotto et sic de singulis." (Éd. CSM 26, p. 81–94.)
　　　　30r–v: „Alia regula contrapuntus." Inc. „Quot sunt voces con-

trapunti sunt .8. que: 3a. 5. 6. 8. 10..." Expl. „... boetio et se-
guita come a posto nel altra mano per lo 8."
30v: Inc. „Nota quod septem sunt consonantie in biscantu quatuor perfette..." Expl. „... Sed melius dicitur quando una perfetta et alia imperfetta."
30v–31v: „Hec est ars contrapuntus secundum magistrum mach-
teum [!]" Inc. „Ista est regula contrapunti per ottavam et incipi-
tur octava in ut di Gamaut dicendo..." Expl. „... per la quinta
come e questa .5. ditta disopra per la quintadecima."
31v–32v: John Hothby, Règles de contrepoint.
31v: Inc. „Nota quod contrapuntus semper debet incipere et finiri per consonantias..." 32v: Expl. „... descendens et erit 3.
Expliciunt per duodecimam." (Éd. CSM 26, p. 63–69.)
32v: „Hec est ars." Inc. „primo videndum est de ut quot ponuntur note in ut..." (table des consonances). 33: „... re, fa, sol:
re 3, fa quinta, sol sesta."
33: „Contrapuntus secundum magistrum matteum per duodecimam." Dicendum quod note ponuntur in ut 4..." 33v: Expl. „...
re.5. disotto fa .3. disotto la. unisonus."

33v–34   Note sur les hexacordes.
33v: Inc. „Prima regula coniunta Boetii signiatur per b in b
mi..." 33v: Expl. „... et habet suum principium in de sol re ut."
(Tableau des hexacordes au f. 34).

35–40   Abrégé de la *Calliopea Legale* de John Hothby.
35: „La caleopea di maestro giovanni octobi anglico redutta sotto
brevita." Inc. „Li strumenti i quali generano suoni universal-
mente sono 3..." 40: Expl. „... ma artifitiosamente l'a assetata
tanto comodamente quanto puo. Laus deo et beate Marie."

40–42v   Traité de chant mesuré.
40: Inc. „Quatuor sunt partes prolationis in cantu figurato videlicet Major perfetta que sic pingitur..." (règles de ligatures en explicit.)

Catalogue of Additions (1900–1905), p. 271. – Hughes-Hughes III, p. 311–312. – Gilbert
Reaney, art. „Hothby", MGG, VI (1957), col. 774. – SachsC, p. 194 (sigle Lo$_{10}$). – CSM
26, p. 59–60 (sigle L$_3$). – Albert Seay, art. „Hothby", *New Grove*, 8, p. 730. – ReaneyM,
p. 122–123.

LONDON, British Library   Add. 56486 (A)

Anciennes cotes: MS 4567 (f. 1); MS 4568 (f. 2).
XVe. Deux feuillets originellement consécutifs tirés d'une reliure. Parchemin. 179 × 124

mm (f. 1), 179 × 127 mm (f. 2). Les deux feuillets sont conservés dans une chemise portant la mention „56486A Purchase from Folio Fine Arts Ltd". Justification: c. 156 × 82 mm; 37 1. (f. 1r, 2v), 34 1. (f. 1v, 2r). Ecriture cursive de type anglicana formata. Initiales de pleine couleur alternativement bleues et rouges, au début de chaque chapitre; têtes de chapitre en rouge; quelques mots soulignés en rouge; pieds de mouche rouges en tête de la plupart des phrases (ch. 2 et 3). Origine anglaise.

Walter Odington, Summa de speculatione musicae.

1r	„Prima pars ... armonicam" (Prologue, 10–I, 13).
1v	„proportionem coniuncta ... ad cuius" (I,13–30).
2r	„exemplationem ... secundo, tanquam" (I,30–II,16).
2v	„tertius ... est secundi" (II,16–III,13).
	(Cf. CSM 14.)

Notice rédigée à partir de la description communiquée par M. Adrian J. Bassett (London).

Description sommaire in: „*Rough Register*" *of Acquisitions of the Department of Manuscripts British Library 1971–1975*, List and Index Society, special series, 10 (1977), p. 1.

LONDON, British Library   Arundel 25

XIIIe s. (début). 124 f. Parchemin. 250 × 160 mm (85 × 85 mm, feuillet additionnel cousu sur le f. 113r). Reliure moderne. Composition: 8 × IV (4–67), III (68–73), 5 × IV (74–114), V (115–124); cahiers signés au verso de chaque dernier feuillet. Justification: deux colonnes de 60 × 195 mm (à la mine de plomb), 34 lignes. Écriture textuelle. Notation carrée sur quatre lignes tracées à l'encre rouge (f. 118v–119, 121r–v), 11 portées par colonne. Grandes initiales vertes et rouges. Origine: Bohier (Province de Laon); cf. f. 78: (calendrier) 15 octobre „Dedicatio Ecclesie Boheriensis". Usage cistercien (cf. f. 75v).

1	Fragment sur l'orthographe des voyelles latines.
	„Primo omnium A mutari solet in E..."
2	Table pour trouver les fêtes mobiles.
4	Lettres de Hildebert de Lavardin.
57v	Hugo Prior Sancti L[aurentii?] de rota religionis et rota simulationis.
	„Sicut comperi non est tibi, frater, onerosum..."
67	Commentaire sur les Psaumes.
	„In hac praesenti vita in via sumus..."
74	Calendrier.
81v	Vers sur le nombre d'or; tables des épactes...
83	Liber de solari, lunari, et paschali ciclo.
	„Qui nonnullorum de compoto dicta sollicitus attendit..."
104v–121	Liber de natura cantuum et forma.
	104va: „Incipit prologus sequentis operis." Inc. „Rerum bonus

estimator non a quo uel qualiter..." (dans la suite de notre description, les titres de chapitre sont restitués d'après la table qui figure au f. 104v).

105ra: „[I. Quod non nisi .vij. sunt voces.] Ut oratio, id est verborum structura cum pleno sensu..."

105va: „[II. De litteris vocum expressivis.] He autem .xix. voces ut unum solum audibiles auribus..."

105vb: „[III. Que, quot, quarum voce sint indices litterarum.] Porro expressive vocum littere .vi. ...."

106rb: „[IV. Qualiter alie aliis continuentur note.] Ceterumque notae cujuslibet senarii notarum..." (règles de solmisation)

107ra: „[V. Plerumque .b. rotundam non rite vel notis interferi vel inter cantandum usurpari.] Est notandum quod b rotunda..."

107rb: „[VI. Qualiter disponantur note per lineales litteras et spaciales.] Sic vero note per lineales disponuntur litteras..."

107vb: „[VII. Quid notarum praeposterari ordo non possit.] Sex autem notarum..."

107vb: „[VIII. De utilitate notarum.] Quanta vero sit utilitas notarum..."

108ra: „[IX. Non pueriliter accipienda que de notis dicta sunt.] Hec hactenus de litterarum dicta..."

108ra: „[X. Quot, que vocum sint consonantie.] Jam quia de septem vocibus de vocum..."

109va: „[XI. De .vij. finalibus cantuum vocibus.] Quot ergo dictum est paulo ante vocum..."

110ra: „[XII. De autentorum distinctione et plagalium in cantibus nec ad .vij^{am}. ascendentibus nec ad .iij^{am}. descendentibus a finali.] Ut igitur ex premissis apparet, cantus qui usque..." (diagramme circulaire relatif aux tons).

110vb: „[XIII. De naturali autentorum proprietate et plagalium in praedictis cantibus.] Ut ergo tandem brevi autentorum distinctio..."

111ra: „[XIV. Que sit aliorum ab aliis distinctio tonorum.] Ascendunt vero primus et secundus tonus..."

111rb: „[XV. Quibus proprietatibus innixi toni alter in alterius finali non desinat.] Plane quidam sunt cantus qui toni cujuslibet..."

111va: „[XVI. Unde cantus irregularis probetur.] Quia vero satis unde cantus regularis possit agnoscere..."

112rb: „[XVII. Quid supra memorate finales littere tam deposi tionis plagalium quam elevationis autentorum plenitudine fulciantur.] Quo circa prout vero ex his que dicta sunt…"

112vb: „[XVIII. De tonis in cantibus discernendis.] Octo itaque isti sunt modi per quos omnis cantilena…"

113rb: „[XIX. De omni cantu secundum naturam judicari et formam.] Judicatur ergo de omni cantu secundum naturam et formam…"

113rb: „[XX. Que quibus tonis adaptentur differencie, secundum cistercienses.] Sane quia secundum cisterciensem usum…"

113vb: „[XXI. De metris psalmorum quarti et septimi toni.] Inter hec non est reticendum…"

114rb: „[XXII. De differentia secundi et octavi toni canticis evangelii (…).] Sed nec illud silendum est…"

114vb: „[XXIII. Ubi vel legens pausare debeat vel cantans.] Quia vero plerique inter legendum et cantandum…"

115vb: „[XXIIII. De eo qui ad hanc introducitur artem.] Ceterum quia pollere nonnulli…"

117vb: „[XXV. Que ad minus nosse et memoriter conveniat retinere.] Sane, praeter hec que capitulo sunt memorata…" 118: *„Primum querite regnum dei".*

118vb: „[XXVI. Ab hinc secuntur note quibus plene imbutus quis et exercitatus per se possit (…) cantare.] Verum quia multi cum multum temporis… De primo tono. *A–e–i–o–u*…

119vb: „[XXVII. De monocordo.] Sane, aliqui nimis inconditos…" 121ra: Expl. „… vel posse habere non credit."

121v: Tonaire. „… Explicit liber de natura cantuum et forma."

122   Traité versifé „de cognitione primarum sillabarum".

124   De ratione untiarum.

       De virtutibus duodecim lapidum.

HorshallA, p. 6–7. – Hughes-Hughes, p. 303.

LONDON, British Library   Arundel 43

Fin XIIe, début XIIIe s. 80 f. Parchemin. 265 × 165 mm. Reliure restaurée en 1962. Une colonne c. 210 × 125 mm; 37 à 53 lignes par page. Initiales bicolores (rouge et bleu, rouge et vert), parfois monochromes (rouge ou vert). Plusieurs mains. Deux colophons d'une main du XVe s.: „Iste liber est fratrum Carthusiensium prope Mogunciam" (1r); „Codex Carthusiensium Moguncie" (80v). Tampon de la Royal Society of London (1r). Origine: Rhénanie (Mayence?) (d'après l'écriture et la décoration). Provenance: Chartreuse de Mayence (Cf. F.W. Roth, in *Romanische Forschungen*, 6 [1891], 430); puis Royal Society of London. Donatus, *Ars Grammatica* (éd. H. Keil, *Grammatici latini*, IV, 372,4–392,3) suivi du commentaire de Sedulius Scottus (éd. Braerley, *op. cit.*). Les mesures de monocordes et les extraits du *Micrologus* sont interpolés dans le texte du commentaire de Sedulius Scottus.

66v (1. 28–39)	Mesure de monocorde. Inc. „Si monocordum mensurare desideras, quamcumque vis lineam…" Expl. „… vel tertium .B. vel octavum .G. et erit perfectum." (Éd. Brearley, *art. cit.*, p. 164.)
66v (1.40)– 67r (1.23)	Guy d'Arezzo, *Micrologus*, ch. III. Inc. „Notae in monocordo sunt: in primis .Γ. grecum a modernis…" Expl. „… ad faciendum celerrimus." (Cf. CSM 4, p. 96–102; éd. Brearley, *art. cit.*, p. 167.)
67r (1.23–26)	Mesure de monocorde. Inc. „Divide in quatuor in puncto usque F…" Expl. „… Item a .c. in tria et fac .G." (Éd. Brearley, *art. cit.*, p. 170.)

ForshallA, p. 10. – M. Esposito, „A Ninth-Century Commentary on Donatus", *Classical Quartely*, XI (1917), 94–97. – Denis Brearley, *Commentum Sedulii Scotti in majorem donatum grammaticum* (Toronto, 1975) (*Pontifical Institute of Mediaeval Studies. Studies and Texts*, 27), p. 24–26. – Denis Brearley, Thomas Wray, „The British Museum MS. *ARUNDEL 43* Monochord Fragments", *Mediaeval Studies*, XXXVI (1974), 160–173 [*errata: ibid.*, XXXVII (1975), 546–547].

LONDON, British Library   Arundel 77

Fin du XIe s. 98 f. Parchemin. 315 × 235 mm. Reliure moderne. Composition: III-1 (1–5, f. coupé entre 3 et 4; IV (6–13); IV+1 (14–22, f. 19: papier, 325 × 400 mm, dépliant); 2 × IV (23–38); V (39–46); IV+1 (47–55); IV (56–62, 62v: blanc); 4 × IV (63–94, 63r: blanc); II (95–98). Justification à la pointe sèche: 225 × 145 mm; 38 l. Plusieurs mains: f. 1–3 (A), 3v–6 (B), 7–38 (C), 39–62 (D), 63–86v (E), 87–98 (F); le changement de main coïncide généralement avec le début d'un cahier. Notations dasiane et neumatique. Schémas à main levée tracés à l'encre rouge. Origine allemande d'après la notation neumatique (cf. HugloT, p. 271).

1–3	Aurélien de Réomé, Musica disciplina (extrait). Inc. „[M]usicam disciplinam non esse contempnendam multa et antiquorum…" 3: Expl. „… sed victoriam dedit de inimicis nostris. Sed syllabam pro ae." (Éd. CSM 21, p. 58–91.) Selon M. Huglo, *Odorannus, op. cit.* p. 159, cf. *I-Rvat* Palat. 1346 et *F-Pn* lat. 7211.
3v–6	Lettre de Grégoire VII à Hermann, évêque de Metz sur l'excommunication de l'Empereur Henri (datée de 1080; éd. cf. Mansi XX, c. 331–337).

6v–62 Boèce, De institutione musica.
6v: „Incipit muscia a boecio in latinum de greco translata" Inc.
„[O]mnium quidem perceptio sensuum..." 62: Expl. „... generibus nusquam una. Explicit muscicalis institucio a boetio in latinum translata de greco. Sit laus regnanti Christo per secula
summo." (Cf. éd. Friedlein.)

62v–87v Musica et scolica enchiriadis.
62v: „INCIPIT SCOLICA ENCHIRIADIS DE MUSICA." Inc.
„[S]icut voces articulate elementarie..." 87v: Expl. „... et sym-
phoniam seruat tropique retinet modum. Explicit Scolica enchiriadis." (Éd. Schmid, p. 3–156.)

87v–98 Bernon de Reichenau, Prologus in tonarium suivi du tonaire.
87v: Inc. „[O]MNIS igitur regularis monochordi constitutio..."
91: Expl. (du prologue) „... Ego vero iam desinam multa loqui,
ut finis sit prologi." Suivi d'un schéma du grand système. 92v–
98: Tonaire. (Cf. GS II, p. 62a–79b.)

Forshall, p. 21–22. – Hughes-Hughes, p. 296, 297, 299. – Gushee, p. 65–66. – HugloT,
p. 54, 266, 271, 456 (sigle B). – *Odorannus de Sens. Opera omnia.* Textes édités, traduits
et annotés par Robert-Henri Bautier et Monique Gilles, et, pour la partie musicologi-
que, par Marie-Elisabeth Duchez et Michel Huglo (Paris, 1972; *Sources d'Histoire mé-
diévale publiées par l'Institut de Recherches et d'Histoire des Textes*, 4). – CSM 21, p.
44–45 (sigle L). – DMA.A. VIb, p. 27 (sigle Lo64). – Schmid, p. VII (sigle Do). – Bower,
p. 220.

LONDON, British Library   Arundel 130

1446–1461. 118 f. Parchemin. 300 × 200 mm. Reliure moderne. Composition: 8 × IV (1–
64), VI-1 (65–71), 5 × IV (72–111), II (112–115), II-1 (116–118). Réclames. Justification:
240 × 155 mm, deux colonnes de 70 mm environ (à l'encre rouge, 51 lignes tracées). Notation carrée sur portées de 4 lignes tracées à l'encre rouge; initiales bleu ou or avec lacis
rouge ou noir. Rubriques alternativement bleues et rouges. Décoration à motifs végétaux
au f. 1; initiale ornée du blason de Heinricus de Percy, comte de Northumberland, à l'attention duquel ce volume a été rédigé entre 1446 et 1461. Origine anglaise. Bréviaire selon
le rite Sarum (f. 1–100). Fragments de droit canon (f. 117v–118).

100rb–118r Metrologus.
100rb: „In nomine sancte et individue trinitatis incipit mutrolo-
gis liber de plana musica idem brevis sermo." Inc. „Quid est mu-
s[ic]a? Musica est peritia modulationis sono cantuque consistens..." 103: „... decrementi modorumque varias qualitates."
Suivi du tonaire: „Primus tonus in desolre finitur habens elevationem a sua finali..." 110v: Expl. „... *Dominus regnavit indu-*

tus est dominus fortitudine et precinxit se." Suivi des formules: „*Benedicamus domino*" et „*Ite missa est*". (Éd. Smits van WaesbergheE, p. 67–92.)

111–117   Hymnaire.

Forshall, p. 30–31. – Hughes-Hughes, p. 301, 307. – Smits van WaesbergheE, p. 59–66. – CSM 4, p. 33–34 (sigle Lo8). – HugloT, p. 346, 456.

LONDON, British Library   Arundel 299

Fin du XVe s. (1491). 99 f. Papier. 150 × 105 mm. Reliure moderne, feuillets montés sur onglets. Justification: 125 × 75 mm environ. Écriture humanistique courante allemande. Notation musicale gothique (f. 38, *passim*), mesurée blanche (f. 71, 72). Initiale ornée (chausseur et cerf, au f. 4v). Marque de copiste (?): 1491 Andreas Mauser (f. 7v). Date de 1491 au f. 12v. Origine allemande ou autrichienne.

1–28   Mélanges d'astronomie: tables pour le calcul des jours fastes et néfastes (en allemand); calendrier; notes sur le vent et les signes du zodiaque; table des éclipses (1493–1530); sur les signes du zodiaque (en allemand); tables astronomiques.

29   Tableau de solmisation.

29v   Nomenclature du grand système parfait.
              „Manus secundum graecos. Nethesynemenon . . . *Γ* amaut."

30–65v   Traité de plain-chant.
              30: Inc. „Expedit et consonum est rationi ut si quid utilitatis artis musice notitia . . ."
              30v: „Musica sic dicitur: est scientia liberalis modum cantandi artificialiter administrans . . ."
              32: „Sequitur nunc de inventione musicalis scientie. Musica dicitur esse inventa a quodam . . ."
              32v: „De cantu et clavibus. Ex quo quilibet cantus per voces et claves . . ."
              33: „De nominibus clavium . . . In manu secundum latinos . . ." 34: „Cantus secundum Nicolaum muris [sic] est modulatio vocis sex note . . . Subjectum musice scientiae est numerus sonorosus vel numerus . . . De cantu b durali . . . De cantu naturali . . ." 34v: „De cantu b molli . . . Distinctio clavium patet in istis metris. Claves octo graves septem . . ."
              35: „De mutationibus vocum in solmisando. Nota mutatio est unius vocis in aliam secundum eumdem sonum sub diversitate cantus . . ." (quatre règles de solmisation). 38–39: „*Cfaut ut fa. Dsol re sol* . . ." (exemple pratique de solmisation).

	39v: „Sequitur nunc de tonis. Ex quo cantus regularis sic dicitur est resonantia tonorum..."

39v: „Sequitur nunc de tonis. Ex quo cantus regularis sic dicitur est resonantia tonorum..."

41v: „Hys visis de tonis communiter de differentiis tonorum est dicendum. Unde notandum quod differentia tonorum est diversa in fine accentuatio..."

43: „His predictis habitis communiter pro leviori cognitione tonorum est notandum quod primus tonus..."

49–62v: Tonaire. „*Primum querite regnum dei...*"

58v: Règles de consonances (feuillet additionnel, d'une seconde main?).

„Ut est ad terciam c vel a, ad quintam c, ad sextam ff, ad octavam d vel c, ad decimam a vel c..."

63: „Sicut enim grece octo partibus omne quidem dicitur, comprehenditur ita musice novem modis..." (chapitre sur les intervalles). 65: Expl. „*Dypason*" (exemples notés). 65v: blanc.

66–67	Textes relatifs à la solmisation.

66: „Nota utilia musice artis" (règles de solmisation sous forme de tableau).

66v: „Mutatio est unius vocis in aliam variatio..." (règles de solmisation sous forme de tableau). „*Unisonus. Semitonium...*"

67: tableau de solmisation.

67v	Tableau récapitulatif des intervalles avec exemples notés:
68	Éléments de la théorie des modes.

„Pri re la. Se re fa..." Tableau des tons authentes et plagaux.

68v–72	Eléments de notation mesurée (sous forme de tableaux).

Figure des notes (68v); notes sur le mode, le temps et la prolation (68v–69); signes de mesure (69, 70v et 71); tactus, punctus (69v); silences (70r–v); color (71); règles de ligature (71v–72).

72v–77	Notes sur le sacrement.

„Hic secuntur quaedam dubia circa defectus sacramenti altaris contingenda."

78–86	Traité de solmisation.

78: Inc. „Volentibus ad musice artis notitiam accedere. Incipiendum est a litteris alphabeti..." 86: Expl. „... se variationes ut patet soluanti (?)."

86–87v	blancs.
87v	„Item notandum quod iste A..." (sur les sept âges de l'homme).
88r–v	Compilation sur la musique.

88: Inc. „Pro recomendatione modica egregie musicalis scientia..." 88v: Expl. „... quia naturis eorum multum conformos (?) approbatur."

89
„Proportio est abitudo unius quantitatis..." (sur les proportions).

89v
Schéma des proportions entre les intervalles.

90r–v
Compilation sur la musique.
90: Inc. „[D] e igitur silentio transeamus quidditatem et divisionem musice pro tantum..." 90v: Expl. „... in conductis modulis
ceterisque modis."

92v–99v
Notes sur le comput; recettes alchimiques et médicales en allemand.

Forshall, p. 88–89. – Hughes-Hughes, p. 312. – WatsonB (f. 1–7 seulement), I, p. 92; II,
Pl. 870 (= f. 4v).

LONDON, British Library   Arundel 339

XIIe s. (première moitié du XIIIe s. selon Saxl, *op. cit.*, p. 93). 153 f. (fol. originale de 1
à 152; 77 anc. = 78 moderne). Parchemin. 195 × 140 mm. Reliure moderne. Composition:
... V (98–107), IV (108–115)... Justification: 140 × 100 mm, 47 lignes; deux col. f. 31v–
36, 69v–71, 192v. Écriture textuelle de la main de Heimo (cf. f. 68). Notations alphabétique spatialisée (f. 100v, 101, 105), neumatique sur deux lignes dont la ligne du fa en
rouge (f. 105v, 107v, 108r–v, 109v; les lignes de la justification servent de support). Initiales ornées (décoration homogène); initiales rouges et rubriques. 75v: lyre antique à cinq
cordes (nombreuses illustrations marginales relatives à l'Antiquité, des f. 73 à 85).
Origine allemande. Provenance: abbaye de Kast, près de Regensburg (cf. f. 151v: liste
obituaire des abbés de Kast, 1130–1217; éd. MGH/Scriptores XIII, p. 337), puis Henry
Howard (cf. f. 2). Traités du quadrivium: astronomie, arithmétique et géométrie. Le
contenu du ms. est apparenté à *D-Mbs* Clm 10321 (Regensburg, Kloster Prüfening, fin
XIIe s.; cf. Saxl, *op. cit.*, p. 93).

1–97
Cf. description chez Saxl, *op. cit.*, p. 93–96.

98–104
Guy d'Arezzo, Micrologus.
98: Inc. „Gymnasio musas placuit..." 104: Expl. „... tenebras il-
lustrante cuius summa sapientia per cuncta viget secula amen.
Explicit micrologus Guidonis de arte musica." (GS II, p. 2–24;
CSM 4, p. 79–234.)

104–106
Guy d'Arezzo, Regulae rhythmicae.
104: „Incipit rithmi eiusdem." Inc. „Musicorum et cantorum magna est..." 106: Expl. „... unde duo signum variant loca cuius
ad ipsum." (GS II, p. 25–34; éd. DMA.A.IV, p. 95–133.)

106–107
Guy d'Arezzo, Prologus in Antiphonarium.
106: Inc. „Temporibus nostris super omnes homines fatui
sunt..." 107: Expl. „... figura monstratur si sicut debent ex industria componantur." (GS II, p. 34–37; DMA.A.III, p. 58–81.)

107–109v
Guy d'Arezzo, Epistola ad Michaelem.

107: „Epistola Guidonis ad michahelem monachum." Inc. „Beatissimo atque dulcissimo fratri M.G. per anfractus multos deiectus..." 109v: Expl. „... boetium in hoc sequens cuius liber non cantoribus sed solis philosophis utilis est." (GS II, p. 43–50.)

109v–110   Mesure de tuyaux d'orgue.

109v: „Mensura fistularum." Inc. „Fistularum mensuram ut a quibusdam musice artis peritis..." Expl. „... a prioribus ita ut secundum diapason a primo metitus est." (SachsM, p. 26; éd. p. 97–98.)

110   Mesure d'organistrum.

„Organistrum." Inc. „Organicam quicumque liram metiendo laboras A magada C gravem..." Expl. „... placeat suus regula dicta brevis." (Éd. Marianne Bröcker, *Die Drehleier. Ihr Bau und ihre Geschichte* [Bonn, 1977], vol. 1, p. 250.) Suivie des dénominations grecques: „F proslambanomenos .G. ypateypaton ... ultimum excellens F neteyperboleon ultimum excellens." Addition d'une écriture plus fine: „he corde xvi addite sunt monocorde. Et due insuper corde synemenon ... graviori per diapason respondet."

110v–153   description chez Saxl, p. 97–98.

Forshall, p. 101–102. – Hughes-Hughes, p. 300. – Bubnov, p. XXXVIII. – Saxl III, p. 93–98. – Oesch, p. 30. – CSM 4, 30–31 (sigle Lo6). – Harry Bober, „In principio. Creation before Time", *De artibus ... Panofsky* (New York, 1961), p. 13–28. – *Guillaume de Conches. Glosae super Platonem.* Texte critique (...) par Edouard Jeauneau (Paris, 1965; *Textes philosophiques du Moyen Age*, 13), p. 319. – SachsM, p. 26 (sigle L). – Menso Folkerts, „*Boethius*" *Geometrie II. Ein mathematisches Lehrbuch des Mittelalters* (Wiesbaden, 1970: *Boethius. Texte und Abhandlungen zur Geschichte der exakten Wissenschaften*, 9). – DMA.A.III., p. 37 (sigle Lo6). – DMA.A.IV, p. 63–64 (sigle Lo6).

LONDON, British Library   Cotton Nero A.XII

XIIIe s. (XIVe s. pour la musique?). 178 f. Parchemin. 125 × 95 mm. Reliure moderne. Composition: ... VI (155–166) VI (157–178). Justifications: 105 × 65 mm, 17 l. (f. 1–154), 100 × 75 mm, 26 l. (f. 155–178). Grosse écriture textuelle (1–154), écriture cursive plus fine (155–178). Portées de quatre lignes rouges (f. 178v, les notes ne sont pas copiées). Origine anglaise. Chartulaire de l'Abbaye de Beaulieu suivi de chartes diverses.

174v–178v   Traité de plain chant.

174v: „Si vis scire artem musicam. Hec est." Inc. „Quindecim sunt littere magistrales. In quibus concluditur omnis cantus. Interrogatio. Ubi inveniuntur. Responsio. A prima littera usque ad terciam..."

175v: „Loquamur de prima consonantia libenter. Interr. Prima consonantia quomodo vocatur? Responsio. Tonus vocatur...“

176: „Septem sunt consonantie. Prima consonantia vocatur proliatenon (!) quod interpretatur tonus...“

„Bis septenis monocordum designantur litteris...“

„Invice solfa quomodo sunt inventa? Responsio. Magistro Gwydoni per seipsum...“

177: „Quatuor sunt principalia genera modulantium quae secundum .iiij.ᵒʳ modos...“

177v: „Septem sunt conjunctiones, scilicet, tonus, semitonus, ditonus... Igitur octo sunt modi... Primus modus in D gravi desinit in diapason...“

178: Tonaire. „Omnia officia que incipiunt in prima C et ascendunt unam vocem in D. et postea ascendunt...“

178v: Expl. „... et omnia que ista incipiunt hec est eorum differentia.“

Planta, p. 204. – Hawkins I, p. 130. – Hughes-Hughes, p. 301.

LONDON, British Library   Cotton Tiberius B. IX

XIVᵉ s. 236 f. Parchemin. c. 210 × c. 160 mm. Reliure moderne. Chaque feuillet a été remonté isolément, le volume ayant été endommagé lors de l'incendie du 23 octobre 1731. Environ 50 l. par pages (f. 204–214). Plusieurs mains. Écriture textuelle du XIVᵉ s. (f. 1–4v), écritures cursives de la fin du XIVᵉ s. (f. ... 204–214; 215–224v ...). Notations mesurée noire, carrée rouge et noire. Initiales en bleu sur lacis rouge (f. 205, 206). Origine: Abbaye bénédictine Bury St. Edmund's (cf. registres, f. 5–203v). Provenance: Sir Robert Bruce Cotton (1571–1631). Cf. Add. 4909 (copie du XVIIIᵉ siècle de ce manuscrit).

1–4v	Tables chronologiques.
5–203v	Registre des Abbés Cratfield et Excetre de Bury St Edmund's.
Lacune:	[Robertus de Handlo, Regulae.

„Regulae, cum Maximis, Magistri Franconis, cum additionibus aliorum musicorum compilatae a Roberto de Handle.“ (Cf. Smith, *op. cit.*, n° 2; *GB-Lbl* Add. 4909, f. 1–11; CS I, p. 383a–403b.)

Egidius de Murino, Tractatus de diversis figuris.

„Egidii de Muris sive de Morino Tractatus de Musica.“ (Selon Smith, *op. cit.*, addition ms. sur l'exemplaire de la British Library; Add. 4909, f. 11v–14v; CS III, 118a–123b; Schreur.)

? Egidius de Murino, Tractatus cantus mensurabilis (cf. Add. 4909, f. 14v–17v; CS III, p. 124a–128a.)]

204–205   Fin du *Tractatulus de musica incerti Auctoris* (cf. Add. 4909, f. 11v) [Inc. Pro aliqua noticia de Musica habenda, primum videndum est quid sit musica ...“ (cf. Smith, *op. cit.*, n° 4; Add. 4909, f. 17v ss.);] 204: „Qualiter autem faciendum est Monocordum...“ (= Add. 4909, f. 21.) 205v: Expl. „... omnino perfecte sunt excepta sola simpla quae est impartibilis.“ (Cf. Add. 4909, f. 17v–31v.)

205v–214   Anonyme I de Coussemaker, De musica antiqua et nova. 205v: Inc. „Dictis aliquibus circa planum cantum...“ 214: Expl. „... gracia dei addici. Explicit.“ (Cf. Add. 4909, f. 31v–56; CS III, 334a–364b.)

214v   blanc

215–224   Anonyme IV de Coussemaker, De mensuris et discantu. 215: Inc. „Cognita modulatione melorum secundum viam octo troporum...“ 224: Expl. „... ad quam gloriam possimus omnes pervenire cum sanctissimo.“ (Cf. Add. 4909, f. 56v–93; CS I, p. 327–364b; éd. Reckow I, p. 22–89.)

224r–v   De sinemenis (mesure de monocorde). 224: Inc. „Sequitur de sinemenis sic...“ 224v: „... omnis spiritus laudet Dominus etc. cuncta bona etc. Explicit.“ (Cf. Mss. Add. 4909, f. 93 et Royal 12.C.VI, f. 80v–81v; CS I, p. 364a–365b; éd. Herlinger₂, p. 126–134.)

225v–229   „Liber divisionum Mahumeti Bagdadini.“

230v–235   „Rogeri Baconi Liber de speculis...“

236r–v   Hexamètres sur la vanité et la fugacité de la vie.

Thomas Smith, *Catalogus Librorum Manuscriptorum Cottonianae (...)* (Oxford, 1696), p. 24a–b. – Planta, p. 37. – Hawkins I, p. 221, *passim*. – Burney II, p. 390. – Warner II, p. 24b. – Hughes-Hughes, p. 303 et 305. – Hiekel, p. 185 ss. (sigle B). – ReaneyA, p. 12. – CSM 12, p. 9. – Reckow I, p. 7–16 (sigle B). – CSM 14, p. 14 (sigle L). – WatsonM. – Herlinger₂, p. 123–124. – BernhardCC, p. 7, 8, 34.

LONDON, British Library   Cotton Vespasian A. II

XIIe (pour le fasc. f. 131–138v). 157 f. Parchemin. 230 × 160 mm environ (dimensions variables). Volume factice. Reliure moderne restaurée en 1959. Les f. 131 à 138 forment un quaternion isolé. D'après l'écriture, il pourrait être l'un des plus anciens du volume. Justification de 185 × 110 mm pour ce cahier; 36 lignes tracées à la mine de plomb. Écritures cursives et textuelles bâtardes par ailleurs. Le traité de musique a été copié par une main isolée dont l'écriture est plus fine à partir du f. 134. Origine anglaise (Canterbury). Mélanges d'astronomie, calendrier, comput; chronique jusqu'en 1303; commentaire du huitième livre de Martianus Capella (astrologie); géométrie...

131–138v   Jean d'Afflighem, De Musica cum tonario (I–XII).
               131: „Incipit Musica Johannis." Inc. „[I]n hujus operis exordio
               IIIIor commoda lectoribus digna…" 138v: Expl. „… quidam
               musici haud incongrue." (GS II, p. 230–245b; éd. CSM 1, p. 43–
               93.)

Planta, p. 433. – Hughes-Hughes, p. 302. – CSM 1, p. 11–12. – Ker, p. 43. – Edwin F. Flindell, „Joh[ann]is Cottonis", *MD*, XX (1966), p. 11–30. – Michel Huglo, „L'auteur du
traité de Musique dédié à Fulgence d'Affligem", *Revue belge de musicologie*, XXXI
(1977), 5–19.

LONDON, British Library   Egerton 630

XIV[e] s. 226 f. Parchemin. 345 × 250 mm. Le traité de musique est copié sur les deux dernières pages d'un trinion (220–225). Justification: deux colonnes de 75 mm. 42 lignes.
Écriture textuelle du XIVe s.; deux mains (1–198v; 198v–225v). Initiales ornées bleues
et rouges; rubriques rouges. Origine: Cambron (diocèse de Cambrai) (Liber Ste Marie de
Camberone in hanonya", f. 1; tous les cahiers sont signés „De Camberone"); provenance: vente Baynes and Son, 29 mai 1838 (n° 37 au catalogue Baynes & Son, 1836). St.
Grégoire, *Lettres*; mélanges de patristique.

224–225v   Isidore, Sententiae de Musica.
               224va: „De musica et nomine ejus…" (titre des divers chapitres).
               Inc. „Musica est peritia modulationis sono cantuque consi-
               stens…" 225v: Expl. „… quia sicut pulsus est cordis in pec-
               tore." (cf. GS I, p. 20a–23b, l. 17.)

Catalogue of Additions (1836–1840), p. 24.

LONDON, British Library   Egerton 2865

XVe s. (1402, cf. f. 171 et WatsonB). 171 f. Parchemin. 160 × 110 mm. Reliure moderne.
Écriture textuelle du début du XVe s. Origine italienne (Margno?). Provenance: vente
Sotheby du 13.12.1906. Bréviaire ambrosien. Les notes sur la solmisation ont été copiées
sur le feuillet de garde, d'une main plus tardive (seconde moitié du XVe s.).

1r–v   Notes relatives à la solmisation.
               1: „Tre sono le proprietate del canto. ♮ quadro. Natura e B mol.
               Queste tre se partiseno in sette differentie…" Expl. „… C na-
               turam dat F.b. mole G quoque quadrum."
               1v: „De la sol, C sol fa, A la mi re … Fa sol la quoque descen-
               dunt."

Catalogue of Additions (1906–1910), p. 242–243. – Hughes-Hughes, p. 310. – WatsonB,
p. 115. –

LONDON, British Library　Egerton 2888

XIIe s. (2e moitié). 43 f. Parchemin. 195 × 130 mm. Reliure moderne (1963). VI-2 (1–10), IV (11–18), IV (18–25), IV+1 (26 = 190 × 240, 27–34), V-1 (35–43), les cahiers sont signés de *a* à *e*. Justification: 125 × 70 mm; 24 lignes. Écriture textuelle du XIIe siècle; écriture plus cursive pour les gloses marginales. Notation neumatique mosano-rhénane sur 4 lignes tracées à l'encre rouge (f. 40v–43v). Initiale ornée au f. 1v, dragon (f. 36v). Titres en rouge; initiales vertes et rouges. Décoration verte et rouge pour les tableaux et schémas. F. 1: „Iste liber pertinet Jacobo gw[i?]d(?)os Canonico in Sintemertensdijk…" f. 43: „By me Ruly"(?) (XVIe s. ?). Origine: Pays-Bas (?) Provenance: M.A. Anderson, 9.12.1910.

1v–43v　　　Traité de plain chant.

1v: Inc. „Quoniam discretorum industria inperitorum negglientiam (!) novimus esse corrigendam…"

3v: „Quid sit musica" (en marge). „Principio disseremi de musica sciendum est quid sit musica. Musica est una ex septem artibus quas liberales appelamus…"

4v: „Unde dicta sit musica. De hujus vocabulum interpretatione…"

5: „Quomodo et a quo inventa sit musyca. Sicut diverse…"

5v: „Musica quibus instrumentis constet musica instrumentalis…"

6v: „Quid utilitatis conferat Musica. Necessarium videtur ut quid utilitatis…"

„Quid sit musicus. In hac musica instrumentali tria genera consideranda sunt…"

7: „Quid monochordum. Ut quelibet de musyca…"

8v: „De additione cordarum. Huius artis primi inventores…"

9: „Expositiones per greca vocabula. Greca vocabula chordarum…"

10: „Qualiter disponantur note in monochordo. De dispositione notharum in monochordo…"

11: „De discretione et differentia litterarum. Ad cognoscenda litterarum…"

11v: „Quot sunt tetrachorda in monochordo. Considerandum est quod littere monochordi…"

12v: „De finalibus que sint cantande et quomodo. Dispositione hujus artis videndum est quot…"

13: „Quot sint modi in quibus cantus versentur. Que de musyca discere proposuimus ex parte…" 14: „Quid sit semitonium. Tonum ideo semitonio proponimus…" 14v: „Quid sit dittonus. Dittonus grece dicitur eo quod…" 15: „Quid sit tritonus. Tritonus dicitur quasi de tribus tonis... Quid diatessaron. Dyatesseron a quattuor... Quid sit dyapente. Dyapente grece latine... Quid tonum cum diapente. Adhuc duo modi..." 15v: „Quid sit semitonium cum diapente. Semitonium cum diapente..."

15v: „Que sunt consonantie et quot. De speciebus primari..." 16v: „De dignitate et ordine consonantiarum. De merito et ordine..." 17: „De proportionibus consonantiarum". 17v: „Nunc de proportionibus consonantiarum... Si tonus sit consonantia nec ne. Tractandum est de tono..." 19: „De investigatione proportionum. Superius quedam de proportionibus..." 20: „Decem sunt modi quorum tamen tres dicuntur consonantie... Unde constet diapente. Dyapente de quinque dicitur est quidem vocum quinque..." 20v: „Unde constet dyapason. Dyapason maxima consonantiarum..." 22: „De appositione consonantiarum in dyatonico genere. In hoc tractatu consonantiarum... Item in cromatico genere. Item considerandum est quod..." 22v: „In enarmonico genere. Item nota si huic triple..." 23: „Sunt dyapason et dyatessaron sic consonantia in pytagoreico genere. Queri potest si dyapason..."

23v: „De vocum discrepantiis. Superius de vocum discriminibus..."

24v: „Omnia hujus artis utiliora prelibavimus consequi ad totius operis consumationem quid sit nota quid sit neuma..."

27: „De tractatu tonorum. Primum tractatum hujus voluminis de symphonia id est vocum..." 39: Expl. „... diaphoniam constituant, subjecta figura apertissime demonstrat" (tableau). (Édition partielle [f. 27–39] par M. Schneider, *op. cit.*, t. II, p. 106–118.)

39: Liste de neumes: „Eptafonus, Strophicus, Clivis, Quilisma, Podatus, Virgula, Cephalicus, Punctum, Porrectus, Oriscus, Scandicus, Salicus, Climacus, Torculus, Ancus, Pressus minor ac maior." (cf. aussi CSM 29, p. 112).

40–43v: Tonaire (avec gloses marginales).

40: „De forma primi toni. Dictum est de diversis cantibus..."

40v: „*Gloria seculorum amen*..." 41: ... *Post discessum* ... (CAO III, n° 4327); 43: *Auro virginum* ... (CAO III, n° 1534); 43v: Expl. „... subfinali. Verbi gratia. *Gloria* ... *Quinti finalis sic dat formula talis.*" (Les développements concernant les sixième, septième et huitième modes manquent.)

Catalogue of Additions (1906–1910), p. 272–274. – Marius Schneider, *Geschichte der Mehrstimmigkeit* (Berlin, 1934, 1935; 2 vol.), t. II, p. 106, 118–120. – Joseph Smits van

Waesberghe, „Some Music Treatises and their Interrelation. A School of Liège (ca. 1050–1200)?", *MD* III (1949), 25–31, 95–118, cf. 115–116. – SachsT, p. 266–267.

LONDON, British Library   Egerton 2954

XVe s. ii + 26 f. + iii–v. (ancienne foliotation de 23 [= f. 1], à 48). Papier. 210 × 135 mm. Reliure moderne (début XXe s.). VIII (1–16), IV (17–24), 25, 26. Justification: 85 × 135 mm; 32 lignes environ. Écriture humanistique ronde. Notation mesurée noire sur portées à l'encre rouge. Initiales décorées rouge, vert et or (f. 1), ailleurs initiales bleues ou rouges. Origine française ou, plus vraisemblablement, italienne. f. 23: note du XIXe siècle (en français) qui attribue le traité de contrepoint à Jean de Murs; l'auteur de cette note évoque encore une source parallèle „qui dans un ms. appartenant à Mr Libri se trouve à la suite d'un traité de Paulus de Florentia" (cf. *I-Fl* Ashburnham 1119). Garde arrière, f. iii: liste des traités de Jean de Murs (main anglaise de la fin du XIXe s.); f. iv: note sur Jean de Murs rédigée en anglais sur un papier à en-tête du *Musical News* (London) daté de 1893. Provenance: collection Farnborough (vente Cummings, Sotheby, 17–24 mai 1917, lot 1146).

1–22v	Jean de Murs, Libellus (glosé).
	1: „Tractatus super musicam mensuratam Magistri Johannis de Muris in hac excelsa scientia exellentissimi doctoris. Prefatio cujus feliciter incipit." Inc. „Aristoteles in elenchis persuadens erudiri juvenes..."
	2: „Incipit tractatus. Quinque sunt partes prolationis..." 22v: Expl. „... tenoribus mensurarum ordinem servato utuntur. Et sic finitur tractatus mensurabilis cantus sive musice mensurate Magistri Johannis de Muris. Laus deo. Amen." (Cf. CS III, p. 46–58. Les gloses sont empruntées à Ugolino d'Orvieto, cf. Gallo, art. cit.)
23–26	Regule utiles super contrapuncto.
	23: „Salvator noster Jhesus Christus quodam evangelio sic ait..." Inc. „Nota quod contrapunctus secundum magistrum Johannis es facere unam notam super unam tenoris..." 26: Expl. „... non vocatur contrapunctus gratia ipsius contrapuncti et gratia tenoris. Deo gratias. Explicit ars contrapuncti perfectissima. Amen."

Catalogue of Additions (1916–1920), p. 304. – Michels, p. 121 (sigle Lo$_4$). – SachsC, p. 194 (sigle Lo$_4$). – F. Alberto Gallo, „Die Notationslehre im 14. und 15. Jahrhundert" *in Geschichte der Musiktheorie*, (Darmstadt, 1984) vol. 5, p. 303.

LONDON, British Library   Harley 43

Ancienne cote: 34.A.4 (f. 3v).
XVe s. 92 f. Parchemin et papier. 275 × 210 mm. Reliure moderne du XIXe s. Deux mains

A (4–86v), B (88–91). Origine anglaise. Provenance: Thomas Chawndelere, chancelier de l'Université d'Oxford vers 1458 (ex-libris, f. 1v, 4). Boèce, _De consolatione philosophiae_, trad. anglaise avec texte latin en marge.

88v–91   A tretyse by twene enformacions and musyke (traité versifié sur le chant et la musique instrumentale).
          Inc. „Musyke in hys melody requyrythe trew sounds..." 91: Expl. „... pyte for pacyens and conscyens for wrong."
Nares I, p. 12.

LONDON, British Library   Harley 281

37.A.20 (cf. f. 4); $\frac{08}{VI}$ A.

XIVe s. 96 f. Parchemin (f. 4–96), papier (1–3, montés sur onglets de formats divers). 220 × 145 mm. Reliure moderne. Composition: I (5/18) 2 × III (6–17), 2 × IV (19–34), II (35–38), 2 × IV (39–54), V (55–64), 4 × IV (65–96). Justification: 145 × 100 mm; 40 lignes. Écriture textuelle du XIVe s. (f. 4–96v); écriture humanistique du XVIe s. (f. 1–4v). Notation carrée sur quatre lignes passées à l'encre rouge, _passim_. Initiales bleues et rouges; schémas et titres de chapitre à l'encre rouge. Origine indéterminée. Le ms. semble cependant suivre un ou des modèles français (cf. HugloD, p. 136). Provenance: „Donum D. Christophori Wren, filii D. Christophori Wren Equitis Aurati" (cf. Nares, p. 104; Wright, p. 363).

1–2   Notes sur la solmisation et les intervalles.
       1: „Semitonium maius est differentia..." 2: „De semitonio maiore et semitonio minore..."
2v   Note sur les effets des éclipses du soleil.
       „Eclipsis solis in decano primo aerem perturbat..."
3   Main de solmisation avec légende: „Haec manus singula vocum diatona intervalla harmonica et moderna quae usitata sunt in uno quoque diapason ... proprius indicat."
4   Ancien sommaire: „In hoc libro continentur Musice quinque tractatus. Guidonis Augentii, sive Aretini: Micrologus f. 1, Trochaicus f. 12, Dialogus f. 21 et Aliorum scilicet Alia ars de tonis per modum dialogum quae intitulatur Dialogus beati Bernardi de tonis f. 30, Tractatus musicae a quodam ... f. 35, Tractatus musice a Petro de cruce ... f. 48, Tractatus musice a fratre Guidone monacho in monasterij sancti dionysii in francia f. 54. Hic Guido Aretinus composuit Gamma (?) Vt vixit ... circa annum Domini 1020."
4v   Guy d'Arezzo, Regulae rythmicae.
       „Gliscunt corda meis..." (GS II, p. 25, vers 1–5). „Gymnasio

musas placuit..." (GS II, p. 2, vers 1–5). Suivi d'une courte notice biographique sur Guy d'Arezzo.

5–16v Guy d'Arezzo, Micrologus.

5: „Incipit micrologus guidonis aretini monachi in planam musicam. Versus sequentis operis." Inc. „Gymnasio musas placuit ... primo qui carmina finxi. Prefatio auctoris. Cum jam etatis nostre cana series ... in commune communiter expenderem. Epistola guidonis ad theodaldum aretine episcopum. Divini timoris totiusque prudentie ... perpaucis absolvam." 5v: „Prefatio. Cum me et naturalis conditio... Alius prologus. Sepe et multu graviter..." 16v: Expl. „... cujus summa sapientia viget per secula seculorum. Explicit micrologus guidonis in planam musicam." (GS II, p. 2–24; CSM 4, p. 79–234.)

16v–21 Guy d'Arezzo, Regulae rhythmicae.

16v: „Incipit liber secundus eiusdem in planam musicam quem appellat trocaicum. Prologus in quo guido muse ipsum alloquenti..." Inc. „Nequaquam inquit et vocem esse..." 17: „... quanta sit differentia trocaico demonstrabitur. Explicit prologus. Incipit trocaicus." Inc. „Musicorum et cantorum magna est distantia..." 20v: „... Auctor indiget et scriptor. gloria sit domino. Amen. Omnibus ecce modis..." 21: Expl. „... unde duo signum variant loca cujus idipsum. Refert alterius cum suscipit altera vires." (GS II, p. 25–34; éd. DMA.A.IV, p. 91–133.)

21–22v Guy d'Arezzo, Prologus in Antiphonarium.

21: „In hoc capitulo docet guido prosaice qualiter antiphonarium neumari debeat vel notari." Inc. „Temporibus nostris super omnes homines fatui sunt cantores..." 22v: Expl. „... sicut debent ex industria componantur." (GS II, p. 34–37; DMA.A.III, p. 58–81.)

22v–24v Guy d'Arezzo, Epistola ad Michaelem (extraits).

22v: „Epistola guidonis ad fratrem martinum discipulum suum in qua ponit argumentum quoddam ad inveniendum novum cantum." 23: Inc. „Beatissimo atque dulcissimo fratri Martino..." 23v: „... et post pocula vini confusum bibit acetum. Hic incipit argumentum predictum." 24: „Ad inveniedum igitur ignotum cantum beatissime..." 24v: Expl. „... facili tantum colloquio denudamus. Explicit trocaicus." (GS II, p. 43–46.)

24v–25v Dialogus de musica.

24v: „Incipit tercius liber eiusdem guidonis in musicam sub dialogo prologus." Inc. „Quicquid igitur auctoritate philosophorum ... brevis et perfecte considerandum est quid arte canendi sibi velit musica. Explicit prologus. [Prologue édité par HugloD, p. 136.] Incipit dyalogus. Discipulus. (25:) Quid est musica? Magister. Veraciter canendi scientia..." 25v: Expl. „... propter duritatem tritoni dissonando recessit."

25v–32   Pseudo-Odon, Dialogus de musica.
25v: „A principio dialogi usque hic littera sic habet: D." Inc. „Quid est musica? ..." 32: „... tonis quam de reliquis consonanciis habens artis regulam subtilitate ingenii clare discernit." (GS I, p. 252–264.)

32   Interpolation:
„Quantumcumque vero omnium modorum atque consonantiarum similis similitudo consideratur, tanto similior omnium harmoniarum constitutio equipertur. Namque sonus quisque gravis ad sibi consimilem diapason reddit. Igitur voces similes similes consonancias et similes neumas et concordes constituunt."

32–33v   Guy d'Arezzo, Epistola ad Michaelem (extrait).
32: Inc. „Omnes autem voces in tantum sunt similes..." 33v: Expl. „... boetium in hoc non sequens cujus liber non cantoribus sed solis philosophis utilis est." (GS II, p. 47a–50b.)

33v–34   Vers sur la place de la musique dans les sciences.
33v: Inc. „Ecce patet et non latet, modulandi species..." 34: Expl. „... Concordatur et ligatur musicali pondere. Expliciunt toni guidonis aretini." (20 vers)

34–38v   St Bernard, Tonaire.
34: „Incipit alia ars de tonis per modum dyalogi que a quibusdam intitulatur sub nomine beati bernardi." Inc. „Quid est tonus? M. Regula naturam et formam cantuum regularium..." 38v: „... Ibi de talibus sufficienter doceri poteris." (GS II, p. 265–277.)

39–52   Jean de Grouchy, Musica.
39: „Incipit prologus in arte musice." Inc. „Quoniam quidam juvenum amici mei me cum affectu rogaverint..." 52: Expl. „... gloriosus sit benedictus in sempiterna secula seculorum. Amen. Explicit tractatus musice." (Cf. J. Wolf *in SIMG* I, p. 65–130; éd. fac-sim. par E. Rohloff, *Quellenhandschriften, op. cit.*)

52v–58   Petrus de Cruce, Tractatus de tonis.
52v: „Incipit tractatus de tonis a magistro petro de cruce." Inc. „Dicturi de tonis primo videndum est..." 58: Expl. „... Et ea que dicta sunt de tonis sufficiant. Expliciunt toni a magistro petro de cruce Ambianensi" (Ce dernier mot est un ajout d'une autre main. CS I, p. 282–292; éd. CSM 29, p. VI–XXV).

58v–96v   Guy de Saint-Denis, Tractatus de tonis.

58v: „Incipit prologus in tractatu de tonis. Qui legis auctoris nomen per quinque priora Grammata pictoris hoc scribi celitus ora." Inc. „Gaudere sciens brevitate moderni..."

58v: „Capitulum primum. Quot modis accipiatur tonus in musica et quid sit vel unde dicatur. Ut de tonis perfectior posset haberi notitia..."

64: „Capitulum secundum. Quot sunt toni et quibus nominibus a musicis et philosophis appellantur. In hoc autem antiquiores primique musici..."

66v: „Capitulum tertium de natura tonorum et distinctione eorum. Distinctionem tonorum et eorum..."

70: „Capitulum quartum de proprietate et effectu seu virtute tonorum. Ostensa jam aliqualiter distinctione et natura tonorum..."

76v: „Incipit secunda pars... Videndum primum quid sit neuma. Sciendum est ergo quod neuma quandoque accipitur pro spiritu..."

80: „Capitulum primum in quo ponitur exempla de primo tono. *Primum querite...*"

83v: „Capitulum secundum in quo ponuntur exempla de secundo tono. *Secundum autem simile est huic...*"

84v: „Capitulum tertium in quo ponuntur exempla de tertio tono. *Tertia dies est quo hec facta sunt...*"

86v: „Capitulum quartum in quo ponuntur exempla de quarto tono... *Quarta vigilia venit ad eos...*"

89: „Capitulum quintum in quo ponuntur exempla de quinto tono... *Quinque prudentes virgines intraverunt...*"

90v: „Capitulum sextum in quo ponuntur exempla de sexto tono... *Sexta hora sedit super puteum...*"

92: „Capitulum septimum in quo ... septimo tono. *Septem sunt spiritus ante thronum dei...*"

93: „Octavum capitulum ... octavo tono. *Octo sunt beatudines...*" 96v: Expl. „Et hec de tonis quantum precipies ad usum et consuetudinem nostri monasterii pertinet cui quantum commode potui me ipsum conformare studui de dictis boecii, Guidonis monachi et aliorum quorundam ut a principio dixi ad presens sufficiat collegisse, illo mediante cui est honor et gloria in secula seculorum. Amen. Explicit tractatus de tonis a fratre guidone monacho monasterii sancti dionysii in francia compilatus."

Nares I, p. 104. – Hughes-Hughes, p. 298, 300, 302, 303–304. – Ernst Rohloff, *Studien* zum Musiktraktat des Johannes de Grocheo (Leipzig, 1930). – Heinrich Besseler, „Zur ‚Ars musicae' des Johannes de Grocheo", Mf II (1949), p. 229–231. – Smits van WaesbergheG p. 26, 39, 83, 140, 153, 154, 187, 191. – Oesch, p. 31–34, 58. – CSM 4, p. 28–29. – Gilbert Reaney, „Johannes de Grocheo", MGG, 7 (1958), col. 95–100. – Hüschen, col 1852. – HugloD, p. 136. – Eggebrecht, p. 54, 85, 194 n.8. – HugloT, p. 336, 360, 382, 392, 425, 429, 456. – HugloP, p. 138. – Ernst Rohloff, Die Quellenhandschriften zum Musiktraktat des Johannes de Grocheo (Leipzig, 1972) (fac-sim. des f. 39r–52r). – DMA.A.III, p. 36–37 (sigle Lo4). – CSM 29, p. V. – DMA.A.IV. p. 62 (sigle Lo4).

LONDON, British Library   Harley 625

42.A.I.

XIVᵉ s. 175 f. (fol. ancienne). Parchemin. 280 × 195 mm. Reliure du XIXᵉ s. Composition: ... VI (164–175). Justification: 195 × 140 mm (f. 8). Différentes écritures cursives; main isolée pour le traité de musique. Rubriques rouges. Origine: Oxford. Provenance: Oxford, Merton College, „Johannes Dee 1569" (f. 1) (cf. Wright, p. 127, 131). Mélanges d'astronomie.

175r–v   Abrégé de la théorie des intervalles.

           „Extracta de Musica boicii." Inc. „Quia omnes moderni sunt inventores de musica juxta modum ita dictum a Guidone dividendum monochordum... Semitonium proportio est ut 256 ad 243... Duarum notarum intervallum est duplex, scilicet, ditonus ... (175v) ... Novemdecima notarum intervallum est..." (composition des intervalles).

175v   Définition des termes: coma, diesis, apotome, tonus maior, schisma, diachisma, ditonum, chroma, enarmonium, synaphe, diezeuxis, arsis et thesis.

Nares I (1808), p. 391. – Hughes-Hughes, p. 305. – WatsonM. – Bower, p. 244.

LONDON, British Library   Harley 866

62.B.7

Fin du XIVᵉ s. 49 f. (pagination ancienne de 113 à 145 [= f. 1 à 17] à la sanguine). Parchemin. 275 × 185 mm. Reliure moderne (XIXᵉ s.). Composition: VI (1–12), VI (13–24), IV (25–32)... Justification: 250 × 130 mm, 62 lignes environ. Écriture cursive posée; une seule main. Initiales et rubriques bleues et rouges (grotesque marginale au f. 42v). Origine anglaise. Sur R. Talbot (1505?–1558), premier possesseur identifié, cf. Wright, p. 323–324. Mélanges: Ars componendi sermones; Alanus de Insula, De questione sive planctu naturae; Ars dictandi; Liber chiromanticus (fragment).

7r–v   Traité sur les intervalles (fragment).

           7: „De musica." Inc. „Musica docet de numero sonorum..." „Voces a se invicem distinguntur..." 7v: Expl. „... duo ad unum.

De divisione monocordii." (La suite manque; cf. *GB-Cmc* Pepys 1236, f. 109–110; *GB-Lbl* Add. 18752, f. 18r–v; Add. 32622, f. 34v–36v.)

Nares I, p. 463. – Hughes-Hughes, p. 304.

LONDON, British Library   Harley 957

63.B.19.; $\dfrac{30}{V}$ A

Début du XIVe siècle. 184 f. Parchemin. 165 × 115 mm. Reliure moderne. Recueil factice: IV (1–7) ... II (29–32). Écritures cursives. Les divers extraits de Boèce sont d'un seul copiste. F. 18v: „liber fratris Will[helm]i Spynb Mo[na]chi Norwic..." (XVe s.). Origine anglaise. Mélanges d'histoire profane et ecclésiastique.

1v–2r, 32r–v Boèce, De institutione musica (extraits des Livres I, II et IV).

1v: „Excerpta de musica boecij." Inc. „Omnium perceptio sensuum ... non possit intellegi" (I,1; Friedlein, p. 178, l. 24–p. 179, l. 1); „Ite cum sint quatuor matheseos disciplinae ... dulcibus modis ... coniunctam." (*Ibid.*, p. 179, l. 20 – p. 180, l. 5); „Gaudet vero gens modis morum ... similitudo conciliat" (*Ibid.*, p. 180, l. 18–22); „Nulla magis ad animum ... auribus patet" (*Ibid.*, p. 181, l. 1–2); „Plato praecipit minime ... ad valentes et simplices" (*Ibid.*, 181, l. 14–16); „Vulgatum quippe est ... mentis pacatissimae temperant" (*Ibid.*, p. 184, l. 7 – p. 185, l. 9); „Terpander atque Arion ... cordis motibus incitantur" (*Ibid.*, p. 185, l. 18 – p. 186, l. 5); „Non potest dubitari ... atque copulari" (*Ibid.* p. 186, l. 9–12); „Etiam manifestum est ... modus possit adstringere" (*Ibid.*, p. 186, l. 29 – p. 187, l. 3); „Quodcirca intendenda vis mentis ... vocum proportione discatur" (*Ibid.*, p. 187, l. 10–16); „Magnam esse custodiam nec varia" (*Ibid.*, p. 181, l. 20–23). 2r: „c. 2°. Quod tria sunt musica ... cithara vel tibiis" (I,2; *Ibid.*, p. 187, l. 20–23). „c. 3°. Sonus est aeris percussio ... ad auditum" (*Ibid.*, p. 191, l. 3–4). „c. 4°. Quae sunt inequalia ... custodiunt" (I,4; *Ibid.*, p. 191, l. 6–7)." c. 8. Sonus est vocis ... intensionem" (I,8; *Ibid.*, p. 195, l. 2–3); „intervallum est ... percussio" (*Ibid.*, p. 195, l. 6–10). „c. 9. Non omne iudicium ... itinere" (*Ibid.*, p. 195, l. 16 – p. 196, l. 1); „ipsa enim consonancias ... rationis abscedat" (*Ibid.*, p. 196, l. 3–10), „c. x. Aptius ... intigauerit" (I,10; *Ibid.*, p. 196, l. 16–17). „c. xj. Itaque pithagoras invenerit ... fallat indicio" (I,11; *Ibid.*, p. 198, l. 23–28). „c. 12. Quod vocum quaedam est continua quaedam parvissima (?) distantia vel discontinua" (I,12; *Ibid.*, cf. p. 199). „c. 13. Con-

tinue voci ... petitus modus" (I,13; *Ibid.*, p. 199, l. 25 – p. 200,
l. 5). „c. 14. Tale quidam fieri ... pervenit" (I,14; *Ibid.*, p. 200,
l. 7–21). „c. 15. Tria sunt partes musice diatonicam, chromati-
cam, enarmonicam [!]" (I,15; *Ibid.*, cf. p. 200, l. 25–26). „c. 28.
Consonantiam licet aurium ... perpendit" (I,28, *Ibid.*, p. 220,
l. 2–3). 32r: „c. 33. Pitagoricis erat in more ... ullo modo pervenire" (I,33; *Ibid.*, p. 223, l. 4–24). „c. 34. Omnis ars omnis etiam
disciplina ... de poetarum carminibus declarandi" (I,34; *Ibid.*,
p. 223, l. 28 – p. 225, l. 15).
„Priusquam ad ea veniam ... (f. 32v:) ... perveniat" (II,1; *Ibid.*,
p. 227, l. 15–18). „c. secundum. Primus omnium ... vertuntur"
(II,2; *Ibid.*, p. 227, l. 20 – p. 228, l. 2). „c. 3°. Magnitudinis alia
... obtinere peritiam" (II,3; *Ibid.*, p. 228, l. 27 – p. 229, l. 9).
„Liber quartus. Etsi omnia, quae demonstranda ... permixtum
sonum" (IV,1 en entier; *Ibid.*, p. 301, l. 7 – p. 302, l. 6). „c. 14.
Diapason species 7 sunt ... ad A" (IV,14; *Ibid.*, p. 339, l. 4–10).
„c. 15. Ex diapason consonantiae speciebus modos efficiet 7
quorum nomina sunt haec: hypodorius ... mixolydius sic ordo
istorum procedit (?)" (IV,15; *Ibid.*, p. 341, l. 19–20 et 342,
l. 12–14).

Nares I, p. 484. – Hughes-Hughes, p. 296. – Bower, p. 245.

LONDON, British Library   Harley 978

63.C.15.; $\frac{15}{1}$ B

XIIIe s. (entre 1238 et 1261). 162 f. Parchemin. 185 × 130 mm. Reliure moderne. Composition: VI (2–13), IV (14–21)... Justification: 165 × 98/100 mm. Notation carrée sur cinq
lignes rouges (9 portées par page, 12 portées aux f. 9v, 10). Initiales rouges et bleues. Origine anglaise (abbaye bénédictine de Reading, cf. Wright, p. 283).

14	Tableau de solmisation, suivi d'une mélodie mnémotechnique (?) sans texte.
	Mélodie mnémotechnique relative à la théorie des intervalles: „*Est tonus sic ut. re. ut...*" (cf. *GB-Lbl*, Lansdowne 763, f. 54–55).
15	Définition des intervalles.
	Inc. „Tonus dicitur a tonando quia prima vox est qui naturaliter tonat ..." Expl. „quinque enim voces continet."

Nares I, p. 488–489. – Hawkins, I, p. 201–202. – Burney II, p. 978. – Hughes-Hughes,
p. 301. – Ker. p. 156. – WatsonB, I, p. 120; II, Pl. 137 (= f. 13). – Cf. art. „Sources" *in*
The New Grove, 17, p. 658–659 et RISM B IV^1, p. 506–508.

LONDON, British Library   Harley 3151

111.B.12.; $\frac{20}{1}$ D

XVᵉ s. (1ère moitié). 44 f. Parchemin (f. 1, 8–9, 17–18, 23) et papier. 300 × 210 mm. Reliure moderne. Composition: ... VI-2 (23–32, deux f. coupés après 32), V-1 (33–37, 37a, 38–39, 39a coupé, 40), II (41–44). Justifications: 185 × 130 mm (f. 25–32v) ... 170/175 × 115 mm (f. 41–44). Plusieurs mains: A (1–23v), B (24–32), C (33–37v) D (38–39), E (41–44). Origine anglaise (d'après l'écriture).

27–29v   Isidore de Séville, Sententiae de musica.
           27: Inc. „Musica est peritia modulationis sono cantuque consistens..." 29v: Expl. „... id est elevatione et positione. Explicit de musica." (Cf. GS I, p. 20a–24b.)

43   Vers relatifs à la théorie des consonances.
           Inc. „Quo quarti tonus est plus diapente..." (10 vers).
           „Semis bis que tonus dant diatessaron..." (10 vers).
           „Quod tonus in duo partibilis / Equa negatur ab arithmeticis. / Si diatessaron inferior. / Consonat attamen ipse melos."

Nares III (1808), p. 6. – Hughes-Hughes, p. 306.

LONDON, British Library   Harley 3199

2–94: fin XIᵉ s. (Schmid); XIᵉ s. (DMA.A.IV).
95–126: XIVᵉ s.
iii + iii + 93 (f. 2–94) + i + 32 (f. 95–126) + i + iii f. Parchemin. 130 × 98 mm (f. 2–94), 120 × 102 mm (f. 95–126). Reliure moderne: cuir sur ais de bois. Composition: 2 × IV, V (1, 2 et 5: feuillets rapportés), 8 × IV, IV (1 et 2: feuillets rapportés), 1, 4 × IV. Signatures: I.Q. (f. 9v), II.Q. (f. 10), III.Q. (f. 18), IIII.Q. (f. 23), a. (f. 62v), b. (f. 70v), c. (f. 78v), d. (f. 86v), e. (f. 87). Justification: c. 103 × c. 75 mm (f. 2–94, sauf c. 91 × c. 52 mm pour les f. 89–91), c. 103 × c. 78 mm (f. 95–126). 30 lignes (f. 2–94, sauf 21 pour les f. 89–91), 21 l. (f. 95–126). Minuscule caroline. Notation neumatique sur trois lignes tracées à la pointe sèche: f. 59v (clef de fa), 60 (ligne de fa passée à l'encre rouge, clefs de fa et de la), 60v (clef de fa et d'ut), 62v clef de fa; notation alphabétique (f. 82); notation neumatique in campo aperto (f. 89). Décoration: f. 2–94: petites initiales à l'encre noire avec une décoration très simple à l'encre rouge; quelques initiales à l'encre rouge; rubriques; diagrammes tracés à main levée. – f. 95–126: initiales secondaires à l'encre noire avec une décoration très simple à l'encre rouge; initiales principales inachevées; rubriques. Origine indéterminée (France ou Angleterre). Le manuscrit se trouvait à Paris au XVIᵉ et au XVIIᵉ s., chez Laurent Bochel (1559–1629), puis chez Pierre Séguier (1588–1672). La bibliothèque de Séguier fut rachetée par Andrew Hay en 1720 (cf. Wright, p. 74, 182–183, 300–301). La notation italienne au f. 60 n'est pas authentique (communication de M. Huglo). Description matérielle rédigée d'après une description communiquée par Mme Catherine Harbor (London).

2–55v   „De trimoda temporum ratione. De temporibus." Inc. „Tempora
             igitur a temperamento..."
55v–56   Guy d'Arezzo, Regulae rhythmicae (vers 208–228).
             55v: „De constitutionibus in Musica." Inc. „Constitutionum for-
             mas breviter aperiam..." 55v: Expl. „... Atque minus interrup-
             tas frequens usus approbat" (GS II, p. 31, l. 25 – 33, l. 6; éd.
             DMA.A.IV, p. 122–125). Au f. 56, figure de GS II, p. 32.
56v–58   Guy d'Arezzo, Prologus in Antiphonarium.
             56v: Inc. „Temporibus nostris super omnes homines..." 58:
             Expl. „... sicut debent ex industria componantur." (GS II, p.
             34–37; éd. DMA.A.III, p. 59–81).
58v–65   Guy d'Arezzo, Epistola ad Michaelem.
             58v: Inc. „Ad inveniendum ignotum cantum prima et vulgaris re-
             gula..." 65: Expl. „... non cantoribus sed solis philosophis utilis
             est" (GS II, p. 44b, l. 31–50). (f. 60: *Alme rector nobis da sacra-
             tos; Summe pater servus tuus miserere; Salus nostras honor no-
             ster esto deus.* 60v: *Deus judex justus fortis et patiens; Tibi totus
             servit mundus une deus; Stabunt justi ante deum semper.*)
65–69v   Musica enchiriadis (extraits).
             65: Inc. „Sicut voces articulate elementarie atque individue par-
             tes ... ab invicem acuminis et luxationis spacium format" (cf. GS
             I, p. 152a; Schmid, p. 3–4). 65v: „Quid Armonia? Armonia est di-
             versarum vocum apta coadunatio..." 69: „... quarto loco ad me-
             diam respondere" (GS I, p. 159–167b; Schmid, p. 20–41); à la
             suite: „Praeterea de diapason vel disdiapason..." 69v: „...
             prout possit fieri sub aspectum." (GS I, p. 169a; Schmid, p. 47–
             49.) (Sans subdivision de chapitres et sans les schémas avec la no-
             tation dasiane.)
69v–70   Cita et vera divisio monochordi.
             69v: Inc. „Dimidium proslambanomenos est mese. Huius autem
             dimidium..." 70: Expl. „... et habebis XV sonos in his diapason
             constitutos." (Éd. BernhardCGl, p. 79.)
70r–v   Anonymus de speciebus „Prima species."
             70r: „Prima species diatessaron..." 70v: Expl. „... prius tres
             tonos habeat et postea semitonium." (Éd. BernhardCGl, p. 80–
             81.)
70v   Ratio breviter excerpta de musica (Anonyme II de Gerbert).
             „Quinque sunt consonantie musice. Diatessaron quae et sesqui-
             tercia dicitur ... diatessaron et diapente in frequentiore usu tene-
             mus." (GS I, p. 338a, l. 9–16; éd. BernhardCGl, p. 90.)
70v   Liste des modes.

„Quomodo vocantur toni. Primus tonus vocatur hypodorius. Secundus hypophrigius. Tercius hypolidius. Quartus dorius. Quintus phrigius. Sextus lidius. Septimus mixolidius ut hyperderius. Octavus hypermixolidius. Octavus hypermixolidius.“

71r–72v   blancs

73–74   De adventu Domini.

Inc. „Notum sit omnibus hominibus...“

74–79   Tonaire.

74: „De Tonis.“ Inc. „Tonus dualem significationem habeat...“ 79: Expl. „... ad te levavi. Vias tuas domine. Gloria seculorum amen. Benedicta sit sancta trinitas. Vidi aquam.“

79–88v   Guy d'Arezzo, Micrologus (I–XV).

79: „Incipit prologus in musica Guidonis.“ Inc. „Dum [cum!] me et naturalis conditio et bonorum...“ 88v: „Expl. „... per loca sine discretione inveniantur more prosarum.“ (GS II, p. 3–16b, l. 6; CSM 4, p. 79–171.)

89–91   Fragment du bréviaire.

„In natale Virginum... Prosa Que est ista que progressit sicut aurora con.“

91v–94v   Guy d'Arezzo, Micrologus (VIII–XIV).

91v: Inc. „Quod si ipsam b mollem vis omnino non habet...“ 94v: Expl. „... ut ita dicam facies extemplo ut audierint recognoscunt.“ (GS II, p. 8b, l. 21–14a, l. 20; CSM 4, p. 125–158.)

94a r–v   blancs.

95–126v   Sermons sur la vie du Christ (XVe s.)

Nares III, p. 8. – Hughes-Hughes, p. 298–300, 303. – Smits van WaesbergheG, p. 140, 153, 187, 191. – CSM 4, p. 29–30 (sigle Lo₅). – Ogilvy, p. 118. – HugloT, p. 304 et s., 323, 382. – DMA.A.III, p. 37 (sigle Lo5). – Schmid, p. VIII (sigle Lo). – DMA.A.IV, p. 63 (sigle Lo5). – Bernhard CG1, p. 78, 86, 89.

LONDON, British Library   Harley 3306

113.B.20.; $\frac{1}{IV}$ D

1499. 46 f. (fol. originale de 1 [= 3] à 44 [= 46]. Parchemin. 280 × 190 mm. Reliure du XVIIIe s. Composition: I (1–2), 3 × IV (3–42), II (43–46). Justification: 130 × 190 mm. 33 lignes. Écriture humanistique. Initiales ornées aux f. 2v et 3. Monogramme et blason de F. Gaffurius au f. 3. 1499 (f. 2v; 46v: „finis 1499. die sabati tertio augusti hora vigessima prima in sancto marcelino in civitate mediolani propria manu Franchini gafurij musice professoris, qui die mercurij 26° junii proxime praeteriti primam huic transcriptioni manum imposuerat.“) Provenance: bibliothèque de F. Gaffurius (Milano), puis

Chiesa dell'Incoronata di Lodi enfin J. Gibson (1721) (cf. Gallo, art. cit., p. 174, n. 13 et Wright, p. 159, 162).

2v–46v   Cl. Ptolémée, Harmonicorum libri III.

2v: „Nicolaus Leonicenus Petro Barotio episcopo Patauino. Salutem. Translationem musices Ptolomei cum reliquis libris ... veritati Vale. Datis Ferariae kl. Martij 1499." 3: „Claudij Ptolomei harmonicorum Liber primus. De judiciis in Harmonica. Caput primum." Inc. „Armonica est facultas differentiarum..." 18v: Claudij Ptolomei harmonicorum Liber secundus. A quomodo et per sensum accipientur..." 35: „Claudij Ptolomei harmonicorum Liber tertius. Quomodo per totum fieret usus et discretio proportionum per Regulam Quinque et decem chordi. Caput primum. Sufficiens igitur videretur ad propositam..." 46v: Expl. „... que fiunt consideremus. Claudii Ptolomei Harmonicon: Interprete Nicolao Leoniceno Artium et Medicinae ferariae professore, adhortatione et opera celeberrimi uiri Petri Barotij Episcopi patauini ac Franchini Gafuri musicam profitentis explicit foeliciter." Suivi du colophon, cf. supra.

Nares III, p. 15. – Hughes-Hughes, p. 294. – Alberto Gallo, „Le traduzioni dal Greco per Franchino Gaffurio", *AMl*, XXXV (1963), p. 172–174 (cf. p. 174, n. 13). – WatsonB, I, p. 134; II, Pl. 896 (= f. 3). – Palisca, p. 118, 204.

LONDON, British Library   Harley 3595

Anciennes cotes: 117.A.10; 2/IV C.
Xe s. 73 f. Parchemin. 285 × 200 mm; 280 × 180 mm (f. 57–73), 130 × 180 mm (f. 58). Reliure moderne. Cahiers reconstitués. Fascicule factice entre les f. 43 et 56: 43, 44, II (45–48), 49, 50, 50–52, 53–54, 55–56. Changement de main à partir du f. 57. Justification: 210 × 140 mm; 30 lignes. Initiales rouges; schémas tracés à main levée. Origine: Allemagne du Sud? (cf. concordance des leçons au f. 50v). Provenance: bibliothèque de J.G. Graevius (1632–1703), E. Benzelius (1675–1743), G.G. Zamboni puis Harley (cf. Wright, p. 70, 71, 168–169, 367–368). Arithmétique et Géométrie de Boèce.

50–56v   Boèce, De institutione musica (extraits des Livres I, II et III).

50: Inc. „Quod infinitate vocum humana natura finiverit. Sed quae continua vox..." „xv. De ordine theorematum id est speculationum. His igitur ita..." 50v: „xvi. De consonantiis et tono et semitonio. Diapason symphonia est..." (I, 14–16; cf. Friedlein, *codices* i et f = *D-Mbs*, Clm 14523 [St Emmeran, Xe s.] et Clm 18420 [Tegernsee, XIe s.].)

51: „quadruplus parsque contraria..." 51v: „xxi. Quid oporteat

praemitti ut..." 52: „xxii. Demonstratio per impossibile..."
„xxiii. Demonstratio diapente diatessaron..." 52v: „... diatessaron nulla ratione." (II, 20–23; Friedlein, p. 252, l. 4–256, l. 16).
53: „Ab hoc igitur ultimo..." 53v: „I. Adversus Aristoxenum..."
54v: „... cum ipsa sesquisextadecima" (II,31–III,1; Friedlein,
p. 265, l. 27–271, l. 17).
55: „pente ac diapason..." „xxvii. Diatessaron ac diapente..."
55v: „xxviii. De semitonio, in quibus minimis..." 56: „xxviiij.
Demonstrationes non esse..." 56v: „... eam proportionem quae
in cclvi" (II, 26–29; Friedlein, p. 258, l. 25–263, l. 16).

73v   Mesure de tuyaux d'orgue (Si fistulae,I).
Texte intégré à une collection d'extraits sur les mesures.
„Si fistule aequalis grossitudinis fuerint et major minorem ...
longitudinis partem sextam decimam haec consonantia semitonium erit." (Cf. GS I, 148b; SachsM, p. 49–51.)

Nares III, p. 45. – Bower, p. 221.

LONDON, British Library   Harley 3915

Anciennes cotes: 122.B.1; au crayon: $\frac{2}{III}$ A.

XIIIe s. (2e moitié). 150 f. Parchemin. 150 × 110 mm. Reliure en maroquin rouge avec frise
dorée (reliure restaurée). Composition: quaternions numérotés. Justification: 108 × 68
mm; 23 l. Écriture textuelle du XIIIe s. Initiales et titres en rouge. Origine allemande.
Theophilus Presbyter, *Diversarum artium schedula*. Le manuscrit avait été acheté en
1449 par Nicolas de Cues (cf. 149v et Wright, p. 120–121).

Theophilus, Diversarum artium schedula.
...
94: „De campanis fundendis LXXXIV." Inc. „Compositurus
campanam primum incides tibi lignum siccum de quercu..."
100: Expl. „... in fine longitudine unius palmae, sursumque gra-
cilior." (Éd. Smits van WaesbergheC, p. 152–160.)
100: „De mensura cymbalorum LXXXV." Inc. „Quicumque vult
facere cymbala ad cantandum recte sonantia..." 101: Expl. „...
si vero humilius, circa oram in circuitu." (Éd. Smits van WaesbergheC, p. 49–51.)

Nares III, p. 96. – Robert Hendrie, *An essay upon various arts in three books by Theophilus* (London, 1847), p. XXVI. – Wilhelm Theobald, *Technik des Kunsthandwerks im
zehnten Jahrhundert* [...] (Berlin, 1933), p. XIX. – Smits van WaesbergheC, p. 49–51
et 57–61.

LONDON, British Library   Harley 5235

Anciennes cotes: 142 B.6.; 17/1 C (au crayon). ii + 129 + i f. XIVe s. Parchemin. 215 × 150 mm. Reliure moderne, cahiers restaurés (1965). Volume composite. Justification: 160 × 100 mm (f. 110–129). Écriture cursive anglaise du XIVe siècle. Origine anglaise (cf. Wright, p. 68, 87–88). Mélanges de théologie.

127r–v   Modus psallendi in choro.
            127: „Iste est modus cantandi secundum Bernhardum." Inc. „...
            [V]Enerabilis pater sanctus Bernhardus abbas Clarevallis..."
            127v: Expl. „... tamen in festivis diebus."

Nares III, p. 254. – Hughes-Hughes, p. 302. – Van Dijk, p. 104–106 (sigle H).

LONDON, British Library   Harley 6525

Anciennes cotes: 157.A.I.; au crayon: $\dfrac{1}{IV}$ D

Fin du XVe s. 96 f. Papier; parchemin (f. 95). Filigrane type „Basilic" (cf. Briquet 2674, Ferrare 1505). 290 × 210 mm. Reliure moderne; cahiers remontés. III+1 (1–7) IV (8–15) III+1 (16–22) 3 × IV (23–46) V (47–56) IV+1 (56–65) 2 × V (66–85) V+1 (86–96). Justification: 190 × 145 mm; 28 lignes. Écriture humanistique ronde. Notation carrée sur trois à cinq lignes. Notation dasiane (f. 57v), alphabétique (f. 58), neumatique sur quatre lignes rouges (58v). F. 1: „Iste liber est domus scolae dei ordinis Cartusienssis prope papinsar" (de la main du copiste principal). Puis: „Huius libri ego presbiter Jo. Ant. Spissatus feci me possessorem ob nonullos libros parvos ... 1554 Mensis Junij" (sous rature (cf. Wright, p. 312). Origine italienne.

1–96v   Johannes Gallicus, De ritu canendi vetustissimo et novo.
            1: „Praefatio libelli musicalis de ritu canendi vetustissimo et
            novo." Inc. „Omnium quidem artium etsi varia sit introduc-
            tio..." 34v: „Incipit secundae partis de diverso ritu canendi
            planum cantum liber primus." 35: „Vera quamque facilis ad can-
            tandum atque brevis introductio. Pauperibus ecclesiae dei cleri-
            cis..." 65v: „Incipit de contrapuncto prefatiuncula." 66: „Libet
            post editum de divino cantu..." 76v: Expl. „... Quid ultra que-
            ris o frater! Si discere cupis, fac ubique similiter. Explicit." (Éd.
            CS IV, p. 298–396; Seay.)
            77: „Incipit prefationcula in tam admirabilem quam tacitam et
            quietissimam numerorum concinentiam." Inc. „Etsi non parvum
            auribus humanis afferre..." 87: Expl. „... in quinque quadrel-
            lis. Explicit tractatus brevissimus de totis algorismi calculationi-
            bus." (Éd. CS IV, p. 396–409; Seay.)
            88: „Tacita nunc inchoatur stupendaque numerorum musica."
            Inc. „Jam vero quisquis inquirere cupit..." 96v: Expl. „... hu-
            mani auribus praebere solent." (CS IV, p. 409–421; Seay.)

Nares III, p. 372–373. – Hughes-Hughes, p. 309. – CS IV, p. x–xij. – HugloT, p. 357. – SachsC, p. 194 (sigle Lo₁₁). – Cecil Adkins, „Legrense [Carthusiensis, Gallicus, Mantuanus], Johannes", *New Grove*, 10, p. 614–615. Albert Seay, éd., *Johannes Gallicus*, … (Colorado College Music Press, 1981: *Critical Texts*, 13–14). – BernhardCC, p. 35.

LONDON, British Library   Lansdowne 763

Anciennes cotes: Philos. 32; 9 G. II (cote du XVIIIᵉ s.) N° 802 (cote barrée et remplacée par la cote actuelle); 8:4 (f. 1, ancienne cote?)
Ca. 1450. 130 f. Parchemin; papier (f. 124–130). 230 × 170 mm. Reliure de la fin du XVIIᵉ s. Composition: I (1–2), IV (3–10), V-2 (11–18), 4 × IV (14–53b), IV-1 (54–60), 3 × IV (61–84), V-1 (85–93), IV (94–101), V-2 (102–109), IV-1 (110–116), IV (117–124), feuillets additionnels du XVIIᵉ et XVIIIᵉ s. (125–130). Justification: 170 × 112 mm, 30 lignes. Écriture textuelle bâtarde. Notations carrée et mesurée noire sur portées de quatre lignes tracées à l'encre rouge. Initiales bleues et rouges ornées; initiales rubriquées. Titres en rouge. Le copiste et premier possesseur de ce volume est John Wylde; cf. f. 2: „Hunc librum vocitatum Musicam Guidonis scripsit dominus Johannes Wylde quondam exempti monasterii sancte crucis de Waltham preceptor…" (Abbaye augustinienne Holy Cross à Waltham, Essex). Par la suite le livre a appartenu à Thomas Tallis (cf. f. 124v puis à Thomas Morley (pour les autres possesseurs, cf. *A Catalogue*, *op. cit.*, p. 170). Cf. *GB Lbl* Add. 4912 (copie du XVIIIᵉ s. de ce manuscrit).

3–51v   John Wylde, Musica guidonis.
            3: „Incipit prologus super Musicam Gwydonis Monachi." Inc.
            „Quia juxta sapientissimum Salomonem…" 51v: Expl. „…
            duorum versuum octavi toni. *Garrula multiplicis tetrardi filia
            … solet*. Scripto tonale deo sit decus imperiale. Explicit
            J. Wylde." (Éd. CSM 28, p. 43–206.)
52r–v   De octo tonis (note sur les relations entre les tons et les planètes).
            „De octo tonis ubi nascuntur et oriuntur aut efficiuntur." Inc.
            „Septem orbes .7. planetarum cum dulcissima armonia volvuntur…" 52v: Expl. „… transcendimus nunc alia pene tracturus.
            Explicit tractatus de octo tonis."
52v   Tableau de solmisation précédé de la mention: „Monachus quidam de Sherbourne talem musicam profert de sancta Maria Magdalene." A la suite du tableau: „Ex altera parte secuntur versus
            musici huic gamma pertinentes."
53r–v   Poème sur la musique.
            [F]elix Magdalene cantandi prominet arte…" 53v: Expl.: „…
            meminisse quod hoc est / Christi discipula mundo provisa Magistra. / Quod Kendale" (suivi d'un fragment de solmisation).
54–55   Mélodie mnémotechnique concernant les intervalles: „*Est tonus*

sic: ut re ut..." Expl. „... *Sicque decantans elementa cuncta scandit ad ipsa.*" (Cf. *GB-Lbl* Harley 978, f. 14v; *GB-Obl*, Bodl. 515, f. 87–88.)

55   „Antiphona per quam ascendit a Gamma usque ad Delasol: *Aurea personat lyra voce modulamina...*"

55v–59   De origine et effectu Musice.
            55v: „De origine et effectu Musice." Inc. „Musica est scientia recte canendi sive scientia de numero relato ad sonum...'' 59: Expl. „... De ceteris consonantiis nisi lyncolniam novitiis nequit declarari. De effectu musice speculative tractatulus explicit. Et de affectu Musice Moralis secundum traditiones antiquorum et sanctorum patrum ex alia parte tractatus compendiosus sequitur qui et speculum psallentium nuncupatur." (Cf. *GB-Obl* Bodl. 515, f. 89–90; éd. G. Reaney *in MD*, 37 (1983), p. 101–119.)

59v–60v   Speculum cantantium sive psallentium.
            59v: „Speculum cantantium sive psallentium." Inc. „Quia omnes .7. scientie liberales a septiformi...''
            „Formula sancti Gregorii de modo psallendi et cantandi. Ut uniformitas in omnibus habetur...''
            60: „Unde versus sancti augustini de forma psallendi. Tedia nulla Chori tibi sint assiste labori...'' (13 vers)
            „Versus sancti Bernardi de regimine chori et officio precentoris. Cantor corde chorum rege cantum lauda sonorum...'' (30 vers).
            60v: Expl. „... Sit motus peritus animi cum corpore pungas."

61–68v   Metrologus.
            61: „Metrologus liber. In nomine sancte et individue Trinitatis incipit de plana musica id est brevis sermo." Inc. „Quid est musica? Musica est peritia modulationis sono cantuque consistens...''
            68v: „... modorumque varias qualitates. Explicit liber Metrologus." (Éd. Smits van WaesbergheE, p. 67– 92).

68v   Vers mnémotechniques
            „Et 8 tonorum incipit tractatus metricus." Inc. „Primus est tonus Re la Re fa quoque secundus...'' (4 vers); „Primus cum sexto fa Sol la...'' (4 vers); „Primus dat novem binos...'' (4 vers); „Dant duo Re duo Mi duo Fa aut duo Sol tibi toni." Suivi de la liste des modes avec leur ambitus (liste des lettres comprises dans chaque mode).

69–87   Traité de plain chant suivi d'un tonaire.
            69: Inc. „De origine Musice artis quia rudem lectorem vidimus...''
            69v: „De septem vocibus et .7. litteris duplicitis et dissimilibus.

Sicut in omni scriptura 23 litteras..."
„De octo tonis et autentis et plagalis. Igitur octo sunt toni ut octo partes orationis..."
70v: „De .6. conjunctionibus vocum. Sex namque sunt conjunctiones istarum vocum..."
71: „De dubia agnitione autentorum sive plagalium. Sciendum ergo quia sine indubia cognitione..." (début du tonaire).
86v: „Quatuor sunt generalia principia modulationum..." 87: Expl. „... tam sollempniter cantare sicut vesperas et matutinas unde est quod numquam dicimus neumam ad completam. Explicit Tonale."

87v	Proportions musicales schématisées sous forme de fleurs.
88	blanc
88v–89	Distinctio inter colores musicales et armorum heroum.

88v: „Distinctio inter colores musicales et armorum heroum." Inc. „Numerus sexdecim est numerus praestissimus..." 89: Expl. „... Tertio modo ponuntur secundum dignitatem unius generis."

90–91	J. Torkesey, Declaratio trianguli et scuti.

89: tableau des proportions de la musique mesurée.
90: „Declaratio trianguli superius positi et figura de tribus primis figuris quadratis et earum speciebus ac etiam scuti per Magistrum Johannem Torkesey." Inc. „Ad habendam perfectam notitiam artis musice mensurabilis sciendum est..." 91: Expl. „... Hec omnia patent in figura predicta per numeros descriptos. Explicit Trianguli et Scuti declaratio." (Éd. CSM 12, p. 58–63).

91–94	Traité sur les intervalles.

91: „Et sequitur .8. tonorum proportio et grecorum vocabulorum ad predictos tonos pertinentium expositio." Inc. „Tonus constat in proportione sesquioctava sicut .9. ad .8. Dyatessaron constat..." 94: Expl. „... Dyatessaron et dyapente ut ad A gravi in A acutam secundum Guidonem de Sancto Mauro .ca°. dyapason."

94	Traité de contrepoint.

Inc. „Septem sunt species discantus secundum Modernos videlicet..." Expl. „... per octavam vel per duodecimam et finiri." (Cf. SachsC, p. 194–195; éd. Bukofzer, p. 136–137.)

94r–v	Expositio in triangulum et scutum (traité des proportions).

94: „Expositionem Trianguli et Scuti" (en marge) Inc. „Praeterea sciendum est quod modo numeri id est ar[ith]metice procedendo, descendimus..." 94v: „... Sed notandum quod simple solum vocalibus sunt aptande, que invisibiles sunt, ideo non sunt minimis simpliciter proportionales. Expliciunt Regule Magistri Johannis Torkesey de .6. speciebus notarum simplicium declaratae in figuris Trianguli et Scuti precedentium quod [scripsit] J.W."

95–98   Regulae Magistri Johannis de Muris (traité de musique mesurée). 95: „Regule Magistri Johannis de Muris incipiunt." Inc. „Intendentes scientie musicalis exquirere cognitionem ad sonum applicatum ejus subjectum... Iste tractatus dividitur in duas partes. In prima parte ponuntur figure cum earum nominibus et cognitionibus. In secunda parte tractatur de figurarum valore sive mensura."

95: „Incipit prima pars figurarum. Alia longa, alia brevis..."

97: „Determinato complete de Mensurae vocum quantum ad temporum durationes sequitur de earum mensura quantum ad elevationes et depressiones et de proprietatibus notarum, de tonis, de consonantiis et de arte inveniendi consonantias ad planum cantum secundum diversitatem ascensus et descensus. Nota quod sex sunt note..." 98: Expl. „... videlicet supradictis sunt dissonantes. De arte inveniendi consonantiam ad discantum non hic notatur quia et ante et post in anglicis quod [scripsi] J. Wylde. Explicit tractatus Magistri Johannis de Muris. De distantia et mensura vocum." (Cf. Michels, p. 121.)

98v–105   Thomas Walsingham, Regulae.

98v: „Regule Magistri Thome Walsingham. De figuris compositis et non compositis, et de cantu perfecto et imperfecto, et de modis, incipiunt." Inc. „Cum sit necessarium juvenilibus ad facultatem organicam tendentibus notitiam figurarum..." 105: Expl. „... Figurarum simplicium et compositarum protraxiones patent antea in suis Capitulis scilicet de largis, longis, brevibus, semibrevibus, minimis et simplis. Expliciunt Regule Magistri Thome Walsingham." (Éd. CSM 31, p. 74–98.)

105v–113   Lionel Power, Traité de contrepoint.

105v: Inc. „This Tretis is contrivid upon the Gamme for hem..." 113: Expl. „... he may not faile of his Cointripoint in short tyme. Quod Lyonel Power." (Éd. Meech, p. 242–258, Bukofzer, p. 132–136 et Georgiades, p. 12–23; SachsC, p. 194).

113v–116v   Traité de contrepoint.

113 v: Inc. „Her folwith a litil tretise acording to the ferst... Ferst for the sithgt of Descant it is to wete as it is..." 116v: Expl. „... may not be sung togedir in no degre of Descant." (Éd. Meech, p. 258–265, Bukofzer, p. 146–153 et Georgiades, p. 23–27; SachsC, p. 194).

117–122v	Chilston, Traité sur les proportions.
	117: „Her beginneth tretises diverse of musical proporcions...“ 122v: Expl. „... for knowlech' of proporcions. Secundum Chilston.“ (Éd. Meech, p. 265–269).
123–124	Traité sur les proportions.
	123: Inc. „Proportio est duarum rerum equalium vel inequalium ad invicem habitudo vel comparatio. Et nota quod duplex est proportio... Proportio est duorum numerorum habitudo adinvicem...“ 124: Expl. „... et octavam partem minoris quod est unum, ut .9. ad .8.“ Puis, d'une main plus récente: „Liber Sanctae crucis de Walltham.“
125	Lettre de John Wallis contenant des observations sur un ancien ms. liturgique grec.
126–127	Bref mémoire (1686) de Humphrey Wanley sur le manuscrit grec dont il est question dans la lettre précédente.
128	Note du 4 XII 1767 de James West à Mr. Raper demandant une expertise du présent manuscrit.
129	Expertise du manuscrit par Mr. Raper.
130	Lettre de Mr. Daines Barrington à James West du 17 mars 1770 qui remercie ce dernier de lui avoir prêté le ms.

Henry Ellis, *A Catalogue of the Lansdowne Manuscripts in the British Museum* [...] (London, 1819), p. 169–171. – Hawkins I, p. 131–132, 240–252. – Burney II, p. 412–427. Hughes-Hughes, p. 297, 301, 304, 307–308, 311. – Sanford B. Meech, „Three musical treatises in English from a fifteenth-century manuscript“, *Speculum*, X (1935), p. 235–269. – Bukofzer, *passim*. – Georgiades, p. 8–9. – Oesch, p. 27–29, 57. – ReaneyB, p. 35. – Smits van WaesbergheE, p. 64. – CSM 4, p. 31–33 (sigle Lo7). – Ker, p. 193. – CSM 12, p. 9, 55 (sigle L). – Michels, p. 121 (sigle Lo$_5$). – HugloT, p. 345, 425, 456. – SachsC, p. 194–195 (sigle Lo$_5$). – Cecily Sweeny, „John Wylde and the Musica Guidonis“, *MD* XXIX (1975), p. 43–59. – Andrew Hughes, „Walsingham, Thomas“, *New Grove*, 20, 186. – CSM 31, p. 69.

LONDON, British Library   Royal 2.A.II

XVe s. 252 f. Parchemin et papier 104 × 68 mm. Reliure moderne. Quaternions. Écriture cursive du XVe s. Rubriques, initiales et titres en rouge. „Ad usum fratris wilhelmi turnout...“ Origine allemande (? Coblence, cf. Warner, p. 23, 25). Manuel de dévotion (franciscain): Heures de différents offices, poèmes religieux, prières, traités de théologie, extrait de la Règle franciscaine.

95–96	Modus intonandi hymnos per totum annum.
	„Modus intonandi ymnos per totum annum...“ Inc. „Dominica

in adventu domini ymnum cantatur in tono ‚Verbum super-
num'. . ." 96: Expl. „. . . in tono criste redemptor. Et sic est finis."
Warner, p. 23–25.

LONDON, British Library Royal 5.A.VI

XVe siècle (1446, cf. f. 84v, avec mention du copiste „Johannes Celston"). 86 f. Parchemin. 225 × 160 mm. Reliure moderne. Diverses justifications; 150 × 110 mm (f. 1–37); 28
lignes. Initiales rouges. Origine anglaise. Mélanges de théologie.

30v–31   Modus psallendi in choro.
            31: „Regula sancti Bernardi de modo psallendi in cantandi in ec-
            clesia." Inc. „Venerabilis sanctus Bernardus constituit. . ." 31v:
            „. . . in clausulis aliquantulum expectemus et maxime in diebus
            festivis".
Warner I, p. 96. – Hughes-Hughes, p. 302. – Van Dijk, p. 104, n. 20 et 105–106.

LONDON, British Library Royal 6.E.VI

Ca. 1350. 562 f. Parchemin. 460 × 310 mm. Reliure moderne. Quaternions. Écriture textuelle sur deux colonnes de 85 × 340 mm (57 l.). Initiales enluminées. Origine anglaise.
Encyclopédie „Omne bonum" de droit canon, de théologie *et alia* compilée vers le milieu
du XIVe s. par Jacobus (cistercien anglais) (cf. Warner, p. 157).

313–314   Compilation sur la musique.
            313rb: „Nunc sequitur videre de cantu et quae cantica sunt su-
            spendenda. . ." Inc. „Cantica leticie sunt suspendenda propter
            quatuor causas. Primo tempore adversitatis. . ."
            Nunquid licet clericis uti electuariis vel linire (!) guttura ut clare
            cantent? . . ."
            „Primus inventor cantus. Pittagoras fuit primus qui invenit so-
            nos et cantus. . ."
            313va: „De superbia cantus et cantantium sequitur videre ut in-
            fra. Cum communis minus blandam vocem convenit. . ."
            „Nunc sequitur videre de cantu et etiam de musica sub uno com-
            pendio ut infra. Musica commune modulationis in sono et cantu
            est peritia sacre scripture. . ."
            314ra: „Nunc sequitur videre de cantu et qualiter sit cantandum
            per jus canonicum. Cantus ecclesie inventus est ut ad compunc-
            tionem provocat animos. . ." 314rb: Expl. „. . . est de succentore
            providere exemplum de excessis prout communiter dicitur."
Warner I, p. 157–159. – Hughes-Hughes, p. 305.

LONDON, British Library   Royal 12.C.VI

Ancienne cote: M 83 (f. 1v, cote du XVe s.)
XIIIe (c. 1275) et début du XIVe s. 81 f. (fol. ancienne de 1 à 8 = f. 2–9). Parchemin. Formats divers (environ 210 × 150 mm). Reliure moderne (1951). Volume factice. Les traités sont copiés sur des cahiers isolés: IV (50–58), IV (59–66), V (67–76), III-2 (77–81). Justifications: 155 × 100 mm (f. 50–58), 160 × 120 mm (f. 59–81), environ 27 lignes (f. 59–81). Écritures cursives du XIVe s. (f. 50–58) et textuelle (c. 1275) (f. 59–81). Portées tracées au raster: 1. f. 53r–v: 13 mm, 8 portées par page; 2. f. 55r, 57v: 11 mm; 3. f. 58r: 10,5 mm; 4. f. 58v: 11,5 mm, 8 portées par page. Initiales rouges (f. 59); rubriques rouges (la rubrication est restée inachevée du f. 59 à 63). F. 1v: „... Ars Cantandi / Tractatus de musica / ...“ Origine anglaise. Provenance: Abbaye bénédictine Bury St. Edmund's; puis propriétaire identifié par le monogramme „H. K.“; enregistré au catalogue de la bibliothèque de Lord Lumley (1534?–1609) sous le numéro 1598. John of Tilbury, *Ars notaria*; ...; *Liber moralium de regimine dominorum*; ... Mélanges de médecine.

50–51v	Traité de déchant (Anonyme V de Coussemaker). 50: Inc. „Est autem unisonus quando due voces...“ 51v: „... Item si descendat per diatessaron sta in eodem.“ (Éd. CS I, p. 366–368 d'après cette source; cf. Reckow, p. 1–7 et SachsC, p. 195.)
52	Note sur le chant ecclésiastique. Inc. „[D]e tonorum agnitionibus singulorum et differentiarum secundum varias inceptiones ... animo suscipere non obtorpeatis.“
52	Main de solmisation.
53r–v	Exemples de solmisation notés sur cinq lignes accompagnés par endroit de lettres ou de syllabes de solmisation.
54–58	De figuris sive de notis (Anonyme VI de Coussemaker). 54: „Jhesus aut (?) Assit principio sancta maria meo“ (en haut) Inc. „Cum in isto tractatu de figuris...“ 58: Expl. „... et reliqua ad notam subsequentem. Et sic finitur capitulum tertium.“ (Éd. CS I, p. 369–377; CSM 12, p. 40–51.)
58	„*Faus semblaunt*“ (Rondeau; cf. Wolf, *Geschichte der Mensural-Notation*, II–III, n° 12.)
58v	Huit portées vides.
59–80v	De mensuris et discantu (Anonyme IV de Coussemaker). 59: Inc. „Cognita modulatione melorum secundum viam octo troporum...“ Expl. „... possumus omnes pervenire cum sanctissimo.“ (Éd. CS I, p. 327–364 et Reckow, Teil I, p. 22–89.)
80v–81v	De sinemenis (mesure de monocorde). 80v: Inc. „Sequitur de sinemenis sic...“ 81v: Expl. „... omnis spiritus laudet dominum et caetera cuncta bona.“ (Cf. *GB-Lbl*

Cotton Tib. B IX, f. 224r–v; éd. CS I, p. 364–365 et Herlinger₂, p. 126–134.)

Warner II (1921), p. 23b–24b. – Hughes-Hughes, p. 302–303, 304. – Montague Rhodes James, *On the Abbey of S. Edmund at Bury* (Cambridge, 1895: *Cambridge Antiquarian Society. Octavo Publications*, XXVIII), p. 67. – Hiekel, p. 185–191. – Ker, p. 20. – Richard H. House, „Bostonus buriensis and the author of the Catalogus scriptorum ecclesiae", *Speculum*, XLI (1966), 471–499. – CSM 12, p. 39. – Reckow, p. 1–7. – SachsC, p. 195 (sigle Lo₁₂). – Max Haas, „Die Musiklehre von Garlandia bis Franco", in: *Die Mittelalterliche Lehre von der Mehrstimmigkeit* (Darmstadt, 1984: *Geschichte der Musiktheorie*, 5), p. 100. – Herlinger₂, p. 123. – BernhardCC, p. 7.

LONDON, British Library   Royal 15.A.XXXIII

Début du Xe siècle. 240 f. Parchemin. 220 × 160 mm. Reliure moderne, cahiers remontés. Quinternions; cahiers numérotés. Justification: 160–170 × 115 mm. 27 lignes. Écriture du Xe s. (plusieurs mains); f. 239v d'une main plus récente (XIe s.). Notation neumatique messine (1v, 222v). Titres en rouge. Origine française. Provenance: St.-Rémy de Reims (f. 4 „Liber sancti Remigii studio Gifardi); Worcester, Cathedral Priory; Collection John Theyer (cf. Catalogue de Vente Theyer, n° 176). Remi d'Auxerre, Commentaire du *De nuptiis Mercurii et Philologiae* de Martianus Capella.

207–239	Remi d'Auxerre, Commentum in Martianum Capellam Lib IX. 207: „Incipiunt Glossae in Musica Libri VIIII." Inc. „Musica dicitur ab aqua eo quod..." 239: Expl. „... secute nugis nate ignosce lectitans." (Cf. GS I, p. 63– 94; éd. Lutz.)
239v	Liste et composition des intervalles. Inc. „Simphonia est temperamentum sonitus gravis ad acutum vel acuti ad gravem modulationem efficiens in voce, in percussione, in flattu." (Cf. GS I, p. 21b, 13–16; 283a, 1. 28–30). „Simphoniae sunt .VI. Diatessaron. Diapente. Diapason. Diapason simul et diatessaron. Diapason et diapente. Disdiapason. Diatessaron simphonia est quae constat ex ratione epitrita et fit ex (...) Disdiapason. id est dupla diapason symphonia est que constat ex ratione" (la suite manque).

Warner II (1921), p. 152. – Ker, p. 208. – Lutz I, p. 51, 55–57 (sigle L), p. II (= f. 25r).

LONDON, British Library   Royal Appendix 56

XVIe s. 32 f. Papier. 155 × 200 mm (obl.). Reliure moderne. Notations mesurée et carrée; tablature pour clavier. Le volume a appartenu à Lord John Lumley (cat. Lumley, f. 418). Origine anglaise.

1   Tableau expliquant les proportions.
32   Tableau de solmisation.
Warner, p. 394. – Hughes-Hughes, p. 315.

LONDON, British Library   Royal Appendix 58

Début du XVIe s. 60 f. Papier. 150 × 210 mm (obl.). Reliure moderne. Notations mesurée
et carrée; tablature de clavier italienne et de luth française. Marque de possesseur: Johannes Bray (?; cf. f. 59v). Origine anglaise. Provenance: diocèse d'Exeter (?).

51   Tableau des proportions: ☉ ○ ℭ et ℂ.
Warner, p. 394. – Hughes-Hughes, p. 313.

LONDON, British Library   Sloane 296

XIIe s. 76 f. Parchemin. 270 × 170 mm. Traités d'agriculture et d'architecture.

62v–63   Mesures de tuyaux d'orgue.
             62v: Inc. „Post fistulas tuborum fusiles pauca subtexere libuit …
             sed non multum ad delectationem iocundior istis."
             63: „Capsam cui superponantur fistule oportet fieri quadratam
             … lingue in suis foraminibus erunt mobiles et cursorie."
             63–63v: „Post haec ordinantur fistule ita ut a dextra…" Expl.
             „…aquam hauriat quam cum sono per fistulas refundat."
Ayscough, p. 374, 683. – Valentin Rose, Hermann Müller-Strübing, *Vitruvii De architectura libri decem* (Leipzig, 1867), p. XII. – SachsM, vol. II, p. 372 (sigle L$_1$).

LONDON, British Library   Sloane 1585

Ancienne cote: Ms. 1467 (sous rature); en bas: Ms. C. 595 (sous rature), puis 1585.
XVIe s. 57 f. (fol. rouge du XIXe s. de 97 = 1, à 153). Papier. 135 × 90 mm. Reliure moderne; feuillets remontés isolément. Écriture cursive. Origine anglaise. Traité sur l'art de
teindre le velours; recettes médicales.

45v   Définitions
             „Quid est musica; est veraciter scientia canendi…"
             „Quid est modus; est conglutinatio temporum … ad habendam
             perfectionem."
Ayscough, p. 382, 631. – Hughes-Hughes, p. 315.

LONDON, British Library   Sloane 1621

Anciennes cotes: M. 52 (en haut, cote du XIVe ou du XVe s.); Ms. 1503 (sous rature) puis, en bas: Ms. C. 4 XIC. 1621.
XIe s. 111 f. Parchemin. 200 × 110 mm. Reliure moderne (1963). Les traités de monocorde sont copiés sur un cahier factice. Écriture minuscule; plusieurs mains A (f. 2–3), B (4r–v et 111r). Origine indéterminée (peut-être allemande); provenance anglaise. Contenu: mélanges de textes relatifs à la médecine.

2v–4v   Mesures de monocorde.

     1) 2v: „Monocordi divisio.“ Inc. „In capite proslambanomenos pone .A. In fine vero pone .B. . . .“ 3: Expl. „. . . Quamvis est in singulo itaque: tibi projectus redderet ypateypaton.“ (Cf. Smits van WaesbergheG, p. 158.) 3v: Essais de plume.

     2) 4: „Cita et vera divisio monochordi in diatonico genere.“ Inc. „Dimidium proslambanomenos est mese. Hujus autem dimidium. . .“ Expl. „. . . in bisdiapason constitutos.“ (Smits van WaesbergheG, p. 167–168; éd. BernhardCG1, p. 79.)

     3) 4: Inc. „Si monocordum mensurare volueris quantamcumque vis lineam in .iij. eque partire. . .“ 4v: Expl. „. . . debet habere superioris dyapason.“ (Cf. Smits van WaesbergheG, p. 161.)

Ayscough, p. 628. – Hughes-Hughes, p. 298, 302. – BernhardCG1, p. 78.

LONDON, Lambeth Palace   466

1524–1526. i + 79 + i f. (premier cahier sans fol., puis 1–72, garde arrière = f. 73). Papier. 200 × 145 mm. Reliure de cuir sur ais de bois. Plat supérieur: rose avec deux banderolles („hec rosa virtutis de celo missa sereno“, „Eternum florens regia sceptra feret“). Plat inf.: blason d'Angleterre et de France porté par un dragon et un lévrier et surmonté d'une couronne (soleil, lune et étoiles en haut, „h“ „n“ en bas). Traces de fermoir. Quaternions réguliers. Justification: 127–132 × 88 mm. 18 à 20 lignes. Un seul copiste (William Chelle). Notation noire sur 3 ou 4 lignes noires (colors rouge ou noire évidée). Décoration: petites initiales en noir rehaussée de rouge; remplissage des lignes et grandes initiales à l'encre rouge; diagrammes tracés à la règle. Colophon: „Scriptus per me dominum wilelmus chelle musice bachalaurium 19. die Julii Anno domini. 1526“ (f. 30); „Scriptum per guilhelmum Chelle. in Musica bacalaurium Anno domini 1526“ (f. 43). Origine: écrit par William Chelle, *precentor* à la Cathédrale de Herefort, Mus. Bac. Oxon. le 3 avril 1524. Le copiste a donné le livre à John Parkar (f. 48v: „Thys ys John Parkar hys boke the gyft of my Master Master Wylyam chell Banchelar of musik.“) 1526.

     Intérieurs des plats: commentaire des Épîtres de St Paul (XVe s.).

     Fixé au premier feuillet du premier cahier: sommaire rédigé par W. Barclay Squire, daté d'octobre 1887.

     Le premier cahier est vierge, à l'exception d'une note sur les mon-

	naies (f. 2); titre ajouté par une main plus récente au verso du sep-tième feuillet.
1–9v	Jean de Murs, Libellus cantus mensurabilis. 1: Inc. „Quilibet in arte practica mensurabilis cantus erudiri…" 9v: „… mensurabilis cantus anhelantibus introduci." (CS III, p. 46–58.)
9v	Ténor isorythmique de John Dunstable. Ed. M.F. Bukofzer, *John Dunstable Complete Works* (London, 1953, rév. ^{2}1970 par M. Bent, I. Bent et B. Trowell) (*Musica Britannica*, 8), n° 66, p. 156 et 207.
10–18	De typo et eius natura (compilation). 10: „De typus et eius natura". Inc. „Typus grece dicitur transumptio latine…" 18: Expl. „… dandum de aliis. et modis de minori prolacione." Précédé d'un diagramme représentant cinq cloches dans un cadre: trois d'entre elles sont frappées par des marteaux. Le cadre se compose de cinq lignes horizontales (Cf. *GB-Lbl*, Add. 10336, f. 18v–31v et *GB-Cmc* Pepys 1236, f. 104–108v).
18v	blanc.
19–22v	Traité des proportions (attribué à John Hothby). 19: Inc. „Quid est proportio? Est duarum quantitatum ejusdem generis unius ad alterum comparatio…" 22v: Expl. „… conti-net in se semel totum minorem et eius partem non aliquotam tres ut 7 ad 4^{or} vel 14 ad 8 ac deinceps." Suivi de tables. (Cf. *GB-Lbl* Add. 10336, f. 58–62v.)
22v–30v	John Hothby, Traité de musique mesurée. „Figure enim cantus choralis sunt octo…" 31: Expl. „… figuras geometricas loco sonorum tanquam eorundem signa. Propor-tiones secundum Johannem Otteby magistrum in Musica expli-ciunt feliciter. 26. die marcii Anno domini 1500." (Cf. *GB-Lbl* Add. 10336, f. 62–73v; éd. CSM 31, p. 51–59.)
31r–v	Abrégé des chapitres 2–5 du second des *Quatuor Principalia musicae* de S. Tunstede (CS IV, 206b–208a). 31: Inc. „Moyses dixit repertorem hujus artis musice fuisse Tu-bal…." 31v: Expl. „Ceteri vero sunt superacute." (Cf. *GB-Lbl* Add. 10336, f. 98v–99v.)
32r–v	Court traité sur la valeur des figures. 32: Inc. „Secundum figuras et secundum exigentia figurarum connumerantur proportiones. Notule nigre et rubie plene seu va-cue…" 32v Expl.: „… Figure sunt iste .8. ⊙ ○ ℭ ℂ ∅ ¢ ℭ ℭ " (Cf. *GB-Lbl*, Add. 10336, f. 100r–v.)

32v	Note sur les proportions.
	Inc. „Proportio semiditoni est proportio superparciens. 27.as ...“ Expl. „... Proportio Ditoni est proportio superparciens. 64.as veluti .81. ad .64.“ (Cf. *GB-Lbl*, Add. 10336, f. 99v.)
33–34v	Définition des intervalles.
	33: Inc. „Ditonus fit ex duobus tonis immediate conjunctis...“ 34v: Expl. „... quarta species constat ex duobus tonis et semitono et tono sic. ut sol ut a G in D.“ (Cf. *GB-Lbl*, Add. 10336, f. 100v–102.)
34v–35	Signification des termes désignant les intervalles.
	34v: Inc. „Diatessaron dicitur dya quod est de vel ex...“ Expl. „... Diapason est etiam tertia maior consonantia que in dupla proporcione consistit.“ (Cf. *GB-Lbl*, Add. 10336, f. 102v–103.)
35v	[De proprietate unitatis.]
	Inc. „Nota quatuor esse proprietates unitatis...“ Expl. „... quarta proprietas est que unitas est positus a virtute omnis numeris.“ (Cf. *GB-Lbl*, Add. 10336, f. 103r–v.)
36	Note sur les proportions.
	Inc. „Nota duas bonas regulas de omni numero pari...“ Expl. „... ut 10. et .12. equalia sunt 8. et 4. trita se ponitet equi distantis et conjunctis.“ (Cf. *GB-Lbl*, Add. 10336, f. 103v.)
36–37	Signification des termes désignant les proportions.
	36: Inc. „Sesquialtera nomen grecum est. Sesquialtera grece vocatur Emyolya...“ 37: Expl. „... ut in monocordo potest reperiri.“ (Cf. *GB-Lbl*, Add. 10336, f. 104r–v.)
37	Note sur les couleurs et les proportions.
	Inc. „Colors requisite to Musicall proporcions ben thes. Blacke. grene. yelow. blew. redd. sangwyne. and purpull...“ Expl. „... voide blak to void red proporcio sesquitercia.“ (Cf. *GB-Lbl*, Add. 10336, f. 98.)
37v	„Triangulum Proportionium“ (diagramme en pleine page).
38–43	Traité sur les proportions.
	38: Inc. „Omnis proportio aut est communiter dicta aut proprie dicta...“ 43: Expl. „... Et scias quod quanta est una quantitas ad aliam tanta est una proportio ad aliam: Ut manifestum est. Hec de proportionibus sufficiunt. Scriptum per guilhelmum Chelle. in Musica bacalaurium Anno domini 1526.“ (Cf. *GB-Lbl*, Add. 10336, f. 84–87v.)
	43v–48 blancs.
48v	Table des mètres avec leur équivalence dans la notation musicale.
	Inc. „Dactilus ex. ▮ et ▪ ▪ ...“ Expl. „... Dispondeus ex ▮▮▮▮“.

(Cf. *GB-Lbl*, Add. 10336, f. 105.)

49–69 blancs.

Sur les trois dernières pages, en commençant à la fin du livre: deux fragments d'inventaires d'ustensiles de ménage (en anglais).

Notice rédigée d'après une description communiquée par Mme Catherine Harbor (London).

CSM 12, p. 9. – Michels, p. 121 (sigle Lo$_o$). – CSM 31, p. 49–51.

NORTHAMPTON, Northamptonshire Record Office
Fitzwilliam (Milton) Irish MS 71

XIVe s. Feuillet de parchemin utilisé comme reliure. Bord supérieur coupé. Écriture textuelle du début du XIVe siècle. 2 colonnes de 49 lignes (c. 310 × 90 mm). Origine irlandaise (?).

Ce manuscrit nous a été signalé par M. Andrew Wathey (Oxford, Merton College) en 1983.

> Metrologus (fragment).
> recto, col. a: „La mi tam in gravibus quam in acutis et superacutis. Diapente est quedam vox…"
> verso, col. b: „… auditu sonorum salus tam cordis quam corporis vel minuitur vel augescetur. Item quod le" (Cf. Smits van WaesbergheE, p. 74–82.)

OXFORD, All Souls College   Ms. 90

XVe siècle (avant 1457, date à laquelle le ms. fut donné au Collège). 104 f. Papier. 212 × 135 mm. Origine anglaise (d'après l'écriture).

1–102v   Commentaire des Livres I, IV et V du *De institutione Musica* de Boèce.
              Inc. „In nomine sancte et individue trinitatis… Quanquam ad aliquam disciplinam sit praefatione accedere…" 16: „In isto prologo tria Boecius specialiter manifestat…" 102v: Expl. „… sed longe secus augusto timpanizante in cena a quodam milite probrose dictum est." (Cf. *GB-Ob* Bodl. 77, f. 1–93.)

Coxe II, p. 27. – Bower, p. 247.

OXFORD, Balliol College   173 A

Anciennes cotes: K.5; 365; Ar.O.29; 257.

XIIe et XIIIe s. 119 f. Parchemin. 220 × 145 mm. Reliure du XVIIe s. 3 × VI (1–36) VII

(37–49, 49a coupé) 2 × VI (50–73) 5 × IV (74–113) III (114–119). Justifications: 170 ×
100 mm, 47–48 lignes par page (f. 1–73); 175 × 95 mm, 37 lignes par page (f. 74–112v); 3
colonnes de 30 mm (f. 113–119v). Quatre mains: fin XIIIe s. (f. 1–73v); début XIIe s. (A:
74–81; B: 82–108; C: 109–119). Notations musicales neumatique à campo aperto et
alphabétique. Initiales bleues et vertes (f. 76v–77), partout ailleurs rouge; titres rouges;
diagramme tracé au compas (f. 75, bleu, vert, rouge). Selon HugloD, p. 126, les traités
de ce ms. auraient été copies sur un modèle allemand. Origine: anglaise d'après la notation neumatique des f. 112v et ss. Provenance: „ex dono William Gray“. Début XIIe s.
(pour la théorie de la musique) et XIIIe s. Commentaires d'Aristote *(Analytiques; De
caelo et mundo; Éthique)*. Copie partielle de ce ms. (f. 82–119v) *in GB-Lbl* Add. 4915.

74r–v	Aurélien de Réomé, Musica disciplina (Ch. I et extrait des ch. II et VI).

74r: Inc. „Musicam non esse contempnendam multa et antiquorum ... (74v) permittebatur ignorare. Ita et turpe erat musicam non nosse“ (GS I, p. 29 b, l. 35–31a, l. 25; CSM 21, p. 58–
62). A la suite: „Habet autem cum numero maximam concordiam
... sufficienter eum boetii viri doctissimi studiosa lectio poterit.“
(GS I, p. 35a, l. 24–35b, l. 20; CSM 21, p. 70–71.)

75r	Tableau du grand système parfait.
75–76v	Pseudo St Jérôme, Épître à Dardanus.

75: „Epistola Sancti Hieronimi ad Dardanum de generibus musicae.“ Inc. „Cogor a te ut tibi dardane de aliis generibus...“ 76v:
Expl. „... ac mystice intelligenda sunt.“ (PL 30, p. 213–215; la
lettre est enluminée. Source inconnue chez R. Hammerstein, „Instrumenta Hieronymi“, *AfMw*, X [1959], p. 117–134.)

76v–79	Isidore, Sententiae de Musica.

76v: „Incipit de musice Isidori hispaniensis episcopi“ (d'une
autre main). „De nomine musice.“ Inc. „Musica est peritia modulationis sono cantuque consistens...“ 79: Expl. „... in arsis et
thesis id est elevatione et depositione.“ (GS I, p. 20a–24b.)

79r–v	Cassiodore, De artibus ac disciplinis liberalium litterarum (ex-trait).

79: Inc. „Veniamus ergo ad musicam, quae in ipso nomine et propria virtute suavis est. Gaudentius quidam de musica scri-
bens...“ 79v: Expl. „... ut duplum, triplum, quadruplum et his
similia quae dicuntur ad aliquid.“ (GS I, p. 15–16a, l. 27.)

79v–80v	Aurélien de Réomé, Musica disciplina (extraits des ch. VIII et XX).

79v: Inc. „Diximus in octo tonis consistere musicam per quos...“
Expl. „... quia sonus eorum depressior quam superiorum depre-
henditur.“ (GS I, p. 39b, l. 9–40a, l. 26; CSM 21, p. 78–79). 79v

(à la suite): „Ab hac autem disciplina composita extant modulamina quae die noctuque..." 80v: Expl. „... qui non studuerit superius scriptam ejusdem artis habere agnitionem." (GS I, p. 59b,
l. 30–61a, l. 17; CSM 21, p. 129–131.)

80v   Nomenclature des tétracordes.

„Quinque tetracorda sunt monocordi. Hypate id est principale,
quasi supercalcans. Mese id est medium..." Expl. „... Nete-
hyperboleon id est inferior excellentium." (Cf. *GB-Ctc* R 15.22,
f. 138v.)

80v   Ambitus des modes, cf. Hucbald, *De harmonica institutione*.

„Unusquisque sonus autentus a suo finali usque in VIIII. sonum
ascendit. Descendit autem in sibi vicinum et aliquando in semitonium. Plagis autem in quartum descendens usque in quintum
ascendit." (Cf. *GB-Ctc* R.15.22, f. 139; *GB-Osjc* 188, f. 86v–87;
GS I, 116a, l. 1–6.)

80v   Frutolf, Breviarium (extrait du chapitre XIV).

Inc. „Nona dicitur a greco NVS. NOE flatus. ANE. sursum..."
Expl. „... quae interjectiones apud nos significant eia". (Cf.
Vivell, p. 104.)

80v–81   Traité dialogué sur les intervalles.

80v: „Interrogatio" Inc. „Dyapason quid est? Dyapason est quaelibet vox gravis cum acuta resonans (81) unice. M. Unde dicitur ?
R. ... sed etiam unam eandemque principio et fine distinctionum
partium atque sillabarum disjungit." (*GB-Ctc* R. 15.22, f. 138r–
v; *GB-Osjc* 188, f. 84v–85.)

81   Liste des modes grecs.

„Dorius. Ypodorius. Phrigius. Ypophrigius. Lydius. Ypolidius.
Mixolidius. Ypermixolidius."

81v   blanc

82–91v   Guy d'Arezzo, Micrologus (glosé).

82: „Incipit Micrologus id est brevis sermo in musica editus a
domno guidone praestissimo monacho et peritissimo musico."
Inc. „Gymnasio musas placuit revocare solutas..." 91v: Expl.
„... Cuius summa sapientia per cuncta viget secula. AMHN."
(GS II, p. 2–24; CSM 4, p. 79–233.)

91v–94v   Guy d'Arezzo, Regulae rhythmicae.

91v: „Versus Guidonis. Item trochaice per metrum iambicum."
Inc. „Gliscunt corda meis hominum..." 94v: Expl. „... Auctor
indiget et scriptor. Gloria sit domino. Amen". (GS II, p. 25–33;
éd. DMA.A.IV, p. 93–127.)

94v–96   Guy d'Arezzo, Prologus in Antiphonarium.

94v: Inc. „Temporibus nostris super omnes homines..." 96:
Expl. „... si ut debent ex industria componantur." (GS II, p. 34–
36; éd. DMA.A.III., p. 59–81.)

96–100   Guy d'Arezzo, Epistola ad Michaelem.
96: „Incipit epistola Guidonis ad amicum suum M." Inc. „Beatissimo atque dulcissimo fratri M. Gu. per anfractus..." 100: Expl.
„... cuius liber non cantoribus sed solis philosophis utilis est. Explicit musica Domni Guidonis." (GS II, p. 43–50.)

100–106   Pseudo-Odon, Dialogus de Musica.
100: „Incipit explanatio artis musicae sub dialogo. D." Inc.
„Quid est musica? M. Veraciter canendi scientia..." 106: Expl.
„... elationi inserviens minus jam serviens et non subditus Deo
qui vivit et regnat in secula seculorum. Amen." (GS I, p. 252–
264; le titre du dialogue est le même dans *D-Mbs* Clm 14965a,
f. 33.)

106–119v   Bernon, Prologus in tonarium cum tonario.
106: Inc. „Domino Deoque dilecto archipraesuli Piligrimo vero
mundi..." 108v: „... erit finis in paramese" (GS II, p. 67a, l. 14)
puis: „Protus constat ex prima specie diapente..." 109 „... sub-
jugalis infra." (GS II, p. 69a, l. 35 – p. 70a, l. 17), puis: „Animad-
vertendum nunc est..." 112v „... iam desinam multa loqui ut
finis sit prologi." (GS 72a, l. 16–79b.)

112v: „Autenticus protus constat ex prima specie dyapente et ex
prima specie dyatessaron superius hujus ultima sillaba in saecu-
lorum amen altius a finali dyatessaron intervallo Noannoeane.
Primum querite regnum dei Seculorum Amen. Angelus domini
nuntiavit..." 119v: Expl. „... Deus in loco sancto suo." (Cf. GS
II, p. 79a et ss.)

CoxeC I, p. 58. – Smits van WaesbergheG, p. 239, *passim* (sigle O3). – CSM 4, p. 46–47
(sigle O₃). – Hüschen, col. 1852. – Gushee, p. 69–70. – HugloD, p. 126. – HugloT, p. 51,
267, 269, 457. – CSM 21, p. 19, 38, 39 (sigle Ox B₁,₂). – DMA.A.III, p. 43–44 (sigle O3).
– DMA.A.IV, p. 74 (sigle O3).

OXFORD, Bodleian Library   Bodley 77

XVᵉ s. Anciennes cotes: 18 (ou 81?) sur la tranche. NE E.1.18 (f. 1), puis 2265. 139 f. (la
fol. ne tient pas compte des feuillets blancs). Papier. 195 × 140 mm. Reliure moderne
(1978). 4 × VI (1–48), 2 × V (49–64), VII (65–77), VI (78–89), IV (90–94), VI (95–105),
2 × IV (106–121), VIII (122–137), II (138–139). Justification: 100 mm environ, 2 colonnes
de 52 mm aux f. 95–105 (cahier n° 10). Origine anglaise.

1–93v   Tractatus de rebus musicis (Commentaire des Livres I, IV et V du
                 De institutione Musica de Boèce).
                 1: „Tractatus de rebus musicis" (d'une main du XVIe siècle dans
                 la marge inférieure). „In nomine sancte et individue trinita-
                 tis..." Inc. „Quanquam ad aliquam disciplinam sit sine prefa-
                 tione accedere..."
                 9v: „Titulus vero talis est. Anicii Aurelii Severini Boetii de musica
                 id est armonica institutione, id est ordinatione, liber primus inci-
                 pit..."
                 12: „Sequitur prologus libri 1. *Omnium quidam* etc. In isto pro-
                 logo tria Boetius specialiter manifestat..." 53av: „... sed istud
                 capitulum summatur in titulo suo." (Commentaire du premier
                 livre.) 53b–53f v: blancs.
                 54: „modo a contrariis argumentatur si mortus non esset..."
                 72v: „... percussa bis dyapason consonantia resonabit, et sic fi-
                 nis quarti. Explicit expositio super quartum librum musice Boe-
                 tii. Laus trino reddatur et uno. Amen." (Commentaire du qua-
                 trième livre.)
                 72v: „Nam divina potentia adminiculante in quatuor principali-
                 bus hujus operis..." 93: expl. „... in cena a quodam milite pro-
                 brose dictum est." (Commentaire du cinquième livre; les f. 54–77
                 ont été écrits par une autre main; cf. *GB-O* All Souls College
                 Ms. 90.)
                 93av, 93b–d r–v, 94r: blancs.
94v   „Cantor sum, qualis demonstrat musica talis" (règle des ligatures
                 en notation blanche).
95a–99va   Jean de Murs, Musica speculativa.
                 95a: „... ex quorum sonitu antiquitus pictagoras philosophus
                 primo adinvenit species consonantiarum, sicut patet in numeris
                 subpositis." Inc. „Pictagoras nobis artem tradidisse sonorum.
                 Propter simphonias..." 99va: Expl. „... omnia in se continet in-
                 strumenta. Explicit musica Boetii abbreviata a Magistro Johanne
                 de Muris anno domini 1323 mense junii Parisius in Sorbona." (Le
                 prologue manque; les schémas n'ont pas été reportés; cf. GS III,
                 p. 260–283.)
100ra–103vb   Jean de Murs, Notitia artis musicae.
                 Prologue:
                 „Princeps philosophorum Aristoteles ait in prohemio metaphi-
                 sice sue ... conveniens quodammodo quaedam theoricam impli-
                 cari."
                 „Musica theorica."

100ra: „Quoniam musica est de sono relato ad numeros...
100rb: „Cum ostensum sit musicam constare ex sonis qui proportionales..."
„De musice invencione. Tercium capitulum. Picagoras volens aurium judicio..."
100vb: „Nam 256 ad 192 comparatus sesquitercia..."
100vb: „Verumtamen sequentes inventores musicae..."
„Musica practica."
101: Inc. „De temporis cognitione .1. Capitulum. [Q]uonia in exponendis sermonibus theoricam musice..." 103v: „... et omnia voluntarie segregabit. Explicit explicite quod erat implicite. Nomen factoris signat deca signa doloris munda nec est mirum quia de cognomine firmum. Explicit sufficientia musice organice per edita per Magistrum Johannem de Muris musicum sapientissimum ac totius orbis subtilissimum expertum." (Cf. GS III, p. 292–301.)

104a–105a   Tractatus super aliquas conclusiones de musica mensurabili (Anonyme OP).
104a: Inc. „Quod punctus per sui additionem possit facere brevem alterari..." 105a: Expl. „... de perfecto sonans contra imperfectum et econtra." (Éd. Ulrich Michels, *AfMw*, XXVI [1969], p. 56–62.)

105a v–b   blancs

106–138   Johannis Wylde, Musica manualis cum tonale.
106: Inc. „Quia juxta sapientissimum Salomonem dura..." 138: Expl. „... sicut patet in hoc cantu duorum versuum octavi toni... *At mediis cal-/*" (Éd. CSM 28, p. 43–206.)
113: (d'une autre main) „Shortly to have ye verray sognition of prikkyd song the which is clept mensurable musik. ffirst it is to knowe ut in prikkyd song be these 6 notis folwing, a minym as thus."
134v: Note sur le monocorde (d'une autre main) „In sequenti harum seriei quid in musica monocordo dicitur ... descendentes de incaustra nigro" (suivent quelques exemples concernant la notation mesurée).

138v–139   Amerus, Practica artis musicae (1, 2, 15, 16).
138v: „[Practica artis musice magistri alvredi presbiteri anglici de domo et familia venerabilis patris domini Octoboni sancti] Adriani diaconi cardinalis. Anno gracie 1271. Primo quod musica est domina et [regina omnium] liberalium artium et excellentissima que ceteris artibus dimissis." Inc. „Licet mihi ipsi in

omni scientia minus sum sufficiens…“ 139: Expl. „… Neupmarum signis erras qui plura refingis.“ (Éd. CSM 25, p. 109–112.)

139 Vers.

139a: „Pirichius ut fuga…“ (Cf. Blanchard, p. 431; éd. M. Huglo, art. cit., p. 128.)

139b: „Punctus ◆ bipunctus… Et si quis alie similes? ex hiis componuntur.“

„Spondeus ⌇, pirichius ▲, dactilus ¶◆◆“ (sous rature; cf. Odington, CSM 14, p. 93).

Summary Catalog II, 1 (1922), p. 284–285. – Frere I, p. 131, n° 390. – D.P. Blanchard, „Alfred le Musicien et Alfred le Philosophe“, *Rassegna gregoriana* VIII (1909), c. 419–432, 422. – Schrade, p. 50. – Ulrich Michels, „Der Musiktraktat des Anonymus OP. Ein frühes Theoretiker-Zeugnis der Ars Nova“, *AfMw*, XXVI (1969), p. 49–62. – Michels, p. 122 (sigle O_1). – HugloT, p. 344, 345, 457. – CSM 17, p. 17–19 (sigle O_1). – CSM 25, p. 9–18. – CSM 28, p. 24–27. – M. Huglo, „Le *De Musica* de saint Augustin et l'organisation de la durée musicale du IXe au XIIe siècles“, *Recherches augustiniennes*, XX (1985), 117–131. – C. Falkenroth, *Boethius-Kommentar – Oxford Bodleian Library, Bodley 77* (Thèse de doctorat, Freiburg; cf. *Doctoral Dissertations in Musicology, December 1985–November 1986* [AMS/IMS, février 1987] et Bower, p. 247).

OXFORD, Bodleian Library   Bodley 240 (S.C. 2469)

1377. xliv, 902 p. 358 × 247 mm. Parchemin. Écrit à Bury St. Edmund's. Légende dorée; *Speculum humane salvationis*; traité de droit canon.

p. 894 Commendatio artis musice.

894: „Commendacio artis musice secundum quendam Gregorium libro suo primo, cap. 2.“ Inc. „Ars musica omnes artes excedit…“ Expl. „… ieronimus ad julianum.“

Summary Catalog II/1, p. 384–385. – Frere I, p. 133, n° 394.

OXFORD, Bodleian Library   Bodley 300 (S.C. 2474)

Ancienne cote: NE F.10.11.

Début du XVe s. 140 f. Parchemin. 380 × 250 mm. Reliure du XVIIIe s. Cahiers de VIII. Réclames. Justification: *ca* 265 × deux colonnes de 80 mm. 45 lignes. Écriture textuelle courante. Initiales ornées (bleues avec lacis rouge); décoration anglaise. Ce volume a été donné à Clare College, Cambridge, par J. de Yngham, fellow en 1402, † après 1452 (cf. Pächt). Origine anglaise. Mélanges d'astronomie: Roger of Hereford, Giovanni Campano, Gerardus Cremonensis, Walter Brit, Richard of Wallingford, John Holbroke et divers anonymes (cf. CSM 17, p. 19–23).

110ra–115ra Jean de Murs, Musica speculativa (version B).
110ra: Inc. „Quoniam musica est de sono relato..." 115ra: Expl. „... in hoc ordine consequentes. Explicit musica Magistri Johannis de Muris." (Cf. GS III, p. 256a–283b.)

115ra–118va Jean de Murs, Notitia artis musicae.
115ra: Inc. „Princeps philosophorum aristoteles ait in principio..." 118va: Expl. „... et omnia voluntarie segregabit. Nomen factoris signat deca signa doloris munda, nec est mirum, quia de cognomine firmum. Explicit sufficientia musice organice edita a magistro Johanne de Muris musico sapientissimo ac totius orbis subtilissimo experto. Amen." (Éd. CSM 17, p. 47–110.)

118vb–119ra Tractatus de cymbalis.
118v: „Hic incipit compositio consonantiarum in simbalis secundum boicium." (dans la marge supérieure) Inc. „Omne instrumentum musice quo communiter utimur..." 119ra: Expl. „... et nisi hoc fuerit scitum, cimbalum erit fusum." (Éd. Smits van WaesbergheC, p. 39–40.)

119ra–119rb Mesure de tuyaux d'orgue.
119ra: „Incipit ars ad fistulas organorum mentiendas (!) secundum guidonem." Inc. „Cognita consonantia in cordis et cimbalis..." 119rb: Expl. „... est secundum ad similitudinem primi. Explicit guido." (Éd. SachsM, p. 99–113.)

119rb–119va Mesure de tuyaux d'orgue.
119rb: „Incipit gilbertus de proportionibus fistularum ordinandis." Inc. „De hiis instrumentis quae flatus aspiratione..." 119va: Expl. „... ut superius gravioris fecisti." (Éd. SachsM, p. 116–123.)

119vb Mesure de tuyaux d'orgue.
Inc. „Si autem vis habere, si bene mensurasti..." Expl. „... quatuor longitudines tertia intervalla habent." (Éd. SachsM, p. 124–125).

119va Mesure de tuyaux d'orgue.
Inc. „Si fistule equalis grossitudinis fuerint..." Expl. „... grossiores et in inferiori graciliores." (Éd. SachsM, p. 49–51.)

119va–b Mesure de tuyaux d'orgue.
119va: Inc. „Circa latitudinem fistularum est sciendum quod..." 119vb: Expl. „... in facto consistit et patebit faciliter operanti. Explicit etc." (Éd. SachsM, p. 140–141.)

119vb–120rb Traité de musique mesurée.
119vb: Inc. „Nota quod antiqui musici nihil minus semibrevibus pronuntiabant..." 120rb: Expl. „... de notis vero citra minimam

hic patent exempla." (Les exemples qui devraient suivre et les figures de notes du texte manquent.)

Summary Catalogue II,1 (1922), p. 386–388. – Burney II, p. 201, 402. – Jacques Hand-
schin, „Aus der alten Musiktheorie", *AMl*, XIV (1942), p. 9–12. – R.W. Hunt, „Medieval
inventories of Clare College Library", *Cambridge Bibliographical Society*, I (1949–
1953), p. 108, 123. – Smits van WaesbergheC, p. 39–40. – Saxl III, p. 278. – Ker, p. 25.
– Pächt III, p. 72, n° 186. – SachsM, p. 31–32 (sigle O). – Michels, p. 122 (sigle O_2). –
CSM 17, p. 19–23 (sigle O_2).

OXFORD, Bodleian Library   Bodley 515 (S.C. 2185)

Ancienne cote: NE.D.3.8.
XVe s. (première moitié). 95 f. Parchemin. 205 × 150 mm. Reliure en parchemin sur ais
de bois. Composition: II-1 (1–3); cahier factice (4/10, 5/8, 6/7, 8a coupé/9); III (11–16)
IV (17–24) III (25–30) II (31, 32) III (33–38) IV (39–46) V-1 (47–55) 2v IV (56–71) III
(72–77) IV (78–85) II (86–89). Justification: environ 140 × 100 mm. Nombre de lignes
variable (20–27). Écriture cursive formée. Notation carrée sur quatre lignes tracées à
l'encre rouge. Schémas en rouge et en jaune; décoration géométrique (bleu, brun rouge
et jaune); initiales rouge et blanc assez grossières. Origine anglaise. Ex-libris au f. iv „Liber Roberti Clay de Clayhouse in Comitatu Eboracensi" [Yorkshire] († 1628) et au
f. 90v: „Robert James oweth this book" (mention du XVIe s.).

1r–v   Gloses sur les *Quatuor principalia musicae* de Simon Tunstede.
              1: Ista dictio sequens pertinet ad mundanam musicam et huma-
              nam... Et mundana musica..." (Cf. I,5.) „Sequens dictio perti-
              net ad instrumentalem musicam armonicam et arithmicam... Ad
              omnem sonum..." (Cf. I,6.)
              1v: „Sequens dictio pertinet ad naturalem musicam hominis...
              Quibusdam colligatione admonendum est..." (Cf. I,8.)
              „Sequens dictio in capitulo 3° 2^m... Encherieden philosophus re-
              gulas et gamma..." (Cf. II,3.)
              „De genere chromatico... Unde dicitur chromaticus genus a
              croma..." (Cf. II,14.)
              „Qui numeri pertinent ad proportiones musicales... Igitur sicut
              4 mallei fuerant ... sesquetercia et sesqueoctava ut supra." (Cf.
              II,20.)
2r–v   Notes sur les proportions.
              2: Inc. „Triangulus est ordinatio trium linearum ad tria puncta
              ... partibus equalibus." (Tableau triangulaire des proportions.)
              2v: (d'une autre main) „Numerus naturalis est omni (?) nume-
              rorum ab unitate collectio... Hec omnia patent in triangulo et
              quadrangulo ut supra notatur."

3   Traité des 15 tons hellénistiques.
            Inc. „Secundum diversitatem cantandi diversorum generum
            varii sunt modi quos tropos et eciam tonos... Phtolomeus quem
            vocat ypermixolidium."
3v   blanc.

4–77v   Anon. dit Simon Tunstede, Quatuor principalia musicae.
            4: Inc. „Quoniam circa musicam deo Auxiliante consciam que
            ductus..." 77v: Expl. „... etiam in septem artibus liberalibus."
            (Cf. CS IV, p. 201a–298b. La présente copie présente deux la-
            cunes importantes: I, 8(fin)–11 (début) (= CS IV, p. 203a, l. 26–
            204a, l. 17); III, 28(fin)–48 (début) (= CS IV, p. 232b, l. 2–247a,
            l. 26). Notation mesurée blanche pour les exemples musicaux des
            ch. IV, 1 et 23–24.)

78–87   Metrologus.
            78: „In nomine sancte et individue trinitatis incipit metrologus
            liber de plana musica et brevis sermo." Inc. „Quid est musica.
            Musica est pericia modulationis sono cantuque consistens..."
            87: Expl. „... varias qualitates." (Éd. Smits van WaesbergheE,
            p. 67–92.)

87–88   De pausationibus in choro.
            87: „De pausationibus in choro." Inc. „Ut uniformitas in omni-
            bus habeatur metrum cum pausa..." 88: Expl. „... *consonantia
            quindenaria constat musica*" (mélodie mnémotechnique pour
            l'enseignement des intervalles).

88v   Grand système parfait.
            Inc. „Sunt autem in lira mercurij cum addicione...
            A.A. Prolambanomenos...
            B.B. Ypatepaton...
            ...
            S.d. Neteyperboleon. id est ultima excellentium c sol fa."
            (Tableau du grand système parfait avec la notation littérale de
            Boèce (A–S), les lettres A–G, a–g, a–d, et les syllabes de solmi-
            sation.)

89–90   De musica equiformi.
            „Inventores artis musice equiformis." Inc. „Primo moyses quod
            dicitur a moys quod est aqua et icos quod est sermo..." 90: Expl.
            „... cantus naturalis coronari potest scilicet faburdonij." (Cf.
            GB-Lbl Lansdowne 763, f. 55v–59r; éd. G. Reaney, *in MD*, 37
            (1983), p. 101–119.)
            90v blanc.

Summary Catalog II,1 (1922), p. 249–250. – Burney II, p. 395. – Oesch, p. 29. – Smits van WaesbergheE, p. 64–65. – SachsC, p. 196 (sigle O_4). – BernhardCC, p. 35.

OXFORD Bodleian Library   Bodley 613 (S.C. 2141)

Anciennes cotes: NE D.1.6.; $\dfrac{A}{8°A}$ 34

XIIe/XIIIe et XVe s. x + 165 f. Parchemin. 125 × 85 mm. Reliure en cuir (fin XVIe, début XVIIe s.). VI (1–12), VI (13–24), VIII-2 (25–38), VI (39–50)... Justification: 110 × 55 mm (30 à 31 l. par page). Écriture minuscule du début du XIIIe s. Initiales rouges et vertes; titres et rubriques en rouge. Origine anglaise. Provenance: William Harrison (XVIe s.); entré dans les collections de la Bodl. Lib. entre 1603 et 1605. XIIIe s. (première moitié du XIIe s. selon M. Bernhard): f. 1–50 et 88–165; XVe s. (1ère moitié): f. 54–87. 1–32v: mélanges: mesures du temps, grammaire, géographie, philosophie, histoire, rhétorique, logique, mathématique; 54: calendriers et tables astrologiques; 88: *quaestiones super Astronomiam Arzachelis*.

33–35v	Isidore, Etymologies („De Musica").
	33: „De nomine musicae" Inc. „Musica est peritia modulationis..." 35v: Expl. „... acuti soni suavissimus cantus." (Cf. GS I, p. 20a–24b.)
35v–38	Guy d'Arezzo, Micrologus (II–VII).
	35v: „De monocordo." Inc. „Notae in monocordo hae sunt..." 38: Expl. „... diapente conjungunt hoc modo." (Éd. CSM 4, p. 93–121.)
38	Liste de neumes.
	„Punctus. Iacens. Rectens. Evanescens. Gula. Gradus vel Gurgulus. Vertens. Torquens. Acuriens. Inclinans. Retorquens. Tremens. Contus (?) vel Vurvus. Virga Claudicans. Ascendens." (Cf. *GB-Osjc* 188, f. 56 rb; éd. CSM 4, p. 44.)
38–40	Traité sur les modes.
	38: „De natura principii et finis VIII tonorum." Inc. „[Ut] Aiunt periti artis musicae quod primo sint inventae quatuor cordae..." 40: Expl. „... licentias in altiori cantu scandere. Post haec scribendae sunt differentiae omnium tonorum ut primi toni. Primum querite regnum dei. Secundi toni ut De syon exibit et cetera." (Cf. *GB-Ctc* R 15.22, f. 139–140.)
40v–42	Traité sur les tons.
	40v: Inc. „Cantus legitime factus qui etiam dicitur accuratus has debet mensuras tenere..." 42: Expl. „... nil sit dubium in canendi studio."
42r–v	Traité sur l'ambitus des tons.

	42: Inc. „Omnis tonus autenticus regulariter per suam diapason cantando currit..." 42v: Expl. „... nec in eo donum sancti spiritus defuit."
42v–44	Reginon, Epistola de armonica institutione (extrait). 42v: Inc. „Qui modum regula diversitatesque tonorum quaerit certius providere non spernat informari hac compendiosa descriptione." Inc. „Oportet primum peritum cantorem scire..." 44: Expl. „... nesciunt quid sit tonus aut quare dicatur." (Éd. BernhardCG1, p. 40–43.)
44	Traité sur la structure des tons et tonaire. 44: (à la suite du texte précédent) Inc. „Tonus est compositio VIII. cordarum quinque tonos et duo semitonia..." 44v: „Si quis cantus a suo finali ad diapente non pertingit..." 46: Expl. „... pertingere finem. Hec pauca pro exemplis sint posita."
46r–v	Court traité sur les tons. 46: Inc. „Armonicarum vocum aliae sunt finales terminales aliae inceptivae. Finalium autem numerorum quaternario..." 46v: Expl. „... proximis duobus. Finis autem omnium in horum quatuor. Aliqui revertuntur."
46v–47	Traité sur les intervalles. 46v: Inc. „Omnis vox a prima intensa et remissa. Secunda..." 47: Expl. „... Notantur autem quarta et secunda, quartae .q.Q." (notation intervallique: lettres s, t, q.)
47v–50	Traité de métrique. 47v: Inc. „Queri a nonnullis solet cujus temporibus..." 50: Expl. „... duplices non amplius quam senas." (Ce dernier traité est d'une autre main.)
50v–53v	blancs.

Summary Catalogue II, 1 (1922), p. 228. – CSM 4, p. 48 (sigle O4). – HugloT, p. 385, 457. – Bernhard, p. 11–12. – BernhardCG1, p. 38.

OXFORD, Bodleian Library   Bodley 842 (S.C. 2575)

Ancienne cote: 80: 2575 (f. I)
XIVe s. (1ere moitié). 78 f. Parchemin. 220 × 140 mm. Reliure ancienne en cuir sur ais de bois; traces de fermoirs à lanières rivées sur les plats par des boulons. Composition: V (1–10, précédé d'une double garde faisant onglet) IV (11–18), 2 × V (19–38) III (39–44) II (45–48) IV (49–56) III (57–62) VI-1 (63–73, réclame au f. 73v „Quarta .1ª"") III-1 (74–78). Justification: 150 × 82 mm; 32 l. Écriture textuelle d'allure cursive; les f. 46–48v sont d'une autre main (cf. aussi f. 77v–78). Notation mesurée noire sur cinq lignes tracées à l'encre rouge (f. 45v–46), carrée sur quatre lignes rouges (*passim*); mesurée

blanche tardive au f. 61. Initiale ornée bleue et rouge; initiales et têtes de chapitre en rouge; rubriques; la plupart des schémas sont tracés au compas à l'encre rouge. Origine anglaise (décoration anglaise, cf. Pächt). Livre donné par John Erghome aux Minorites de York („Liber fratris Johannis Gillyng Monachi Bellalande [Byland], emptus a quodam carpentario nomine sproxton. Anno Domini 1477. septimo Kalendas Junii" f. 1). Selon Pächt (cf. aussi ReaneyB, p. 32–33), ce volume a été copié sur un manuscrit du XIVᵉ s. des Franciscains de York.

Ir   „Theinredus Doverensis donum Rich. Roberts. (2575)" (d'une main du XVIᵉ s.?)

IIv   „In isto ista continentur. Musica Theinredi in 3 libris; regule discantus in anglicum; Musica franconis in 6 capitulis; Breviarium eidem de discantu in tribus capitulis; Breviarium regulare musice (...) Liber sancte Marie de Bellalanda." Signes de la notation dasiane. Essais de plume.

1–44v   Theinredus Doverensis, De legitimis ordinibus pentachordorum et tetrachordorum.
1: „Alueredo cantuaruensis Theinredus doverensis de legitimis ordinibus pentachordorum et tetrachordorum." Inc. „Quoniam musicorum de hiis cantibus frequens est dissensio..." 2: „De proporcionibus musicorum sonorum capitulum primum..." 2v: „De convenienciis..." 4v: „De proporcionibus..." 5: „De singulis proporcionibus..." 7v: „Qui soni quibus proporcionibus conveniunt... Qua proportione termini diapason conveniant..." 8: „Qua diapente..." „Qua diatessaron..." 8v: „Divisio diapason in diapente et diatessaron..." „De termini diapason cum diapente..." 9: „De bis diapason..." „De diapason cum diatessaron..." 9v: „De toni..." 10: „De semiditoni..." 11v: [De ditoni] 12: „Ad semitonii minoris..." 12v: Ad semitonii majoris..." 14: „De comatis..." 15: „Alia proporcio eiusdem tonis comatis..." 18: „... Explicit liber primus."
18v: „Incipit liber secundus de consonanciis musicorum suorum. De progressione proporcionum... De generali distinctione..." 19: „De convenientiis generalium..." „De progressione convenienciarum..." „De ordine proporcionum cuiuscumque generis..." 20: „Quare tamen ditonus semiditonus admittantur in organa..." „Quare inter numeros consonantie non sunt..." „Quot et que sunt consonancie..."
21: „Explicit liber secundus. Incipit liber tercius de speciebus consonanciarum." 21v: „Que conveniencie dividantur in species et que non dividantur capitulum 2ᵐ ..." 22: „Qualiter species sunt ordinande..." 22v: „Unde specierum diversitas et nume-

rus..." „De numeris specierum..." 23v: „Note sonorum..." 24:
„Species convenienciarum..." 29: „De transpositionibus semito-
niorum..." (suivi de tables de transposition). 44: „Consonancie
fistularum secundum diversam proportionem. Si fistule equalis
grossitudinis... Consonantia semitonium erit." (Éd. SachsM,
p. 49–50). 44r–v: „Fidicule sive fistule..." 44v: Expl. „... tono
concordant." (Cf. GS I, p. 204a, l. 6–17, extrait de la *Musica Enchiriadis.*)

44v   „Qui socios spernit summum cum se fore cernit Pauci dampna
plangunt ipsum cum tristia tangunt." (D'une autre main:)
„Explicit informacio Iuvenum.
Note sur les intervalles.
„Tonus est regula que de omni cantu in fine dijudicat. Unisonus
dicitur quasi unus sonus quod sit cum una vox continue reperi-
tur. De intensione et remissione modorum patet figura sequens."
(Tableau au f. 45.)

45v–46   Ballade à deux voix:

Tenor

(Cf. ReaneyB, p. 32).

45v   Fragment sur la musique mesurée et la musica ficta.
„[U]t pateat evidenter monochordi, quot et quibus..." Expl:
„... diversis ex gradibus. vna surgat pro- (f. 46)

-ratio
tinctio
vario
proprio ———————————— Tribulor[um] (?) demonstratio."
[pro]batio
[pro]latio

46v   „Primus habet m. ne.sic sextus tertius autem / septimus. octavus.
si. dic quartus quod secundus."
Note sur les proportions.
Inc. „Proporcio autem semitonij ad totum est superbipartiens...
proporcio diapason est sicut 2 ad 1" (proportions du demi-ton, de
la quarte, de la quinte et de l'octave).

Relation entre les planètes et les sons.

„Qua per armoniam distanciam planetarum… Mese celum."

47r–v   Mesure de monocorde.

47: „De divisione monacordi. Dicendum est de prolatione proportionis per dimensionem monocordi." Inc. „Nam accipe cordam sonantem ut cordam cithare…" 47v: Expl. „… istorum terminabit in k. Isto modo poteris facile quot tonos et quot semitonia volueris. De divisione monacordi ut habetur in secretis philosophorum. Explicit monacordum."

47v   Notes sur les quatre prolations selon Philippe de Vitry.

„Quatuor sunt signa per que facile cognosci potest omnis cantus … signum est imperfectionis modi et temporis ut hic ☉ ○ ☽ ☾ ."

48r–v   Richard Cutell, Traité de déchant.

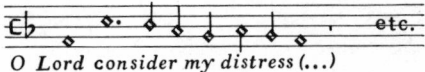

1 2 4 8 18 32 64

opinio Ricardi cutelli de london."

48: Inc. „It is to wit that then are ix acordis in discant…" 48v: Expl. „… as for to synge iii iiij or v thyrdis togedyr with a 5 folnande." (Éd. Bukofzer, p. 141–143.)

49–59v   Francon, Ars cantus mensurabilis.

49: „Incipit musica magistri Franconis continens 6 capitula. (…) Capitulum primum continet prologum et divisiones et diffinitiones terminorum ad ipsum tractatum pertinentium." Inc. „Cum de plana musica quidam philosophi…" 59v: Expl. „… ut si cum uno discordet cum aliis in concordantiis habeatur." (La fin manque, fin du chapitre 11 et 12–14; CS I 117–132; CSM 18, p. 23–75).

60–62v   Francon, Compendium.

60: (lacune du début) „Capitulum secundum continet quatuor regulas…" Inc. „Ego Franco de colonia utilitati juvenum cupiens deservire…" 62v: Expl. „… et talis ascensus multiplex est in infinitum. Explicit compendium magistri Franconis." (Éd. CS I 154–156.)

61: sur les portées restées vides, d'une main du XVIᵉ siècle:

O Lord consider my distress (…)

et essai de tablature de luth française.

62v–73v   Breviarium regulare musicae.

62v: „Incipit breviarium regulare musicae." Inc. „Multorum cantorum scripturas varias ac opera ad practicam musicae laborata investigando... 73r: Expl. „... punctis appositis perfectionem signantibus." (CSM 12, p. 15–31.)

74–75v   Notes sur les proportions et les intervalles (fragment).

74: „decem et octo. Inter sedecim et octo decim unus numerus intercidit..."

74v: „Semiditoni autem hoc modo..."

74v: „Semitonii autem majoris ad proporcionem..."

75: „Semitonii vero majoris proporcio hoc modo..."

75: „Tresdecim sunt species quibus omnis cantus texitur..."

75v: „Semitonium est spacium [im]perfectum duarum vocum..."

75v: „Tonus est perfectum spatium duarum vocum..." Expl. „... distantia inter duas voces."

76   Fin d'un traité de déchant.

„quinta et descendat per unam vocem erit..." Expl. „... ascendat per duas et erit in 12ᵃ." (Éd. SachsT, p. 264.)

76–77v   „Conclusiones" sur les ligatures et l'imperfection.

76: „Diverse conclusiones." Inc. „Prima conclusio quod longa possit inperfectam per brevem..."

76v: „Notularum alia perfecte alia perfectam imperfectam..."

77: „Ligature sunt due recta et obliqua. recta bipartita est..."

77v: Expl. „... Omnes medie sunt breves, nisi cum opposita proprietate conjungatur ut hic· ."

77v–78   Définitions et notes diverses.

Définitions de: musica, bisdiapason, diapason, diastema, dismutatio, alteratio, numerus, sexdecim, tonus.

78: tableau avec les relations entre les proportions et les intervalles (octave, quinte, quarte, ton, double octave).

78: „Et nota quod iste quatuor tales valent istas quatuor tales ...

78v   blanc.

Summary Catalogue II,1 (1922), p. 433. – Burney II, p. 134, 179, 396, 434–35. – CS I, p. XIII. – Clement Charles J. Webb, in: *English Historical Review* XXX (1915), p. 658. – MeechT, p. 236. – Bukofzer, p. 141–143. – Georgiades, p. 9. – Heinrich Besseler, „Franco von Köln", *MGG* IV (1955), col. 693 (col. 689–90 = f. 49). – ReaneyB, 31–37. – Gilbert Reaney, „The *Breviarium regulare musice* of Ms. Oxford Bodley 842", *MD*, XI (1957), 31–37. – ReaneyA, p. 14. – Ker, p. 23, 218. – CSM 12, p. 5–11. – CSM 14, p. 15–16 (sigle Ox). – SachsM, p. 32 (sigle O₁). – SachsT, p. 268. – Pächt III, p. 96–97 (n° 1118). – SachsC, p. 197 (sigle O). – CSM 18, p. 14–15 (sigle O). – Andrew Hughes, art. „Theinred of Dover", *The New Grove Dictionnary...* (1980), vol. 18, p. 731–732 (fac-sim. du f. 23r). – John Snyder, *The „De legitimis ordinibus pentachordorum of Theinred of Dover* (Ph. D. Diss., Indiana University, 1982). – Id., „Theinred of Dover on Consonance: A Chapter in the History of Harmony", *Music Theory Spectrum*, 5 (1983), 110–120. – Id., „Non-diatonic Tones in Plainsong: Theinred of Dover Versus Guido d'Arezzo", *La Musique et le Rite sacré et profane* (Strasbourg, 1986), t. II, p. 49–67 (fac-sim. des f. 23ʳ et 28ʳ, p. 57 et 58). – BernhardCC, p. 3.

OXFORD, Bodleian Library   Auct. F.3.15 (S.C. 3511)

Anciennes cotes: 21., puis: 98.
XIIᵉ s. 68 f. Parchemin. Reliure du XVIIIᵉ s. Volume factice; les f. 1 à 20 forment un cahier. Justification pour ce cahier: 200 × 130 mm, deux colonnes de 60 mm. Initiales ornées de grotesques (f. 2, 31v). Origine irlandaise. Provenance: Thomas Allen (ex dono 1601). Platon, *Timée* (trad. de Chalcidius). Comput ecclesiastique. Traité de théologie et de philosophie sur les Catégories d'Aristote.

20	Tableau disposé triangulairement en forme de V renversé.
	Ce tableau donne sur deux échelles une progression diatonique explicitée par les séries numériques de Boèce et de Gerbert de Reims. En marge, de part et d'autre du tableau, des crochets précisent les intervalles entre les degrés de l'échelle. En marge, une légende „talia cetera, id est diapason..." introduit la figure.

Summary Catalogue II,2 (1937), p. 666–667.

OXFORD, Bodleian Library   Canonici Class. Lat. 273 (S.C. 18854)

Ca. 1400. 73 f. Parchemin. 295 × 200 mm. Reliure: maroquin rouge. 7 × V (1–70). Justification: 210 × 115 mm; 34 lignes. Écriture humanistique textuelle. Décoration: initiales alternativement bleues et rouges; schémas tracés à main levée. 70v: „Olim Stephani Blancij Bononiensis". Origine italienne (Bologne?). Ce volume formait à l'origine un tout avec *GB-Ob* Canonici misc. 212.

1–62v	Boèce, De institutione musica.
	1: Inc. „Omnium quidem perceptio sensuum..."; 15v–21v: livre II; 21v–38v: livre III; 38v–56v: livre IV; 56v: début du livre V; 62v: Expl. „... diatonicis generibus nusquam una." (Friedlein, p. 177–371).
62v	Extrait sur la relation entre les dimensions de la terre et les proportions musicales.
	Inc. „Juxta Erastotenem tocius terre ambitus..." Expl. „... id est clii stadia."
63r–v	Macrobe, Commentarii in Somnium Scipionis (II, 1. 14–25).

	63: Inc. „Ex omni innumera varietate numerorum... 63v: Expl. „... Et fit ex quadruplo." (Cf. éd. Willis, p. 97, l. 23–99, l. 18.)
63v–64	Macrobe, Commentarii (II, 2, 3–14).
	63v: Inc. „Omne solidum corpus trina dimensione..." 64: „... ab impari autem tria nouem viginti septem." (Cf. éd. Willis, p. 100, l. 2–101, l. 18.)
64–65v	Martianus Capella, De nuptiis Philologiae et Mercurii (extraits du livre IX).
	64: „Omne quod rite sonat aut tonus est ... appelatur sonus" (Cf. Dick, p. 494, l. 13–495, l. 5.)
	„Omnis modulatio constat ... diplasia hoc est dupli" (Dick, p. 496, l. 13–497, l. 19.)
	„Singuli quoque tropi tetrachorda faciunt..." f. 64v: „... debeant convenire" (Dick, p. 499, l. 1–4.)
	„et tetracordum est cordarum [quatuor] cum certa qualitate divisio" (Dick, p. 510, l. 2–3.)
	„Item tetracordum quippe est quatuor sonorum in ordine positorum congruens (?) istaque concordia."
	„phtongos sonos dicimus ... ac perseuerat sonus" (Dick, p. 501, l. 3–6.)
	„Tantum valet sonus in musica quantum punctum in geometria et quantum unum in arithmetica."
	„Epitasis est uocis commotio a loco grauiore in acutum locum et epithasis dicitur productio" (Dick, p. 501, l. 13, 14 et p. 502, l. 1.)
	„Anesis vero contra est des[c]ensus ab acuminis ... emittitur." (Dick, p. 502, l. 1–4.)
	„diastema est uocis spacium ... ut sunt xii ad iii." (Dick, p. 506, l. 12–509, l. 3.)
	„Sistema est magnitudo uocis ex multis modis..." 65: „... eius que sit enarmonie." (Dick, p. 509, l. 6–512, l. 4.)
	65: „Transitus est alienatio uocis in figura altera ... in femineos modos" (Dick, p. 514, l. 12–22.)
	„Mellos est actus acuti aut grauioris soni..." 65v: „... multiplicis expressio" (Dick, p. 515, l. 2–4.)
	„omnis tamen qui melos atque componere" (Dick, p. 516, l. 2–4.)
	„sintigia (!) id est copula duorum pedum..." Expl. „... sociantur dissimilitudinem." (Dick, p. 522, l. 17–523, l. 2.)
66–69	Office rythmique de St Augustin.
	66: Inc. „Celestem regem veneremur in omnibus..." 69: Expl. „... et celi perpetui fruamur gaudio." (Chevalier 3418.)
69v	1. Proportions:

2016 : 1944 : 1890 (enh.), 1701 (diat.), 1792 (chrom.) : 1512.
2. Relations numériques relatives au tétrachorde nete diezeugme-
non (cf. Boèce, *De institutione musica*, IV, 8).

Coxe III (1854), col. 225–226. – Summary Catalogue IV (1897), p. 323. – Frere II, p. 130
n° 387. – Manque chez Leonardi. – Pächt II (1970), p. 67 (n° 657). – Gushe CSM 21, p.
45–46 (sigle OxC). – Bower, p. 227.

OXFORD, Bodleian Library   Canonici Misc. 42 (S.C. 19518)

Ancienne cote: 61
Fin du XVe s. ii + 188 + 1 f. Papier. 200 × 145 mm. Reliure en parchemin sur carton du
XVIIe ou du XVIIIe s. (comme Canon. Misc. 339). 7 × V (1–70) alternance de cahiers de
VII et de III (71–150) 3 × V (151–180) IV (181–188). Justification: 150 × 95 mm; 30 lignes.
Écriture humanistique. Notation mesurée blanche sur 4 ou 5 lignes. Initiales et titres en
rouge; rubriques rouges; schémas tracés au compas. Origine italienne.

1–147   Ugolino d'Orvieto, Declaratio musicae disciplinae (Livre I).
       1: „Yhs / In nomine sancte et individue trinitatis. Amen. Declara-
       tio musice discipline. Ugolini urbevetani Archipresbiteri ferra-
       riensis. Liber primus incipit." Inc. „Potentiarum anime nobilis-
       sima esse noscitur intellectiva potentia…" 147: Expl. „… Hec
       differentia ad inferius quartam dicitur sine equalitate. Finis. In-
       itium." (Éd. CSM 7, I, p. 13–230.)
147v–148   blancs
148v–149   Deux dessins représentant une Vierge à l'Enfant avec un homme
       assis en train d'écrire, un ange et un personnage debout avec une
       épée.
149v–150   blancs
151–184   Regulae seu declarationes tractatuum.
       151: „Regule seu declarationes tractatuum." Inc. „Post diffe-
       rentiarum gradualium et alleluia ac ipsorum versuum…" 184:
       Expl. „… *in medio vestrum sum sicut qui ministrat.*"
184v–185   Marchetto de Padova, Lucidarium (XIV–XVI).
       184v: „De clavi, quid sit et quot." Inc. „Clavis est referatio no-
       tarum in cantu…" 185: Expl. „… et haec de musica plana suffi-
       ciant ibi dicta. *Le petit Basque.*" (Cf. GS III, p. 120–121.)
185v–188   Compositions à deux voix (superius et ténor).
       185v–186: *O fonte de belezze*
       186v–187: *Biancho ligiadro*
       187v–188: sans titre

Coxe III (1854), col. 462. – Summary Catalogue IV (1897), p. 400. – John Frederick
R. Stainer et C. Stainer, *Dufay and His Contemporaries* (London, 1898), p. VIII. – Seay,

p. 111, 123–128 (sigle O), *passim*. – CSM 7, t. I, p. 4–5 (planche 2 = f. 1). – HugloT, p. 428, 437 et 457. – RISM B IV⁴, p. 665–666.

OXFORD, Bodleian Library   Canonici Misc. 212 (S.C. 19688)

Vers 1400. 52 f. Parchemin. 295 × 200 mm. Reliure en maroquin rouge. II (1–2) 5 × V (3–52) II (53–54). Justification: 210 × 120 mm; 34 lignes. Écriture humanistique textuelle. Notation dasiane. Origine italienne. f. 52: „… Stephanus Blancius" (main du XVIIᵉ s.) Ce volume formait originellement un tout avec *GB-Ob* Canonici Class. Lat. 273.

1–2	blancs
3–11v	Musica enchiriadis.
	3: Inc. „Sicut vocis articulare elementarie atque individue…" 11v: Expl. „… huiusce ratiuncule ponamus hic finem." (GS I, p. 152–173; Schmid, p. 3–59.)
11v–30	Scolica enchiriadis.
	11v: „Pars altera." Inc. „Musica quid est. M. Bene modulandi scientia…" 30: Expl. „… tropique retinet modum." (GS I, p. 173–212; Schmid, p. 60–156.)
30–31	Mesure de monocorde.
	30: „Super unum concavum lignum…" 31: Expl. „… auricularis gravi tetrardo notabilis." (Cf. R. Schlecht, „Hucbald. Musica Enchiriadis deutsch (…)", *MfM* VI (1874), p. 163–191, VII (1875), p. 2–93, d'après *D-Mbs* Clm 14649 et Clm 14272, p. 45–47. Smits van WaesbergheG, p. 181 (62ª/92); éd. Schmid, p. 179–181.)
31v–39v	Hucbald, De harmonica institutione.
	31v: Inc. „Ad musice initiamenta quemlibet ingredientem…" 39v: Expl. „… utique regione diductus protenditur." (GS I, p. 104–121a, l. 16).
39v–40	De modis.
	39v: Inc. „Autenticus autoralis et auctoritate plenus…" 40: Expl. „… eis Deus sed pareat altissimus." (GS I, p. 149; éd. Bailey, p. 50–54.)
40–52	Aurélien de Réomé, Musica disciplina (avec d'importantes variantes).
	40: Inc. „Propitia divinitatis gratia nutuque favente divino…" 52: Expl. „… veluti hoc R. dum staret habraam" (Éd. CSM 21, p. 136–153 et apparat critique à l'édition de la *Musica disciplina, passim.*)
52	(D'une main du XVIIᵉ s.) „Enchiriadis vita ex libro sigeberti Mo-

nachi Gemblacensis [Gembloux] de Illustribus Ecclesiae scripto-
ribus [1639]" (suit la notice extraite de cet ouvrage, et la signature de la même main:) „Stephanus Blancius."

Coxe III (1854), col. 583. – Summary Catalogue IV (1897), p. 403. – Smits van WaesbergheG, p. 181. – Chartier, p. 129–130. – CSM 21, p. 30–34, 45–46 (sigle OxC). –
Terence Bailey, „*De Modis Musicis*: A New Edition and Explanation", *KmJb*, LXI–LXII
(1977–1978), p. 47–60. – Schmid, p. VIII (sigle X).

OXFORD, Bodleian Library   Canonici Misc. 339 (S.C. 19815)

XVe s. (2e moitié). 30 f. Papier (1–14), parchemin (15–30). 200 × 140 mm. Reliure moderne. VII (1–14), IV (15–22), IV (23–30). Justification: 150 × 91 mm (1–14); 2 × 40 ×
130 mm (f. 15–30); 31 lignes (1–14), 33 lignes (15–30). Écriture humanistique posée.
Initiales rouges; schémas tracés au compas. F. 14v: „Ex bononia 1453". Origine italienne. 1–14: Thimotée de Vérone, *Lettre aux Princes d'Italie* (Bologne, 1453).

15–29v	Jean de Murs, Musica speculativa (version B).
	15: „Incipit musica magistri iohannis de muris." Inc. „Quoniam musica est de sono relato ad numeros..." 29v: Expl. „... sunt in hoc ordine consequentes deo gratias. Amen."
30ra	Calcul des intervalles sur le monocorde.
	30ra: „Alique regule" Inc. „Intendere diapason est ipsum dupli-care..." 30ra: Expl. „... remittere semitonium majus est sum-mere decimam octavam partem et ab eo subtrahere."
30rb–30va	Mesure de monocorde.
	30rb: „Alia regula dividendi lineam." Inc. „Medietas linee facit G sol re ut. Quarta pars. cfaut..." 30va: Expl. „... inter c solfaut et d la sol re."

Coxe III (1854), col. 692. – Summary Catalogue IV (1897), p. 406. – Michels, p. 122 (sigle
O₃).

OXFORD, Bodleian Library   Digby 17

XIIIe–XIVe s. 178 f. Parchemin et papier. 164 × 120 mm. Volume composite. *Olim* „Liber
Joh. Parker", puis collection Thomas Allen (ms. n° 54). Origine anglaise. Mélange
d'astronomie.

91r–109	Quatuor libri elementorum musices.
	91: à la suite de la table des chapitres, „Diffiniciones." Inc. „In-tervallum est soni gravis acutique spaciorum habitudo..." 109v: Expl. „... 27. Septem modos chromatico modulationes consti-tuare" [tableau]. (Cf. Oxford, Digby 90.)

Macray, col. 12–14. – Frere I, p. 133, n° 393.

OXFORD, Bodleian Library   Digby 25 (S.C. 1626)

Ancienne cote; K.h.25 (à l'intérieur du plat sup.); 3 A 184 (f. 1)
Début du XII° s. ii + 56 + ii f. Parchemin. 165 × 110 mm. Reliure du XVII° s. restaurée.
Composition: 7 × IV (1, 9, 17, 25, 33, 41, 49). Justification: 135 × 62 mm (f. 1–31v: 2 col.
de 25 mm environ); 39 l. Notation neumatique (neumes bénéventains) sur trois lignes (le
copiste a utilisé les lignes de la réglure; fa rouge, ut jaune); notation alphabétique spatialisée (f. 24, 16 r–v). Initiales en rouge. Origine: Italie centrale proche de la „zone béné-
ventaine" (cf. HugloT, p. 197). Provenance: Thomas Allen (Gloucester Hall), donné en
1633.

1–31v	Tonaire.
	1: Inc. „*Primum querite regnum dei. . .*" 31v: Expl. „*. . . et in se-cula seculorum amen.*" (Cf. CS II, p. 81b–109b.)
32–34v	Traité versifié sur les intervalles et les modes.

32: „De compositivis et specialibus partibus diatessaron." Inc.
„Quattuor e ptongis constat diatessaron omnis. . ." (7 vers).
„De compositivis et specialibus partibus diapente. Porro sonis
quinis constat semper diapente. . ." (9 vers).
„De simphonie diatessaron ac diapente. Nunc gravibus vervis
variantur nunc et acutis. . ." (4 vers).
32v: „De compositivis et specialibus partibus diapason. Ex his
conexis diapason conditur omnis. . ." (22 vers).
„De compositivis partibus proti et quota species sit diapason.
Protus enim primam sibi vult diapente remissam. . ." (4 vers).
„De plagali ejusdem autenti. Autento similis suus extat collatera-
lis. . ." (5 vers) suivis (f. 33) de diagrammes illustrant la division
de l'octave.
33: „De partibus deuteri et ejus plagalis et quota species diapason sint." (10 vers); 33v: diagrammes.
33v: „De partibus triti et ejus plagalis et quote species sint diapason. Tritus habet tensam tertiam diapente secundam. . ." (5 vers);
34: diagrammes.
34: „De partibus tetrardi et ejus plagalis et quote species sint diapason. Tendit postremus primam diapente tetrardum (4 vers);
34v: diagrammes.
34v: „Admiranda vide quam semper diapente. . ." (6 vers). „Hoc
quoque cognoscas mer ////////////////// . . ." (7 vers).
„Praeterea neruo transcendere prevalet uno. . ." (4 vers).
35: „Crede quod antiphone seu responsoria quaeque. . . (5 vers).
„A ////////////// diatessaron extat post diapason. . ." (4 vers).
„Si quis cantus erit qui nec diapente tenebit. . ." (4 vers).
„At si fit cantus cantum diapente retentus. . ." Expl. „At tamen

huic melius dabitur cui sepe dat usu." (Chaque strophe est suivie
d'une liste de deux ou trois incipit de répons et d'antiennes.)

Macray col. 20–21. – Summary Catalogue II, 1 (1922), p. 70. – CS II, p. 81. – Walther
Holtzmann, „Kardinal Deusdedit als Dichter", *Historisches Jahrbuch der Görres-Ge-
sellschaft*, LVII (1937), p. 217–232. – *Latin Liturgical Manuscripts* (...) Guide to an Exhibition held during 1952 (Oxford, 1952), p. 48 (n° 99). – Pächt II, p. 3 (n° 23). – HugloT,
p. 197–198. – HugloO, p. 504. – MerkleyT, p. 91–93. – BernhardCC, p. 11.

OXFORD, Bodleian Library   Digby 90 (S.C. 1691)

Ancienne cote: K.h.90 (plat sup.); 14 (f. 1).
XIVe s. ii + 64 + ii f. Parchemin. 220 × 145 mm. Reliure du XVIIe s. restaurée (cf. Ms.
Digby 25). Composition: III (1–6) 3 × VI (7–42) V (43–52) VI (53–64). Justification: 165
× 115 mm (deux col. de 50 mm environ f. 23–25 et 56–63v); 32 l. Écriture minuscule anglaise (cursive posée). Notation carrée sur quatre lignes et notation mesurée noire sur
quatre lignes. Initiales et titres soulignés en rouge; rubrication rouge. Origine anglaise.
Provenance: Thomas Allen (Gloucester Hall). Le manuscrit a été apporté en 1388 aux
Franciscains d'Oxford par le Frère John of Tewkesbury (cf. f. 6v et Reaney, art. cit.,
p. 354).

1–63v   Anon. dit Simon Tunstede, Quatuor principalia Musice.
           1: „Tabula super quatuor principalia Musice. Rubrice A. De mu-
           sica armonica in primo principale c. 6..." (rubriques).
           6v: „Ad informationem scire volentibus principia artis musice:
           istum libellum qui vocatur Quatuor principalia musice Frater Jo-
           hannes de Teukesbury contulit comitati Fratrum minorum Oxo-
           nie auctoritate et assensu Fratris Thome de Kyngusbury magistri
           tunc ministri Anglie; videlicet anno domini 1388..."
           7: Inc. „Quemadmodum inter triticum et zizannia..." 63v: Expl.
           „... dedignationem hic non inserebat." (Éd. CS IV, p. 200–298).
           64: blanc.

Macray, col. 100–101. – Summary Catalogue II,1 (1922), p. 73. – Hawkins, I, p. 291. –
Burney II, p. 178, 394, 395. – Gilbert Reaney, „Zur Frage der Autorenzuweisung in
mittelalterlichen Musiktraktaten", *Bericht über den ... Kongress Kassel 1962* (Kassel,
1963), p. 353–354. – Ker, p. 142. – SachsC, p. 197 (sigle O$_5$). – BernhardCC, p. 35.

OXFORD, Bodleian Library   Digby 191 (S.C. 1792)

XIIIe, début XIVe s. iii–78 f. Parchemin. 290 × 215 mm. Justification au f. 69: 292 × 216
mm, 41 lignes. Écriture textuelle fortement abrégée. Origine anglaise. Ex-libris de Merton College du XVe (?) s. et sommaire (XVe) de la partie A (iii, 1–78) au f. iii. Mélanges
d'arithmétique, de géométrie et d'astronomie.

68v–70v Brevis expositio musicae (abrégé de Boèce, De institutione musica, I et II).
      68v: „Incipit breuis exposicio musicae" Inc. „De [e]uidencia eorum quae dicuntur in musica primo sciendum est quod causa materialis est multitudo relata ad sonos, causa efficiens..." 70v: Expl. „... ibi demonstratur nec in minori proportione potest reperiri." (Cf. *GB-Obl*, Laud. Misc. 644, f. 139–142.)

Macray IX (1883), col. 205–207. – Summary Catalogue II/1 (1922), p. 75. – Bubnov, p. LI. – Frederick James Powicke, *The Medieval Books of Merton College* (Oxford, 1931), p. 138, n° 522. – Bower, p. 245.

OXFORD, Bodleian Library Lat. lit. b 7

Volume composite formé de feuillets détachés de provenances diverses. Les f. 103 et 104 (parchemin, c. 270 × 180 mm) proviennent des plats intérieurs d'une reliure. Les versos autrefois collés aux plats sont fortement endommagés et difficilement lisibles.

103–104v Fragment de tonaire et mélodies mnémotechniques.
      „Ter terni sunt modi..."
      „Ter tria junctorum..."
      „Qui sunt vel quales... Hiis discernuntur formis quecumque canitur." (Cf. CSM 4, p. 15, 39.)

OXFORD, Bodleian Library Laud. Lat. 118 (S.C. 1597)

Ancienne cote: D.89 (cote du XVIIe s.)
Début du XIe siècle. 98 f. Parchemin. 290 × 235 mm. Reliure de la fin du XVIIIe s. 12 quaternions numérotés (IV, f. 82–95). Justification: 205 × 150 mm (le f. 90 n'a pas été justifié; il devait comporter un diagramme qui a été gratté). 27 lignes. F. 1: ex libris G. Laud (1633). Origine: Orléans (cf. Summary Catalog, p. 16). Martianus Capella, *De Nuptiis Philologiae*; Macrobe; Honoratus, *De centum metris liber*; *de ultimis syllabis liber*.

90   Macrobe, Commentarii in somnium Scipionis (II,1,14–25).
      Inc. „Ex innumera varietate numerorum paucis et numerabiles ..." Expl. „... Disdiapason continet tonos duodecim et fit ex quadruplo." (en marge: „Ambrosii. Macrobii. De Symphoniis. Musicae.") (Cf. Willis, p. 97 l. 23–99 l. 18.)

Coxe II/1 (1858), col. 53–54. – Summary Catalogue II/1 (1922), p. 16,69. – Ogilvy, p. 197, 200, 246.

OXFORD, Bodleian Library Laud. Misc. 644 (S.C. 1487)

Ancienne cote: Laud K.61.
XIIIe s. (2e moitié). 227 f. Parchemin. 315 × 210 mm. Reliure du XVIIe s. Le traité est co-

pié sur les dernières pages d'un cahier. Justification: 210 × 130 (deux colonnes de 60 mm environ). Initiales bleues et rouges; rubrication bleue et rouge. Ex libris G. Laud, 1633 (f. 2). Origine: cathédrale ou diocèse de Bayeux. Datation: 1268–95 (cf. f. 14); vers 1268–74 selon Pächt; 1273–74? selon WatsonO. Mélange d'astronomie et d'astrologie; calendrier de Bayeux.

139–142   Résumé de Boèce, De institutione musica, I et II.

              139: „Incipit musica boetij." Inc. „Ad evidentiam eorum quae dicuntur in musica primo sciendum quod causa materialis ut prius dictum est, est multitudo relata ad sonos…" 142: Expl. „… ad 2048 ut ibi demonstratur nec in minori proportione potest reperiri." (Cf. *GB-Obl* Digby 191, f. 68v–70v.)

Coxe II/1 (1858), col. 465–468. – Summary Catalogue II/1 (1922), p. 16, 63. – *Latin Liturgical Manuscripts and Printed Books*. Guide to an Exhibition held during 1952 (Oxford, 1952), p. 45 (nº 92). – Frederick James Carmody, *Arabic Astronomical and Astrological Sciences in Latin Translation* (Berkeley, 1956), p. 158. – Pächt I, p. 41, nº 529. – Saxl III, p. 386, Abb. 184. – WatsonO, I, p. 102; II, Pl. 126 (= f. 16 et 102). – Bower, p. 245.

OXFORD, Bodleian Library   Lyell 57

Ancienne cote: 41

XIe s. (1ère moitié). 32 f. Parchemin. 290 × 215 mm. Reliure moderne. V-2 (1–8), 3 × IV (9–16, 17–24, 25–32). Justification: 140 × 207 mm (à la pointe sèche); deux colonnes de 70 mm (f. 7v–31); 33 lignes. Minuscules du XIe s. (deux ou trois mains); titres marginaux du XVe s. Origine: Allemagne du Sud. Provenance: Tegernsee, puis Maihingen, Fürstliche Oettingen-Wallerstein'sche Bibliothek (Ms. I 2. fol. 5) Ce manuscrit peut être rapproché de *D-Mbs* Clm 14272 et Clm 14689 (St.-Emmeram). Diagramme des zones de la terre; traité d'arithmétique; Hucbald, *Ecloga de calvis* (7v–8v); Palladius, *De re rustica* I–III (f. 9–31).

5v   Mesure de l'altitude.

          „De mensura altitudinis cuiusque rei" (d'une main du XVe s.). Inc. „Ad existimandam cuiusque rei altitudinem. Sole lucente quaecumque res illa fuerit…" Expl. „… non montuosa neque vallosas plana fuerit." (Cf. *D-Mbs* Clm 14689.)

5v   Reginon, Epistola de harmonica institutione (extrait).

          „Scriptum no[tabi]le de musice artis materia" (en marge, d'une main du XVe s.). Inc. „Nosse oportet peritum cantorem quod non omnis tonorum consonantia…" Expl. „… et e contra in responsoriis magis consideret finem et in toni consonantia, quam initium." (Cf. *D-Mbs* Clm 23577, f. 78v; cf. GS I, p. 231a l.18 – p. 231b l. 37; éd. BernhardCG1, p. 40–42.)

6–7   Mesure de monocorde.

          6: „Tractatulus de mensurando (?) monochordo" (en haut, d'une main du XVe s.) Inc. „Monochordum divisurus tres primum magadas prouidendum censeo..." 7: Expl. „... ad quam consonantiam diapason probatur reddere." (Cf. Smits van WaesbergheG, p. 160; cf. *D-Mbs* Clm 23577, f. 75–78 et Clm 19489, p. 462.) Le traité est suivi d'un tableau relatif à la logique.

R.W. Hunt, „The Lyell Bequest", *Bodleian Library Record* III, 1950, p. 77. – Smits van WaesbergheG, p. 160. – HugloT, p. 78, 457. – Sigrid Krämer, „Eine weitere Handschrift aus Tegernsee in der Bibliothek Bodleiana in Oxford (Ms. Lyell 57)", *Codices manuscripti*, I (1975), 84–88. – Bernhard, p. 10. – BernhardCG1, p. 38.

OXFORD, Bodleian Library   Rawl. C. 270 (S.C. 12130)

Ancienne cote: 62

Ca 1100. 22 f. (et 6 gardes avant, 15 gardes arrière non coupées du XVIIIe s.). Parchemin. 185 × 115 mm. Reliure du XVIIIe s. très endommagée. VI-2 (1–2, 3–7, 8–10) VII-2 (11–13, 14–18, 19–22). Justification: 130 × 80 mm; 25 lignes. Initiales rouges ou vertes. Origine: Nord-est de la France (cf. DMA.A.Xb, p. 78); Sud de l'Angleterre selon SachsM.

1r–v	Introduction.
	1r: Inc. „Ars est iam utillima..." 1v: Expl. „... ut levius intelligant et intellecta teneant." (Éd. DMA.A.Xa, p. 14–16.)
1v–3	Traité sur les consonances.
	1v: Inc. „Datur donante deo manus pro monochordo..." 3: Expl. „... Tribus tonis et semitonio componitur, ut in praesenti figura describitur." Suivi d'un appendice: „Sex consonantiae quas praedixi describuntur... Eodem modo omnes cantus." (Éd. *ibid.*, p. 17–25.)
3–9v	Traité de plain chant.
	3: Inc. „Musica est peritia modulationis sonitu cantuque consistens..." 9v: Expl. „... sed in sociali, quasi ex ea exordium sumpsisset, finem sumat." (Éd. *ibid.*, p. 26–38.)
9v–11	Mesures de monocorde.
	1) 9v: „De symphonia facienda." Inc. „Prius dividenda est tota linea in quattuor partibus..." 10v: Expl. „... et in quarta pone B cuius corda vocatur ypateypaton." (Cf. Smits van WaesbergheG, p. 164 et s.; éd. BernhardCG1, p. 191–192.)
	2) 10v: Inc. „Totam tabulam divide in quattuor..." Expl. „... eritque semitonium in diatonico genere." (Cf. Smits van WaesbergheG, p. 159.)
	3) 10v: Inc. „Cromaticum autem et enarmonicum sic facies..." 11: Expl. „... quod iterum divides in duo in genere enarmonico." (Cf. Smits van WaesbergheG, p. 182.)

2) 12: „Si fistula maior minorem in se totam habeat et in super longitudinis eius partem XV haec consonantia semitonium erit." (phrase finale d'une mesure).

3) 12: Inc. „Fistulae si aequalis grossitudinis fuerint..." Expl. „... Si octava minoris parte supergreditur tono concordant." (Éd. SachsM, p. 48, 49 et ss.)

12–13v   Mesures de cloches.

1) 12: Inc. „Quincumque (!) vult facere cimbala recte sonantia..." Expl. „... hoc emendare procura cum cote et limma." (Éd. Smits van WaesbergheC, p. 54 et s.)

2) 13: „De tintinnabulis" Inc. „Sonitum tintinnabulorum si quis rationabiliter..." 13v: Expl. „... superetur quarta parte, hoc est semitonium." (Éd. Smits van WaesbergheC, p. 39.)

14r–v   Mesure de tuyaux d'orgue.

14: „De organis" Inc. „Primam fistulam quantae magnitudinis vis..." 14v: Expl. „... ut superiores gravioris ordinis fecisti."

14v: „Mensura isto modo finita ... a plectro mensurandae sunt omnes." (Éd. SachsM, p. 116–123.)

15   Notes sur la notation intervallique.

„Tonus intensus hoc modo annotatus erit ... et sic remittitur." „[E] voces unisonas equat ... uocum differentias discernunt." (Éd. DMA.A.Xb, Abb. 1.)

15v   Traité d'organum versifié.

15v: Inc. „Quisquis velis camenarum melodiis canere..." Expl. „.a. cum finem ponit cantus organum .G. iubilet" (Éd. DMA.A.Xb, p. 33–34.)

15v–16   Gerbert, Lettre à Constantin.

15v: Inc. „Constantino suo gerbertus scolasticus. Quae in decimo capitulo secundi musicae..." 16: Expl. „... est enim multiplicata proportio sesquialtera." (Éd. Bubnov, p. 29 s.)

16v–17   Traité des proportions.

16v: Inc. „Proportio est duarum rerum ad se invicem comparabilis collatio..." 17: Expl. „... ab octonario, septem intermissis." (Éd. DMA.A.Xb, p. 35–36.)

17–19v   Traités relatifs aux proportions des intervalles.

1) 17: Inc. „Proportio est duarum rerum ad se invicem comparabilis collatio..." 17v: „Haec omnia igitur musicae rationi conve-

11–12   Mesures de tuyaux d'orgue.

1) 11: „De organis." Inc. „Mensuram et ordinem organici instrumenti qui scire voluerit..." 12: Expl. „... quod istae mensurae a plectro mensurandae sunt omnes." (Éd. SachsM, p. 93–95.)

niunt..." Expl. „... absque dubio sicut duplum in numero, sic diapason in musica." (Éd. *ibid.*, p. 37.)

2) 17v: Inc. „Partes quidem diapason sunt diapente et diatessaron..." 18: Expl. „... Diapente constituunt tres toni et semitonium; diatessaron vero duo toni et semitonium." (Éd. *ibid.*, p. 38.)

3) 18: Inc. „Est autem in musicis diapason: quae in numeris dupla proportio..." 19v: Expl. „... octies ducta medietatem: sedecies ducta restituit totius integritatem." (Éd. *ibid.*, p. 39–41.)

20–22v   Odon de Tournai, Traité de rithmimachie.

20: „Prefatio in rithmimachia" Inc. „Quinque genera inaequalitatis regulam..." puis: „Textus rithmimachiae. Sit tabula ad latitudinem..." 22v: Expl. „... ex adversa parte per predam adquirendus est." (Éd. Borst, *op. cit.*, p. 344–355.)

Catalogi codicum manuscriptorum Bibliothecae Bodleianae, V/2, 1878, col 117. – Summary Catalogue III (1895), p. 210. – Burney II, p. 129–130. – Bubnov, p. LI–LII. – SachsM, p. 32 (sigle OR). – HugloT, p. 129, 457. – DMA.A.Xa, p. 10, *passim*, Abb. 1 (= f. 1), Abb. 2 (= f. 6), Abb. 3 (= f. 6v). – DMA.A.Xb, p. 80–81, *passim*, Abb. 1 (= f. 15), Abb. 2 (= f. 3), Abb. 8 (= f. 10v). – Arno Borst, *Das mittelalterliche Zahlenkampfspiel* (Heidelberg, 1986), p. 293. – Bower, p. 250. – BernhardCG1, p. 190.

OXFORD, Magdalen College   Lat. 19

XIIe s. ii + 78 + 11 f. Parchemin. 240 × 155 mm. Reliure de cuir sur ais de bois restaurée au XVIIe siècle. Quaternions (1–72) + III (73–78). Justification: 172 × 105 mm. 29 lignes. Écriture minuscule du XIIe s. Initiales vertes et rouges; titres de chapitre en rouge et schémas tracés au compas.

1v–78r   Boèce, De institutione musica.

1v: „Incipit Musica... Boetii. Prohemium musicam naturaliter nobis esse coniunctam et honestare vel evertare mores." Inc. „Omnium quidem perceptio sensuum..." 78r: Expl. „... ut in diatonicis generibus nusquam una."

78r–v   Mesure de tuyaux d'orgue.

78r Inc. „Si fistula equalis grossitudinis fuerit et maior minorem in sua longitudine..." 78v: „... diatessaron erit. Si octaua minoris parte super // ur tono concordant."

Coxe II (Magdalen College), p. 15. – Bower, p. 229.

OXFORD St. John's College   150

Ancienne cote: Abac: ij.N.50

XIe s., XIIe s. (à partir du f. 25). 43 f. Parchemin. 215 × 115 mm. Reliure du XVIe s. en cuir brun sur carton. Composition: V-2 (1–8) IV (9–16) V-2 (17–24) 2 × IV (25–32, 33–40) IV-2 (41–43). Justifications: 170 × 75 mm, à la pointe sèche (f. 1–24), 39 lignes; 166 × 75 mm, à l'encre, 36 lignes (f. 25–43). 1–24: décoration rouge et verte; titres rouges et verts, rubriques. Notation „aquitaine" à points superposés (f. 16v, 18v). Notation alphabétique rouge. Schémas à main levée, rouge, vert et jaune. 25–43: rouge pour les titres et les initiales; grotesques dans les marges supérieures (f. 27v, 30, 33–34, têtes bicéphales, etc...). Origine: Sud de la France (selon HugloD et Smits van Waesberghe, DMA.A.IV). Provenance: frater Johannis de Erghom (?) (feuillet de garde, verso).

1–10	Guy d'Arezzo, Micrologus.

1: „In nomine summe et individue trinitatis incipit micrologus id est brevis sermo in musica. Versus sequentis operis." Inc. „Gymnasio musas placuit..." 10: Expl. „... cuius summa sapientia per cuncta viget secula Amen." (GS II, p. 2–24; CSM 4, p. 79–233.)

10–14   Guy d'Arezzo, Regulae rhythmicae.
10: Inc. „Gliscunt corda meis hominum..." 14: Expl. „... Omnibus ecce modis descripta relatio vocis." (GS II, p. 25–33; éd. DMA.A.IV, p. 93–128.)

14–15   Guy d'Arezzo, Prologus in Antiphonarium.
14: Inc. „Temporibus nostris super omnes homines..." 15: Expl. „... si sicut debent ex industria componantur." (GS II, p. 34–37).

15–17   Guy d'Arezzo, Epistola ad Michaelem (début).
15: Inc. „Beatissimo atque dulcissimo fratri..." 17: „... facili tantum colloquio denudamus." (GS II, p. 43–46a.)

17–22   Pseudo-Odon, Dialogus de musica.
17: Inc. „Quid est musica? M. veraciter canendi scientia..." 22: Expl. „... in secula seculorum amen." (GS I, p. 252–264.)

22–24   Guy d'Arezzo, Epistola ad Michaelem (suite).
Notation alphabétique (A–G, a–g), les deux octaves numérotées de I à VII, puis: „Qui vero monocordum desiderat..." 24: Expl. „... cujus liber non cantus sed solis philosophis utilis est." (GS II, 46a–50.)

24   Règle d'identification des tons.
„Ad iudicium primi toni hec antiphona ponitur: *Primum querite regnum dei* (place réservée pour la notation musicale) mox enim ut cum fine ... ut cum antiphone principio; bene valeat convenire hoc modo." (Tonaire d'Italie centrale, apparenté au tonaire d'Odon, cf. HugloD, p. 125.)

24   Guy d'Arezzo, Epistola ad Michaelem (extrait).
24: „Sicut in omni scriptura..." Expl. „... dupliciter designan-

tur hoc modo, sed dissimiliter." (GS II, p. 46a, 1. 10–22 pour cette dernière partie).

Tableau de solmisation (en disposition horizontale).

24 Vers sur les intervalles.

Inc. „Dic mihi quot formae sunt cantus queso magister..." Expl. „... Quae minor his fuerit non cantus, at oda vocatur." (6 vers).

24v blanc

25–36 Bède, Liber de arte metrica.

36v–43 Bède, Liber de schematibus et tropis divinae scripturae.

CoxeC II, p. 46. – Smits van WaesbergheG, p. 239, *passim* (sigle O₁). – CSM 4, p. 44 (sigle O₁). – Hüschen, col. 1852. – Ker, p. 218. – HugloD, p. 125. – HugloT, p. 200. – DMA.A.III, p. 43 (sigle O₁). – DMA.A.IV, p. 72–73. – MerkleyT, p. 156–158.

OXFORD, St. John's College   188

Fin du XIIIᵉ s. 107 f. (les f. blancs ne sont pas comptés). Parchemin. 175 × 135 mm. Reliure du XVIᵉ s. en cuir brun sur ais de carton. Main A; justification de 120 × 85 mm (deux col. de 35 mm): 2 × IV (4–11, 12–17c), IV-1 (18–22b), V (23–32), V-2 (33–39). – Main B; justification identique à la précédente; V (40–48b). – Main C; justification de 125 × 75 mm: IV-1 (49–53c); justification de 125 × 100 mm (deux col. de 46 mm): II (54–56b). – Main D; justification de 125 × 75 mm (26 lignes): 3 × IV (57–88), II-1 (89–91). – Main E; justification de 140 × 80 mm (deux col. de 36 mm): IV (92–99); justification de 130 × 90 mm: II (100–103). – Main F; justification identique à la précédente: III (104–105, 105b r–v blanc, 105c r–v blanc, 106r blanc, 107). Initiales ornées bleues et rouges; titres de chapitre en rouge; rubrication rouge. Origine anglaise. Provenance: Christophorus Carreus; f. 3: *ex dono* Nicolas Lymbe (1605).

1r–v Table du contenu.

2 Essais de plume, notes diverses. Date 1441.

2v Figure de géométrie.

3 Court traité de géométrie (?)

3v „Liber collegi Sti Joannis Baptista Exon. ex dono Nicolai Linnebye socij. 1605"

1–8 Johannes de Sacrobosco, Algorismus sive tractatus de arte numerandi.

8–16 Johannes de Sacrobosco, Tractatus de sphera.

16–17v Traité sur les proportions des intervalles.

„Cum sapientia sit magis indita multiplicata..." (prologue de six vers). Inc. „De tonorum agnitionibus et singularum differentiarum secundum varias inceptiones..." 16va: „Quoniam igitur rectus ordo doctrine per singulas artes..." 16va: „Proportio ergo est duorum numerorum ad..." 16vb: „Easdem igitur proportiones et habitudines..." 17vb: Expl. „... et insuper ejus decimam octavam exceptam .27. versus."

18–19v   Alexandrinus de Villa-Dei, Algorismus.

19v–21v   Anonymi cujusdam carmen Ars tabularis...

21v–23   Versus calendarii (Thorndike, col. 549).

23–38   Johannes de Sacrobosco, Nova computi compilatio.

38–40   Versus de diebus Aegyptiaci et quaedam de solstitiis.

40ra–48v   Calendrier.

49–53   Euclide, „de ponderoso et levi" (extraits).

54ra–56ra   Traité de plain chant.

54ra: Inc. „Intentio hujus auctoris est tractare de .7. discriminibus vocum..."

54va: „Hic quid sit tonus et cetere consonancie videndum est..."

54vb: „Ostendit supra quod dyatessaron constat .4. vocibus quocumque modo dispositis..."

55ra: „Queritur quare naturales species diatessaron non possunt incipi..."

„Arteria est corpus oblongum, rotundum..."

„Nota modos id est consonantias arte personemus musica..."

55rb: „Guido dicit quod diapason constat ex dyatessaron et diapente..."

„Dia grece .2. latine. Tessaron .4. et dia .8. ..."

55va: „Musice figure abusive vocantur littere nam littere dicuntur..."

„Consonantiarum alia simplices alia composite. Simplices que non componuntur... Tonus. Semitonium. Ditonus..." (Les exemples musicaux manquent.)

„Septem sunt conjunctiones, scilicet t. S. D. S. d. d. d. per quas omnis regularis cantus tam elevando quam depon[endo] discurrit. 8 sunt modi ut .8. partes orationis. Protus scilicet et plaga prothi. Deuterus et plaga deuteri..."

56ra: „Tonus est duo ptongi epogdon a proportione distantes intervallum soni acuti gravisque distantia. Ptongus est simplex sonus auribus accidens. His praelibatis ac intimatis facile consequente ..." 56rb: Expl. „... Plaga lichanos meson qui modus dicitur .8." (Correspondance entre les finales des modes et des degrés du grand système parfait.)

Liste de neumes (Éd. CSM 4, p. 44): „Punctus. Iacens. Nectens. Evanescens. Gura ... Claudicans. Ascendens. Pes. Abusi he sunt."

56v   blanc; suivi d'un feuillet (r–v) blanc.

57–71v   Guy d'Arezzo, Micrologus (gloses marginales et interlinéaires).
              57: „Ratio musice vel prologus." Inc. „Musica dicitur a potu my-
              son id est a querendo quia primitus... Multi autem inventores
              ejus fuerunt, quidam malleis, alii tibiis... Incipit micrologus.
              sermo Guydonis in musica." Inc. „Gymnasio musas placuit revo-
              care..." 71v: Expl. „... cujus summa spatientia per cuncta viget
              secula. Amen." (GS II, p. 2–24; CSM 4, p. 79–233.)
71v–72   Aurélien de Réomé, Musica disciplina (Ch. I et extraits des ch. II
              et VI; gloses marginales et interlinéaires).
              71v: Inc. „Musicam disciplinam non esse contempnendam..."
              72v: „... permittebatur ignorare, ita turpe erat et musicam non
              nosse." (Cf. GS I, p. 29b–31a; CSM 21, p. 58–62.)
              72v: „Habet autem cum numero maximam concordiam... et rur-
              sus alii ejusmodi dispositio quorum extremi tripli." (GS I, p.
              35a–b; CSM 21, p. 70–72.)
73–77   Guy d'Arezzo, Regulae rhythmicae.
              73: Inc. „Gliscunt corda meis hominum mollita..." 77: Expl.
              „... unde duo signum variant loca cujus ad ipsum." (GS II, p.
              25–34; éd. DMA.A.IV, p. 93–133.)
77–78v   Guy d'Arezzo, Prologus in Antiphonarium.
              77: Inc. „Temporibus nostris super omnes homines fatui sunt can-
              tores..." 78v: Expl. „... figura monstratur, si sicut debent ex in-
              dustria componantur." (GS II, p. 34–37; DMA.A.III, p. 58–81.)
79–84v   Guy d'Arezzo, Epistola ad Michaelem.
              79: Inc. „Beatissimo atque dilectissimo fratri .M.W. per amfrac-
              tus..." 84v: Expl. „... boecium in hoc sequens cujus liber non
              cantoribus sed solis philosophis utilis est." (GS II, p. 43–50.)
84v   Extrait sur les huit tons.
              Inc. „Omnes autenti quinto loco a se principia..." Expl. „... ad
              supponitum semitonium et tritus deponuntur." (Cf. GB-Ctc R
              15.22, f. 138.)
84v–85   Traité dialogué sur les intervalles.
              84v: Inc. „Dyapason quid est? Dyapason est quaelibet vox gravis
              cum acuta..." 85: Expl. „... partium syllabarumque disjungit."
              (Cf. GB-Ctc R.15.22, f. 138r–v; GB-Obc 173A, f. 80v–81.)
85v–86v   Tonaire (Cf. Bernon, Tonarius).
              85v: Inc. „Qui grece dicitur plagis proti vel pars primi toni..."
              (cf. CS II, p. 87b–88a). „Qui grece dicitur autentus deuterus...
              Tertia dies est quod..."
              „Qui grece dicitur plagis deuterus... Quarta vigilia venite ad
              eos..."

130

86: „Qui grece dicitur autentus tritus… Nota quod finis quinti modi…" (Cf. CS II, p. 97b.)

„Qui grece plagis terci… Notandum est in sexto modo…"

„Qui grece autentus tetrardus … septem sunt spiritus ante thronum…"

„Qui grece plagis tetrardus… Octo sunt beatudines…" 86v: Expl. „… atque inter ceteros magis dilectus" suivi de „Autentus protus: Gloria seculorum Amen. Suscepimus plagis proti … plagis tetrardi. Gloria seculorum amen. Ad te levavi."

„Archos. Deuteros. TRITOS. TETRARDOS." (Cf. *GB-Ctc* R 15.22, f. 138v.)

86v–87   Compilation relative à la théorie des modes.

86v: „None dicitur a grece quod est nus, id est sensus…"

„Oies vel aies interjectiones sunt…"

Liste des tétracordes.

86v: „Quinque tetracorda sunt monocordi. Hipate…" (*GB-Ctc* R 15.22, f. 138v; *GB-Obc* 173A, f. 80.)

Liste des degrés du grand système parfait.

86v: „Proslambanomenos id est adquisitus, hypate hypaton… Nete hyperboleon inferior excellentium" (*GB-Ctc* R 15.22, f. 138v–139.)

Sur l'ambitus des modes, cf. Hucbald, *De harmonica institutione*.

86v–87: „Uniusquisque sonus autentus a suo finali… (87:) Plagis autem in quartum descensusque in quintum ascendit." (Cf. *GB-Ctc* R 15.22, f. 139; *GB-Obc* 173A, f. 80v; GS I, p. 116a.)

87: „Acuminum suorum luculenta ingenia veteris…" 88: Expl. „… auribus rerum amabiliter queso conlatura (?) committas."

88r–v   Mesure de tuyaux d'orgue.

88: Inc. „Fistulam longissimam quante longitudinis et latitudinisve…" 88v: Expl. „… ita ut secundum dyapason a primo mensus est." (Cf. *GB-Ctc* R 15.22, f. 127–128; éd. SachsM, p. 97–98.)

88v–89   Mesures de cloches.

88v: Inc. „Quicumque cymbala vult facere recte consonantia…"

89: Expl. „… nichilque deest dyatessaron et dyapente atque dyapason." (Cf. *GB-Ctc* R 15.22, f. 131r–v; éd. Smits van WaesbergheC, p. 54–55.)

89–90v   Scolica enchiriadis (extrait).

89: Inc. „Ut [lire: at] dabis nunc rationem quare per alias vero vel discrepantes sint…" 90v: Expl. „… et sic infinitum horum descriptio que dicuntur." (Cf. *GB-Ctc* R 15.22, f. 129–131; GS I, p. 192b–194b; Schmid, p. 106–111.)

90v–91 Court traité sur les modes.

90v: „De natura modorum pauca aperiamus." Inc. „Primus vero modus..." Expl. „... octavus in F. et G.a.b.c. Hec dicta placent formis si sedulus absis."

91v Ex prohemio Almagesti Sapientis Ptolemaei.

92 Messahala, *Practica astrolabi* (Thorndike, col. 356.)

97 Jean de Seville, *Dubitationes circa regulas equationum plane-tarum* (Thorndike, col 1203; éd. in *Osiris* I, 1936, p. 460–475.)

99v Jean de Séville, *Scientia annorum Arabum* (Thorndike, col. 1406.)

103v Catalogue d'une bibliothèque.

104 Nicole Oresme, *Algorismus proportionum* (Thorndike, col. 80.)

106v Règles pour mesurer la distance entre deux villes.

107 Extraits d'Ovide.

CoxeC II, p. 63–65. – Smits van WaesbergheC, p. 54–55 (sigle Ox III). – Smits van Waes-bergheG, p. 239, *passim* (sigle O2). – CSM 4, p. 44–46 (sigle O2). Gushee, p. 71–72. – SachsM, p. 33 (sigle OS). – HugloT, p. 457. – DMA.A.III, p. 43 (sigle O2). – CSM 21, p. 38–39, passim (sigle OxS). – DMA.A.Xa, p. 26. – DMA.A.Xb, p. 12. – HugloO, p. 504. – Schmid, p. VIII (sigle Xo). – DMA.A.IV, p. 73. – MerkleyT, p. 102–108.

PARKMINSTER, St. Hugh's Charterhouse
A 33 (*olim* J. Rosenthal, Katal. 7, n° 933)

XIIe s. (1ère moitié). 199 f. Parchemin. 245 × 155 mm. Graduel cartusien suivi d'un tonaire (f. 197–200). Notation neumatique française (lyonnaise?): points liés sur ligne tracée à la pointe sèche. Origine française, peut-être Lyon.

1–7 *Dialogus de musica.*

1: „In Christi nomine incipit liber dialogus musice artis" Inc. „D. Quid est musica? M. Bene modulandi scientia et facilis ad ca-nendi perfectionem via..." 7: Expl. „... aut dum non refferret gratia (!) salvatori efficiet (!) quod absit elacioni inserviens minus jam subditus creatori qui est bene dictus in secula seculorum amen." (Cf. GS I 252–264; éd. K.W. Gümpel, en préparation.)

7 Guy d'Arezzo, Prologus in Antiphonarium (extrait).

„Duos enim colores utimur croceum scilicet et rubeum... Post-quam omnes aliae literae [reiterantur] in nullo dissimiliter (!) prioribus que omnia hec te figura docebit" (figura) (Cf. GS II, 36a–b; DMA.A.III, p. 70–74.)

8	„*Ter terni sunt modi ... hunc modum esse cognoscat*" (notation sur quatre lignes, ligne du Fa passées à l'encre rouge).
8v	Textes relatifs au comput:
	a. „Clavis ideo vocatur quia per ipsam ad terminum intratur..."
	b. „Argumentum qualiter observare debeamus adventum domini..."
	c. „A xvi kalendas febrii. usque in xvi. kalendas martii..."
197–199v	Tonale (Éd. Becker).
199va–b	Fragment d'un traité de musique.
	Inc. „Oportet rudes, novosque cantores qui ad aliquam cantandi peritiam pervenire cupiunt..." Expl. „... Quinta est consonantia qui est ditonus. sic dicta. quia duos habet tonos. Fit [...]" (Éd. Becker, p. 107 s.)

Notice rédigée d'après une description communiquée par M. Karl-Werner Gümpel (University of Louisville).
Le Graduel romain. Edition critique (Solesmes, 1957), vol. II, p. 113. – Oesch, p. 50, n. 3 et p. 74. – HugloD, p. 125. – Hansjakob Becker, *Das Tonale Guigos I.: Ein Beitrag zur Geschichte des liturgischen Gesanges und der Ars Musica im Mittelalter* (München, 1975: *Münchener Beiträge zur Mediävistik und Renaissance – Forschung*, 23).

PART II
United States of America

AUSTIN (TX), The University of Texas, Harry Ransom Humanities
Research Center. Medieval and Renaissance numbered Mss
MS 29 (Phillipps 816)

XIᵉ s. (1017–1041). 2 + 102 + 2 f. Parchemin, foliotés au crayon de dix en dix. 219 × 166 mm. Construction: 3 × IV (irréguliers), 2 × IV, 4 × V, 2 × IV, II. Reliure du XVᵉ siècle, composée d'ais de bois couverts de cuir blanc sur le plat supérieur (cf. pl. 5 du catalogue Robinson cité) et de cuir teinté en rouge sur le plat inférieur. Clous bosselés aux quatre coins des plats; fermoir de cuir s'attachant au milieu du plat supérieur par un clou planté au centre. Justification: 147 × 100 mm. à raison de 24, 25, 26 (30) lignes longues par page (f. 2–32; 100v; 101v–102v) ou à deux colonnes. Écriture du deuxième quart du XIᵉ siècle par deux mains différentes: la main principale (f. 1–100v), celle d'Ellinger, Abbé de Tegernsee (1017–1026 et 1031–1041), se retrouve dans quelques autres manuscrits de Tegernsee (cf. B. Schmeidler, p. 135 ss.; Pächt, *art. cit.*; Krämer, *art. cit.*) et est à rapprocher, selon B. Bischoff (*Kalligraphie*, p. 32, n. 23), des *Étymologies* d'Isidore de Séville (Clm 18192). Ellinger a transcrit ce manuscrit durant son exil à Niederaltaich: „Abbas indignus ego Ellinger peccator istam gloriosam scripsi dum essem in Altahensi monasterio" (f. 102v). L'Abbé a encore signé d'un cryptogramme aux f. 32 et 42. Le collophon – qui recopie en onciales le cryptogramme du f. 32 – a été écrit juste après la transcription de l'opuscule de Bernon (f. 101–102v) par une seconde main contemporaine. Enfin, le bibliothécaire du XVᵉ siècle, Ambrosius Schwarzenpeck, a écrit en bâtarde sur la feuille de garde la table du contenu du manuscrit. Il a ajouté le titre des œuvres principales transcrites dans le manuscrit et a écrit de courtes gloses en marge du „Timée" aux f. 12v, 32 et 99v. Notation neumatique du sud de l'Allemagne sur les hexamètres du f. 31v „Ad Boreae partes". Notation allemande à clous (Hufnagelschrift) sur les deux hymnes des deux feuilles de garde: *O Sator rerum* (AH 51, p. 166) et *Verbum supernum prodiens* (AH 50, p. 588). Origine: le manuscrit a été transcrit à Niederaltaich pour Tegernsee où il a été conservé jusqu'au début du XIXᵉ siècle (cf. f. 2). Il échappa au transfert global de la bibliothèque par suite de l'Aufhebung de 1803 et fut récupéré par le bouquiniste Auguste Chardin. Lors de la vente du 9 février 1824, il fut acheté par Sir Thomas Phillipps qui lui attribua le n° 816 à Cheltenham (Munby, *op. cit.*). Mis en vente par Sotheby à Londres en 1967, il fut acquis par l'Université du Texas à Austin. Œuvres de Platon (*Timaeus*), extraits de textes médicaux et astronomiques, Pompeius Sextus Festus, Pseudo-Jérome à Dardanus.

1–12   Bède, De natura rerum (précédé des capitula et du préambule de
              quatre vers „Naturas rerum")
              2v: „Incipit excerptum Bedae de naturali historia Plinii" Inc.
              „Operatio divina quae secula creavit..." (PL 90, c. 187 et ss.; éd.
              Ch. W. Jones, p. 189 et 192 ss.)

12v–25   Platon, Timaeus (précédé de la lettre de Calcidius à Osius)
               12: „Incipit Timeus Platonis."
               12v–13: „Socrates in exhortationibus suis virtutem laudans ..."
               (Éd. J. H. Waszink, p. 5–6.)
               13–25: „Unus, Duo, Tres, Quartum e numero Timee vestro..."
               (Éd. J. H. Waszink, p. 7–52.)

25–31v   Recettes médicales et extraits sur les constellations.
               26v: „Est quidem hic ordo et positio siderum..." (avec 44 dia-
               grammes à l'encre brune, de la main d'Ellinger, sur les constella-
               tions).
               31v „Ad Boree partes arcti vertuntur et anguis..." (avec notation
               neumatique). Thorndike and Kibre, c. 30. W. Irtenkauf, „Der
               Computus ecclesiasticus in der Einstimmigkeit des Mittelalters",
               AfMw, XIV (1957), p. 12 (Clm 9921 [Ottobeuren], f. 10v) et
               Abb. 2.

32–99v   Pompeius Sextus Festus, De significatione verborum (précédé de
               la lettre de Paul Diacre à Charlemagne).
               „Divinae largitatis munere sapientiae..." PL 95 1589; MGH,
               Epistolae IV, Karolini aevi II, p. 508.
               „Augustus locus sanctus ab avium gestu..." (Éd. Wallace M.
               Lindsay (1913): „cum Clm 14734 cohaeret", p. XIX.)

99v–100v   Lettre du Pseudo-Jérome à Dardanus sur les instruments de mu-
               sique, précédée d'une préface, mais sans diagrammes.
               99v: „Epistola Hieronymi ad Dardanum de generibus musi-
               corum" (en marge, de la main de Schwarzenpeck: „Epistola sci.
               ieronimi").
               99v: „Incipit cum interrogatione sua..."
               99v: Inc. „Cogor a te ut tibi Dardane de aliis generibus musi-
               corum..."
               100v: Expl. „... per angustam voluntatem predicationis omnia
               infirmiter predicavit" PL 30, 213–215 C; R. Hammerstein, „In-
               strumenta Hieronymi". *AfMw*, XVI (1959), p. 120–131 (d'après
               Clm 14523).

101–102v   (de deuxième main) Bernon de Reichenau, „De initio Adventus"
               sans titre.
               Inc. „Sciendum sane est et omnibus orthodoxis fidelibus..." (Pl
               142, 1085–1088; cf. New York, Private Collection Schloss Guten-
               zell, Grafen Törring 58; cf. Appendice.)

Notice établie d'après microfilm et documentation fournie par Rebecca Baltzer,
Professeur à l'université du Texas à Austin (9 janvier 1986).

Auguste Chardin, *Catalogue de livres précieux manuscrits et imprimés* (Paris, 1811), n. 196. – *Bibliotheca Phillippica*. Third Series: Medieval Manuscript Catalogue of Forty Two Manuscripts of the 7th to the 17th Century from the Celebrated Collection formed by Sir Thomas Phillips (1792–1872). The Property of the Trustees of the Robinson Trust. Day of Sale Tuesday 28 November 1967 at 11 o'clock. N 86 (p. 18–23), pl. 3 (= f. 30v), 4 (= f. 31) et 5 (= reliure). – Munby3, p. 23. – Heinrich Schenkl, *Bibliotheca Patrum latinorum Britannica* I,2 (Wien, 1882), p. 26 – Georg Swarzenski, *Die Regensburger Buchmalerei des X. und XI. Jahrhunderts*, (Leipzig, 1901), p. 128. – Bernhard Schmeidler, *Abt Ellinger von Tegernsee* (München, 1935), Kap IV, 1 (Die von Ellinger geschriebenen Handschriften), p. 133–154. – Otto Pächt, „Two Manuscripts of Ellinger, Abbot of Tegernsee". Bodleian Library Record 2 (1949), p. 184–185 (= Bodleian Library, Rawlinson G 163 [14887] et Laud lat. 96). – Christine Elisabeth Eder, „Die Schule des Klosters Tegernsee im frühen Mittelalter im Spiegel der Tegernseer Handschriften", *Studien und Mitteilungen zur Geschichte des Benediktinischen Ordens und seiner Zweige*, 83, Heft I–II (1972), p. 78, n. 27. – Jan H. Waszink, *Timaeus*, 2d Edition (London, 1975), p. CXII (*Plato latinus*, IV). – Charles W. Jones, *Bedae Venerabilis opera*. Pars I: *Opera didascalica*. Turnhout, 1975, p. 175, n. 5 (*Corpus Christianorum, Continuatio medievalis*, CXXIII A). – Sigrid Krämer, „Eine weitere Handschrift aus Tegernsee in der Bibliotheca Bodleiana in Oxford (Ms Lyell 57)", *Codices manuscripti*, I (1975), p. 86 et 88, n. 12 [compte le présent manuscrit comme l'un des trois sûrement écrits par Ellinger]. – Günter Glauche, *Mittelalterliche Bibliothekskataloge Deutschlands und der Schweiz*, IV/2: *Bistum Freising* (München, 1979), p. 748, 768 (b 31 et b 32). – M.R. Dunn, C.A. Huffmann, „The Cheltenham MS of Calcidius' Translation of the Timaeus", *Manuscripta*, XXIV (1980), 76–88. – Bernhard Bischoff, *Kalligraphie in Bayern* (Wiesbaden, 1981), p. 32, n. 23. –

BALTIMORE (MD), Walters Art Gallery   W.22 (Phillipps 1029)

XIIe s. 66 f. parchemin. 215 × 127 mm. Cahiers réguliers signés dans l'angle droit du dernier feuillet (les cahiers VI et VII ont été inversés par le relieur au XIXe siècle). Reliure de veau brun. Justification: 162 × 90 mm. 31 lignes par page. Minuscule du XIIe siècle: les caractères grecs des termes hélléniques cités par Macrobe sont très particuliers (alpha en forme de croix et pi avec branche verticale gauche descendant au dessous de la ligne). Origine: sud de la France ou Italie du nord (?). Provenance: le livre a été à la fin du Moyen Age la propriété de „fr. Raymundi Justi, OFM". Il a été trouvé par l'abbé Luigi Celotti (1768–1846), dont les livres furent vendues à Londres le 14 mars 1825. Le ,Macrobe' (n° 478), acheté par Th. Thorpe de Londres fut vendu à Sir Thomas Phillips (n° 1029 de sa collection); acquis par Bernard Quaritch puis Henry Walters (d. 1931). Macrobe, *Commentarii in Somnium Scipionis*, complété par plusieurs diagrammes musicaux élaborés d'après Calcidius.

1	(XIIIe siècle) „Inter Platonis et Ciceronis libros quos de re publica uterque constituit..." (Éd. F. Willis, p. 1–3).
9v	(en marge) „Diapason constat ex diatessaron et diapente." Cf. Calcidius, éd. Waszink p. 95, l. 2–3.

65v   (en haut): diagramme chiffré donnant la division de la quarte en
           deux tons et un demi-ton (à gauche) et la division de la quinte en
           trois tons et un demi ton (à droite): élaboré d'après Calcidius, éd.
           Waszink, p. 98.
           (en bas) Diagramme indiquant les multiples binaires et ternaires:
           cf. Calcidius, éd. Waszink, p. 90.
           Sous-titre: „Hic considerantur compleri intervalla duplicis et tri-
           plicis quantitatis."

66   Le lambdoïde platonicien (I ... VIII pour la branche de gauche)
           et I ... XXVII pour celle de droite, reproduit f. 9v sous forme
           d'un A majuscule rouge, a été correctement reproduit ici d'après
           un ancien modèle.

Census I, p. 840, n° 477. – Munby3, p. 50–51. – Lilian C. Randall, *Medieval and Renaissance Manuscripts in the Walters Art Gallery*, Volume I: *France, 875–1420*. (Baltimore
and London, 1989), p. 22–23, n. 9 & fig. 18 (f. 47v). – Michel Huglo, „La réception de
Calcidius et des Commentarii de Macrobe à l'époque carolingienne", *Scriptorium*,
XLIV (1990/1991), p. 17, n. 54.

BALTIMORE (MD), Walters Art Gallery   W. 62

XIIᵉ–XIIIᵉ s. 197 f. Parchemin. 300 × 216 mm. 27 cahiers. Reliure de velours vert, XIIIᵉ
siècle. Justification : 237 × 242 mm. Écriture minuscule de la fin du XIIIᵉ ou du début du
XIIIᵉ siècle. Initiales à miniatures aux f. 1 (Avent), 23v (Noël), 34 (Epiphanie) ... 126
(Pentecôte). 10 portées par page: petite notation carrée cistercienne, légèrement incli-
née, tracée sur portée de cinq lignes rouges; comparable à celle de Madrid, B.N. 1361 (selon Karl W. Gümpel, Louisville); lettres-clés C ou F; b mol ou b carré; guidon en fin de
portée, ajouté de seconde main souvent hors portée. Origine: Castille (?) puis peut-être
ensuite à l'abbaye cistercienne de Lorvão qui avait pour patrons les saints Mammès et
Pélage (cf. f. 144, commémoration de st. Mammès, ajoutée par une main contemporaine). Provenance: Paris, Léon Gruel (n° 1187). Acheté par Henry Walters entre 1895 et
1931. Antiphonaire cistercien suivi du tonaire abrégé dit de saint Bernard et de l'hymnaire cistercien.

180–180v   Tonaire abrégé du chant cistercien, sans titre, et incomplet à la
           fin.
           Inc. „Quid est primus tonus?"
           180v: Expl. „... *Nos qui vivimus. Gloria Patri et Filio et Spiritui
           Sancto*" (GS II 268B–269; PL 182, 1157–1158; HugloT, p. 361
           [omet ce ms].)

181v   Après les „Toni communes" cisterciens, série de huit formules
           psalmodiques.
           Inc. „Primus. *Apprehendite disciplinam nequando* ... [cf. Ps I]

181v: Expl. „... Octavus. *Apprehendite disciplinam*" (Cf. CS II 188–189)

Census I, p. 780, n° 145 („South Germany Gradual"). – Toledo, p. 8 n° 22 et plate V (= f. 23v). – François Bucher, *The Pamplona Bibles* (New York and London, 1970), Vol. II, p. 336, illustr. 75 (= f. 23v). – Lilian C. Randall, „From Citeaux Onwards: Cistercian related Manuscripts in the Walters Art Gallery", *Studies in Cistercian Art and Architecture*, III (Kalamazoo, 1987), p. 134, n° 26; fig. 10 (= f. 1).

BALTIMORE (MD), Walters Art Gallery   W. 63

Fin du XIIe s. 134 f. Parchemin, 395 × 245 mm. Reliure espagnole de cuir fauve estampé sur ais de bois très épais (XVIe siècle). Justification: 280 × 185 mm (très variable). Réclames encadrées. Écriture cistercienne de la fin du XIIe siècle. Initiales décorées ou historiées pour les grandes fêtes, au nombre de trente. Douze portées par page: notation carrée cistercienne avec guidon à bec en fin de ligne, apparemment de première main Origine: un monastère cistercien de Catalogne ou du nord de l'Espagne (additions très tardives en espagnol aux f. 50v et 134v). Provenance: vente Delamare à Paris en 1909. Le manuscrit fut vendu en même temps que l'autre partie qui contenait le Temporal (aujourd'hui à New York, Pierpont Morgan Library M. 966). Antiphonaire et hymnaire cisterciens, suivis du tonaire dit de saint Bernard.

130v–132v   Tonaire abrégé du chant cistercien, sans titre (et sans notation à partir du deuxième ton).

Inc. „Quid est primus tonus?"

132v: Expl. „...*In eternum. Gloria Patri et Filio et Spiritui Sancto*" (verset de répons du VIIIe ton, sans notation). (GS II 268B–277B; HugloT, p. 361 [omet ce manuscrit].)

Census I, p. 780 n° 44. – *Collection de M. L[ucien] D[elamare]. Manuscrits avec miniatures du IXème au XVème siècle* (Paris: Th. Belin, 1909), n° 9, avec planche (= f. 106v). – Toledo, p. 11 n° 31. – Sr. Regina T. Unsinn, *The Walters Ms. 63*. PhD Dissertation, The Catholic University of America, 1970 (UM 70-21916).

BERKELEY (CA), University of California, Bancroft Library   MS UCB 88

XIIe s. (1130–1170). 6 f. parchemin, 247 (–255) × 149 (–157) mm.: le f. 6, mesure 247 × 180 mm. Composition: deux diplomes, ff. 1–4 et 2–3, reliés en désordre, et deux feuillets, 5 et 6, rattachés à la reliure, faite d'un papier de 260 × 190 mm. à filigrane (étoile à 8 branches, avec un cercle concentrique. Justification: 195 × 55 mm. par colonne. Règlure: 32/34 lignes par page. Écriture du deuxième quart du XIIe siècle (John A. Emerson) ou du milieu du siècle. Initiales rouges sur un étroit fond jaune. Notation à points superposés assez épais: le torculus, tracé souvent d'un seul trait de plume, et le climacus suggèrent un rapprochement avec le fragment de graduel de St. Allyre (Clermont-Ferrand, Ms 155) plutôt qu'avec la notation d'Albi. Les points sont superposées par rapport à la règlure et à une ligne rouge qui n'est pas nécessairement réservée au terme supérieur du demi-ton; neuf lignes notées par colonne. Pas de guidon. Le fol. 6, qui n'appartient pas au tonaire, comporte au moins onze lignes notées: neumes d'Italie du nord, rappelant celle d'Ivrea, Bibl. Cap. 64. Origine du tonaire: le répertoire des alleluia aquitains du VIIIe ton désigne une église voisine du groupe auvergnat Albi-Aurillac. Pour la communion de Carême *Nemo te* (f. 4v), le tonaire donne la même mélodie que le graduel de Clermont. Cependant, trois incipit de répons du tonaire (f. 5r, col. a, lignes 2–3) proviennent de l'office de St. Nazaire (28 juillet), titulaire de la cathédrale de Béziers. Comme d'autres livres liturgiques du Midi de la France, le tonaire a dû être dépecé au XVIe siècle. En effet, le diplôme 1–4, mis à plat, a servi de „buvard" pour décharger d'encre deux épreuves d'un livre imprimé en gros caractères au début du XVIe siècle (Psautier ou *Canon missae* ?). Les fragments, offerts par Bernard Rosenthal de San Francisco, ont été acquis par la Bancroft Library en 1966. Ce tonaire développé, contenait problement à son début, comme d'autres tonaires aquitains (F-Pn 776 et Pn 7185), des extraits théoriques aujourd'hui disparus.

1–5   Tonaire des pièces de l'office et de la messe, classées par différences (Sclor/amen).

5v–5r: antiennes de l'office du VIIe ton, les quatre premières différences. Lacune.

2r: antiennes d'introït et graduels du VIIIe ton.

2v–1r–1v: Alleluia du VIIIe ton. Sur les 32 versets cités, 17 sont propres aux graduels aquitains: 15 au graduel d'Albi (F-Pn 776) et 13 au tropaire-prosaire d'Aurillac (F-Pn 1084): cf. K.H. Schlager, *Thematischer Katalog der ältesten Alleluia-Melodien*, München, 1965, G 231, G 292c, G 397e, G 239, G 397j, G 246b, G 257, G 242a, G 246a, G 356, G 410, G 318a, G 291, G 400, G 361.

1v: Traits du VIIIe ton.

1v–4r: Offertoires du VIIIe ton.

4v: Communions du VIIIe ton. La com. *Nemo te* (col. b, avant-dernière ligne) a la même mélodie que le graduel de Clermont-Ferrand, ms. 73 (Cf. HugloT, p. 153).

3rv: Répons nocturnes du VIIIe ton.

Notice rédigée d'après la description de John A. Emerson, déposée en mars 1989 à Bancroft Library. – MerkleyT, p. 153–154 [Musicological Studies, Vol. XLVIII]

BERKELEY (CA), University of California, Music Library
MS 744 (Phillipps 4450)

Anciennes cotes: 4450 B 9.14.69 47258 (au verso du plat supérieur).

XIVe s. (c. 1375). 31 f. parchemin, récemment paginés à l'encre, uniquement sur les rec-

tos. 200 × 150 mm. Cahiers irréguliers de 5 à 6 bifolium. Réclames coupées par le relieur
(sauf p. 25). Couverture cartonnée jaune orangé, dos basane cassé avec en bas la petite
étiquette [Phillipps] 4450. Au verso du plat supérieur, inscription d'une main du XIXe
siècle „Tractatus de Musica". D'une autre main: „Dn Guidonis d'Arezzo". Justification:
179(180) × 46(48) mm. 32 lignes par page, les lignes 1, 15, 16, 17, 32 dépassent la justification verticale et sont tirées jusqu'au bord de la page. Écriture sur deux colonnes du dernier quart du XIVe siècle: la date de 1375 (p. 50) est celle de la rédaction du troisième
traité. Initiales et pieds de mouche rouges pales: en début de traité (p. 1, 23, 37, 50), la
queue de l'initiale se prolonge dans la marge. Instruments de musique du XIVe siècle des-
sinés au trait (p. 53 *etc.* facs dans Ellsworth p. 283, redessinés *ibid.* p. 194–197). La ballade de la p. 62 a été notée sur des portées concentriques tracées au compas figurant un
labyrinthe. Notation carrée avec ♭ et ♯ (p. 16–21) à raison de 9 portées par page. Notation de l'Ars nova (p. 31–35) avec minimes, fusae et (p. 31, l. 5 & 46) des notes rouges (in-
diquées par Ellsworth au moyen d'„équerres" au dessus de la portée (p. 136–137 et p.
172): cette couleur rouge est prescrite dans le traité de déchant (p. 27, éd. Ellsworth,
p. 124–125). Origine: le milieu scolaire parisien du XIVe siècle. Provenance: bibliothèque de Sir Thomas Phillipps à Cheltenham (n° 4450), vendu par le trust Robinson
(30. II. 1965). Contenu: traités de plain chant et de musique mesurée.

p. 1	Prologue sans titre. Inc. „Quoniam in antelapsis temporibus..." Expl. „...procedere Dei gracia mediante." (Éd. Ellsworth, p. 30.)
p. 1–23	Traité I de plain chant, sans titre et sans division. Inc. „Cum autem cognoscere cuius modi sive toni sit..." 23: Expl. „... et sic est finis primi tractatus." (Éd. Ellsworth, p. 32–108.)
p. 23b–36	Traité II de déchant, sans titre et sans division. Inc. „Quoniam musici antiquorum philosophorum..." 36: Expl. „... per hoc sit finis secundi tractatus. Et sequitur ter- cius scilicet de cognicione notarum cum suis pertinenciis." (Éd. Ellsworth, p. 110–146.)
p. 36	Rondeau *Souviengne vous destriner*: transcription W. Apel dans CMM 53, n° 140. (Cf. RISM B IV 2, p. 341.)
p. 37a–50	Traité III de notation mesurée, sans titre et sans division. Inc. „Quilibet igitur in arte pratica mensurabilis cantus..." 50: Expl. „... finis huius libri compilati Parisiis anno a nativitate Domini MCCCLXXV, die XII mensis Januarii." (Traité attribué à Goscalcus de Paris par le ms de Catane: cf. Michels, p. 29–30; éd. Ellsworth, p. 148–162.)
p. 50b–60	Traité IV de chant et d'instruments de musique. Attribué à Jean Vaillant, d'après l'anagramme de la poésie initiale, par Christo- pher Page, art. cit., p. 17–35.

	Inc. „In omnibus requiem quaesivi, omnem delectamentum in se habentem..." 60: Expl. „... mater puerpera Christus Dei Filius dicat „Amen'." (Éd. Ellsworth, p. 184–238; cf. l'introduction, p. 14).
p. 60–61	Épilogue sur la division du ton. Inc. „Tonus dividitur in tres partes..." 61: Expl. „... semitonium scilicet de fa ad mi." (Éd. Ellsworth, p. 240–246.)
p. 62	Ballade à trois voix, *En la maison Dedalus* ... inscrite dans un dédale (facsimilé dans le Catalogue Sotheby, Plate 14; *AMl*, XXXIX (1967), pl. II de l'article de Richard L. Crocker, p. 161–171. Transcription W. Apel dans *CMM* 53, n° 280; cf. RISM B IV 2, p. 341.)

Catalogue Sotheby and Co. *Manuscripts of the 9th to 16th Century, from the Collection formed by Sir Thomas Phillipps*. The Property of the Trustees of the Robinson Trust. Bibliotheca Phillippica. New Series: First Part. London, 30 November 1965, n° 19. – Richard L. Crocker, „A new Source for Medieval Music Theory", AMI XXXIX (1967), p. 161–171; pl. 1 (= p. 36), pl. II (= p. 62). – Margaret Bent, „A postscript on the Berkeley Theory manuscript", AMl XL (1968), p. 175. – Oliver Bryant Ellsworth, *The Berkeley Ms (olim Phillipps 4450). A Compendium of Fourteenth-Century Music Theory*. PhD Dissertation, University of California Berkeley, 1969 (UM 70-13044). – Michels, p. 29 et p. 119 (sigle Bk). – HugloT, p. 433. – G. Reaney, RISM B IV 1, p. 340–341. – Oliver B. Ellsworth, „A Fourteenth-Century Proposal for Equal Temperament", *Viator* 5 (1974), p. 445–453 [sur l'épilogue de la p. 60]. – SachsC, p. 187. – Werner Batschelet Massini, „Labyrinthzeichnungen in Handschriften", *Codices manuscripti*, 4/2 (1978), p. 33–62. – Christopher Page, „Fourteenth-Century Instruments and Tunings: A Treatise by Jean Vaillant? (Berkeley, Ms 744)", *The Galpin Society Journal*, 33 (1980), p. 17–35. – Oliver B. Ellsworth, *The Berkeley Manuscript. University of California Music Library, Ms 744 (olim Phillips 4450)*. A new critical Text and Translation on facing pages with an introduction, annotations, and *indices verborum* and *nominum et rerum* by Oliver B. Ellsworth. Greek and Latin Music Theory University of Nebraska Press, 1984. – Emerson, n° 693. – Daniel S. Katz (éd.), *Libellus cantus mensurabilis secundum Johannem de Muris* (in progress).

BERKELEY (CA), University of California, Music Library   MS 1087

Fin XVe, début XVIe s. 1 f. de parchemin; bords rongés par les vers. 305 × 222 mm. Sans justification. Grosse écriture italienne, du coté poil, tracée à l'encre noire (à l'encre rouge pour les deux clés). Fin XVe – début XVIe siècle. Origine italienne (tableau d'enseignement oral). Main guidonienne 240 × 195 mm.

Main guidonienne ordonnée comme celle de Gent, Universiteitsbibliotheek 70 (71) reproduite par Smits Van WaesbergheM, Abb. 82, et par Carol Berger, p. 96, fig. 2.

Dans la paume: „Il modo di leggere la mano e segnato per numero, gomincando dal numero 1 e seguitando. Le chiave rosse sono quelle che si segnano nel canto fermo; il nome loro e modo di leggerle e scritto di mançi alle stesse chiavi fuor della mano come vedete al luogo suo."

Dans les doigts de la main: Pouce: 1/gama ut. 2/A re. 3/B mi. Base de l'index: 4/C fa ut. Base du medius: 5/D sol ré ... Au dessus du medius, en dehors de la main: 20/E la.

En bas de la feuille, à droite: Récapitulation des muances.

1. Gama ut
2. A re
3. B mi
4. C fa ut
5. D sol re
6. E la mi
7. F fa ut (clé de Fa rouge à la base de l'auriculaire).
8. G sol re ut
9. A la mi re
10. B fa b mi
11. C sol fa ut (clé d'Ut rouge au sommet de l'annulaire).
12. D la sol re
13. E la mi
14. F fa ut
15. G sol re ut
16. A (la) mi re (le La omis dans le récapitulatif se trouve dans l'annulaire).
17. B fa b mi
18. C sol fa ut (l'Ut est omis dans l'annulaire).
19. D la sol
20. E la

Au dessus de l'auriculaire, portée de quatre lignes avec clé d'ut troisième ligne: B quadro acuto (division de l'octave par quinte et quarte de fa à fa).

En bas à droite, portée de quatre lignes avec clé de Fa troisième ligne: Natura grave (hexacorde naturel).

Carol Berger, „The Hand and the Art of Memory", *MD*, XXXV (1981), p. 87–120. – Emerson, n° 691. – Michel Huglo, „Bibliographie des éditions et études relatives à la théorie musicale du Moyen-Age", AMl LX (1988), p. 252.

BETHESDA (MD), National Library of Medicine   MS 7

XIVᵉ siècle. 290 ff. vélin, 300 × 210 mm. Reliure: ais de bois endossés de cuir; traces d'un tenon de chaîne. Origine anglaise. Provenance: cote ancienne de bibliothèque: „Reponatur versus Occidentem in banco VII° I." N° 270 d'un catalogue de vente. Depuis 1956, le Ms fait partie de la National Library of Medicine, jadis à Washington DC., qui fut transférée en 1962 à Bethesda dans le Maryland. Bartholomaeus Anglicus, *De proprietatibus rerum:* f. 287–288: les instruments de musique; f. 288v–289: les consonances.

Census I, p. 452 (Washington DC., The Army Medical Museum and Library). Sur le traité: Müller, p. 241–255. – Lawrence Gushee, art. „Bartholomaeus Anglicus, OFM" dans MGG 15/1 (1968–1969), c. 515–517. – De Waha, p. 148* n° 810. – Salvat, p. 345–360.

BOSTON (MA), The Boston Medical Library, Francis A. Countway Library of Medicine   Ballard 15 (De Ricci 17)

XIII–XIVe siècle. 2 + 298 + 4 ff vélin, 310 × 210 mm. Reliure originale, ais de bois couverts de peau de cerf, clous bossoirs. Origine: l'abbaye cistercienne de Leyra en Navarre. Provenance: collection W.M. Voynich; acquis en 1934. Bartholomeus Anglicus, De proprietatibus rerum.

296v–297v   Instruments de musique.
              „Tuba ... Buccina ... Tybia ... Calamus ... Fistula ... Armonica
              ... Tympanum ... Cythara ... Psalterium ... Lira ... Cimbala
              ... Sistrum ... Tintinabulum..."
297   Les consonances.

Census I, p. 913. – James F. Ballard, *A Catalogue of the Medieval and Renaissance Manuscripts* (Boston, 1944), p. 10 et 12. – Sur le traité, voir notice du Ms de Bethesda. – Müller, p. 241–255. – De Waha, p. 148* n° 810. – Salvat, p. 345–360.

BOSTON (MA), The Boston Medical Library, Francis A. Countway Library of Medicine   Ballard Collection I, n. 7

XVe s. 193 f. parchemin 180 × 120 mm. Reliure ais de bois recouverts de tissu et de peau de porc. Fermoirs de métal et de cuir. Justification: 145 × 85 (87) mm. 35 lignes par page. Écriture cursive anglaise par plusieurs mains. Initiales alternativement bleues et rouges. Dessin coloré: l'Annonciation (87v); nombreux diagrammes, dessins et tableaux. Origine anglaise (d'après l'écriture et le calendrier des f. 168–173v). Provenance: Bibliothèque de la famille Cope, Bramsville Park (Hampshire): en 1872, le ms. appartenait au Rev. Sir William Cope; il fut vendu le 4 mars 1913 à Leighton par Sir Anthony Cope. Le ms. fut finalement cédé par Sotheby à E. P. Goldschmidt, le 16 avril 1934. Actuellement, le ms. est conservé à la Medical Library de Boston, dirigée par James F. Ballard de 1928 a 1955, dont les livres proviennent en partie de la collection de littérature musicale de Solomon Hyams. Le manuscrit comprend 38 traités d'astronomie, d'astrologie, de mathématiques et de musique.

54–56v   Traité anonyme sur les consonances.
              Titre souligné en rouge: „Incipit parvus tractatus artis musicae."

Inc. „Si vis scire artem musicam haec est: quindecim sunt litterae magisteriales quibus concluditur omnis cantus. Interrogatio: Ubi inveniuntur? Responsio: A prima G usque ad tertiam. Interrogatio: Quare dicuntur litterae magisteriales? Responsio: Quia in hiis quindecim litteris concluditur omnis cantus..." 56v: Expl. „... diapason pro ditono ascendente tono descendente diapason. Explicit tractatus artis musicae."

190–191   [Jean de Murs] „Pronosticatio super magna(m) conjunctione(m) anno 1345." (Michels, p. 11.)

Census I, p. 914, n° 20. – *Catalogue of the Very Extensive and Important Library of Early Books and Manuscripts relating to Alchemy and the occult and physical Sciences, the Property of M. Lionel Hanser and of four important Mediaeval Manuscripts. The Property of the Gentleman.* Sotheby and Co., 16–17–18 April 1934, p. 66 n° 572, avec planche (= f. 87v). – James F. Ballard, *A Catalogue of the Medieval and Renaissance Manuscripts and Incunabula in the Boston Medical Library* (Boston, 1944), p. 6–8. – Michels, p. 11, n. 41. – Notice dactylographiée de Jeremy Yudkin (juin 1985).

CAMBRIDGE (MA), Harvard University, The Houghton Library
Lat. 216   (Phillipps 24270)

XIVe siècle. 321 ff vélin, 300 × 200 mm. Reliure de parchemin, provenant d'un missel italien; dos à 3 nerfs. Ecriture française du XIVe siècle. La miniature initiale représente Bartholomée avec l'habit gris des franciscains, au pied de st. Michel ailé terrassant le dragon. Origine française. Provenance: Au XVe siècle, la Chartreuse de la Trinité à Champmol, près de Dijon (f. 1), fondée en 1383; Petrus Villetta (XVIe siècle); Ex libris Antonii Zirardini (verso du f. 1); collection de Sir Thomas Phillipps (n° 24270); acheté par John Scott (1830–1903) à la vente Phillipps de 1898; revendu à Ellis par Sotheby en 1905; acquis par Daniel B. Fearing (d 1918) qui l'expose au Grolier Club en décembre 1911: après sa mort, le manuscrit, coté F 5 80, entre avec toute la collection à l'Université Harvard. Bartholomeus Anglicus, *De proprietatibus rerum*, Liber XIX.

314–315   Instruments de musique.
               „Tuba ... Buccina ... Tybia ... Calamus ... Fistula ... Armonica
               ... Tympanum ... Cythara ... Psalterium ... Lira ... Cimbala
               ... Sistrum ... Tintinabulum."
315v   Les consonances.

Census I, p. 994. – *Bibliotheca Phillippica*, Sotheby, Wilkinson and Hodge (London, 20th May 1898), p. 82 n° 608. – *Catalogue of the Valuable and Extensive Library of the Late John Scott Esq.* (Sotheby, Wilkinson and Hodge, 29 March 1905), p. 80 n° 784. – *A Catalogue of an Exhibition of Angling Books...* (New York, Grolier Club, 1911–1912), p. 5 n° 8. – Sur la miniature, voir Donald Byrne, „The Boucicaut Master and the Iconographical Tradition of the Livre de propriété des choses" in *Gazette des Beaux-Arts*, 1979, p. 149–164. – Sur le traité, voir plus haut la notice de Bethesda, MS 7.

CAMBRIDGE (MA), Harvard University, The Houghton Library
MS. mus. 142   (69 M-23)

XVe s (c. 1480). 22 f. Parchemin, folioté au crayon. 180 × 137 mm. Deux quaternions et
un binion aujourd'hui déreliés parce que réunis depuis 1490 à d'autres imprimés de
1480, provenant de la bibliothèque de Paolo de Graecis: Saxolus Pratensis, *De accenti-
bus* ... Joannes Crastinus, *Vocabulista Latino-graecus* ... Hierocles, *In aureos versus
Pythagorea* ... Couverture provisoire de carton blanc. Justification: 130 (136) × 113 mm.
Sans marge extérieure aux rectos. Écriture minuscule datée des environs de 1480 (25/28
lignes par page); quoique plus grande au deuxième cahier, la main reste identique. Sous-
titres rouges. Notation mesurée blanche avec signes de prolation. Origine: Lodi, manuscrit autographe de Franchino Gafforio, présentant la rédaction primitive de la *Practica
musicae*, à comparer à l'inscription de sa main dans *GB-Lbl*, Add. 33519 et à la copie de
l'*Harmonicon* de Ptolémée faite par lui. Provenance: Liber presbiteri Pauli de Graecis
laudensis e(cclesiae) pl(e)b(anae). 1480. Le manuscrit, relié dans un imprimé de la bibliothèque de ce prêtre de Lodi fut acquis par le troisième marquis de Linlithgow Hope-
town House West Lothian, puis par Martin Breslauer de Londres: il fut offert à Harvard
en décembre 1969 grâce aux Morse fund et George L. Lincoln fund. Franchino Gafforio,
Musica practicabilis libellum, version primitive inédite du Livre II de la *Practica Musicae* rédigée entre 1481 et 1483.

1   Dédicace à Guidantonio Arcimboldi (frère du cardinal Gio-
             vanni A.)
             „Franchinus Gaforus laudensis musices professor Guidoni Anto-
             nio Arcimboldi Equiti aurato prestantissimo viro ac ducis Insub-
             rium Senatoris dignissimo, S. pl. d." Inc. „Si de tua, prestantis-
             sime aurate eques, summa humanitate singularique beneficen-
             tia..." Expl. „...prodire minime dubitavit. Vale."
1v–22   Traité de musique mesurée, divisé en 14 chapitres.
             1v: „Musica figurata consistit in theorica et practica, Capitulum
             primum." Inc. "Musices mensurabilis figuras diversas esse certis-
             simum est..." 2: „C. 3. De quinque figuris simplicibus a primis
             institutoribus constitutis." 3: „C. 4. De tribus diminutis figuris a
             posteris auctoribus adinventis." 4v: „C. 5. De figuris compositis
             seu ligatis." 6v: „C. 6. De pausis." 7: „C. 7. De modo." 8v: „C. 8.
             De tempore." 9v: „C. 9. de prolatione." 10v: „C. 10. De partibus
             figurarum." 11: „C. 11. De imperfectionibus figurarum." 15v:
             „C. 12. De puncto. Punctum est quoddam minimum signum quod
             notulis preponitur vel postponitur..." 18: „C. 13. De altera-
             tione. Alteratio in musices mensurabilis consideratione est pro-
             prii valoris secundum notulae formam duplicatio, juxta declara-
             tionem Johannis de Muris..." 20: „C. XIIII: De diminutione. Di-
             minutio in cantibus figuratis est abstractio valoris quantitativi ab
             ipsis figuris..." 22: Expl. „...facultate seriem astringo."

22   Epilogue en douze vers.

Inc. „Hoc opus insignis virtute et corpore prestans Guido eques Antoni suscipe quaeso meum...

...

Expl. „Tertius et gestis diceris esse Cato."

Scientific, architectural and miscellaneous Books. Catalogue Christie, London, 16–17 April 1969, lot 342 [avec facsimilé du manuscrit en frontispice du catalogue]. – Houghton Library Accessions 1969–1970 [Typescript]. – Clement A. Miller, „Gaffurius *Practica Musicae*: Origins and Contents", *MD* XXII (1968), p. 105–128. – Id., art. „Gaffurius" dans Grove 7, p. 78. – Ann Stone, ed. du MS (in progress).

CAMBRIDGE (MA), Harvard University, The Houghton Library   Riant 89

XIII–XIVe siècle. 273 ff. 200 × 140 mm. Reliure originale, ais de bois couverts de veau brun. Origine flamande. Provenance: collection du Comte Paul Riant. Bartholomeus Anglicus, De proprietatibus rerum (sans les chapitres de la fin du Livre XIX sur les instruments de musique).

Census I, p. 1009. – L. de Germon and L. Polain, *Catalogue de la bibliothèque de feu M. le Comte Riant*, Deuxième Partie, I (Paris, 1899), p. LXIII, n° 89.

CAMBRIDGE (MA), Harvard University, The Houghton Library
MS Typ. 10   (41 HM-7F)

XVe s. 62 f. Papier, non foliotés sans filigrane apparent. 290 × 205 mm. Le manuscrit autrefois complet a été allégé de toutes les pages sans initiales et sans diagrammes. Reliure ais de bois épais, couverts de cuir; clous sur les plats, quatre fermoirs. Justification 140 × 93 mm. Écriture humanistique (27 lignes par page). Initiale mauve verte et rose sur fond bleu foncé (f. 1); initiales rouges sans filigranes à chaque chapitre. Les titres des chapitres et le texte des diagrammes sont écrits à l'encre mauve pale ou parfois en noir. Origine: Italie du nord. Provenance: collection de Philip Hofer, né en 1898, alumnus d'Harvard (promotion de 1921). Passages de Boèce sans suite en raison des lacérations: pas de capitula ni numéros de chapitres.

1–61   Boèce, De institutione musica.
            1: Inc. „Principio igitur de musica differenti illud interim dicendum videtur quot musicae genera ab eius studiosis comprehensa esse noverimus..." (I, ij. éd. Friedlein, p. 187). 1v: „Consonantia quae omnem musicae modulationem..." (I, iij, éd. Friedlein, p. 189). Quelques gloses marginales ou des remarques (*No* ou *Nota*). 54v: Expl. „...liber quartus. Incipiunt capitula libri quinti Prohemium. Et que sint eius instrumenta." (Cf. éd. Friedlein, p. 349). Les capitula sont omis. Lacune (d'un cahier?)

après le troisième chapitre. f. 61: Expl. „. . .in diatonicics generibus nusquam una.“ (Éd. Friedlein, p. 371). f. 59: juste avant le chap. XV du Livre V, le diagramme de Boèce a été transformé en carillon de la manière suivante:

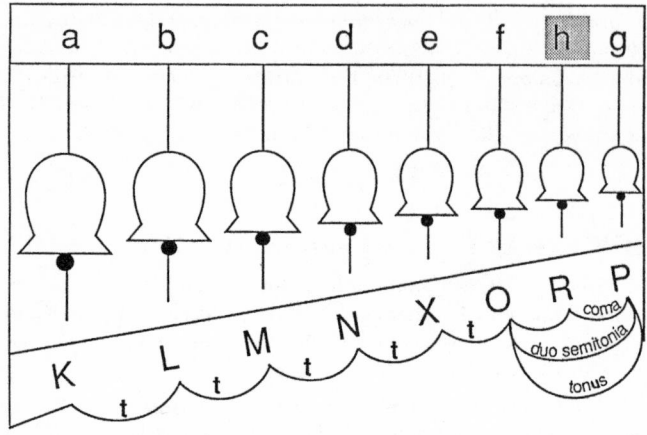

Les lettres minuscules sont écrites en rouge; le h est écrit en noir sur grattage. Cloches tracées à l'encre noire. Cf Smits van WaesbergheM, p. 84 et 85 (Abb. 32).

Census II, p. 1698, n° 25. – Census S, p. 251. – William Alexander Jackson, „Contemporary Collectors. XXIV: Philip Hofer“ *Book Collector*, IX (1960), p. 151–164. – Bower, p. 215, n° 19.

CHAPEL HILL (NC), University of North Carolina, Wilson Library, Rare Book Room Medieval MSS.   MS 63

XIVe s. (av. 1360). 117 f. parchemin, 110 × 85 mm. Cahiers réguliers, portant à la fin une réclame. Reliure originale, mais inachevée, faite d'ais de bois non recouverts, rattachés par trois nerfs, plus deux autres plus petits pour une coiffe jamais posée. Un fermoir prévu, mais non réalisé. Justification de 70 × 50 mm, admettant 15 lignes par pages. Écriture et initiales tracées par une main italienne du XIVe siècle, antérieure à 1360 (l'obit du Comte Paul Cinacoueli a été ajouté au bas du dernier feuillet 117). Origine: un couvent franciscain italien. Le calendrier comporte la plupart des fêtes propres de l'Ordre franciscain, entre autres la Translation de st. François (25 mai) adoptée dans l'Ordre en 1230 et la fête de ste. Claire (12 août) avec son octave. La fête des stigmates de st. François (17 septembre) a été ajoutée en rouge, après 1304, date à laquelle cette fête double fut imposée à l'Ordre. Provenance: Iste liber est fratris //// de ordine fratrum minorum. L'histoire récente du ms. est connue par une note collée à l'intérieur du plat inférieur: le petit livre fut rapporté du Chili par Mgr. Mazzi, secrétaire du nonce apostolique au Chili. Il fut vendu à Rome lors de la liquidation des livres de Mgr Mazzi en 1852. Il appartint ensuite à Aaron Burtis Hunter et fut enfin acquis par l'Université de la Caroline du Nord à Chapel Hill en 1930. Il contient le *De arbore vite* de st. Bonaventure, des sermons, un calendrier et enfin, ajoutées de deuxième main, des formules mnémoniques donnant les règles de la psalmodie. Ces règles sont répandues surtout en Italie et plus précisément chez les franciscains.

88v   Règles de psalmodie (ajoutées sur un bas de page). Versus sequentes sunt ad incipiendum intonare psalmos in festis duplicibus:

Primus cum sexto fa sol la semper habeto. Tercius, Octavus ut re fa sicque Secundus La sol la. Quartus ut mi sol sit tibi. Quintus Septimus fa mi fa sol sic omnes esse recordor. (HugloT, p. 425 [liste des témoins]).

Tres regulae sequentes sunt ad cognoscendum tonos Quarum prima est:

Primus re la. Secundus re fa. Tercius mi fa. Quartus mi la. Quintus ut sol. Sextus fa fa. Septimus ut sol. Octavus ut fa (HugloT, p. 374, 414 et 415: ajouter que le Codex Lowe, mentionné à la p. 414 comme étant déposé à Princeton, NJ, est aujourd'hui conservé à la Bodleian Library).

Secunda regula:

Primus et Secundus fini(un)tur in re. Tercius et Quartus in mi. Quintus et Sextus in sol [sic]. Septimus et Octavus in fa [sic].

Tertia regula:

Primus ad quintam. Secundus ad quartam. Tertius ad sextam. Quartus ad quartam. Quintus ad quintam. Sextus ad tertiam. Septimus ad quintam. Octavus ad sextam et terciam. Explicit (cf. HugloT, p. 373 [Cantorinus franciscain du XVe siècle]).

Le ms nous a été signalé en avril 1989 par le Professeur David Ganz (Chapel Hill) Department of Classics.

CHICAGO (IL), The Newberry Library
Case MS f. 9 (Ry 27-E 39033; Admont 491)

XIIe s. 58 f. Parchemin. 279 × 214 mm. Composition: 6 quaternions réguliers et un quinion, tous signés au début. Reliure: ais de bois couverts de cuir, adaptés par dessus l'ancienne reliure de parchemin souple, comme dans deux autres manuscrits d'Admont (New York, Pierpont Morgan M. 857 et M. 858). Justification 207 (210) × 135 (146) mm. Écriture du XIIe siècle: 32 lignes longues, sauf dans le tonaire écrit à deux colonnes. Initiales or ou rouge sur fond vert. Neumes allemands. Origine: une école claustrale ou cathédrale d'Allemagne du sud ou d'Autriche, en relation avec l'École de Liège (d'après le tonaire: HugloT, p. 254, 298 et 305). Provenance: Admont (timbre aux armoiries de l'abbaye sur l'ancienne couverture en parchemin et aux f. 1r et 1v), dont les manuscrits furent en partie vendus en 1936. Présenté par la firme Gilhofer et Rauschburg de Vienne, le manuscrit fut acquis par la Newberry Library en 1939. Boèce, *De institutione musica*, Tonaire neumé et extrait d'Isidore.

1–62v	Boèce, De institutione musica libri V (avec gloses et appels de remarque [„Nota"]). „INCIPIT ARMONICAE INSTITUTIONIS LIBER I. PROEMIU[M]. MUSICA[M] NATURALITER…" (Éd. Friedlein, p. 178–371.)
62v–63v	Tonaire neumé. „Differentiae et varietates octo modorum sive troporum" 63v: Expl. „…*Oportet te fili. Video celos apertos. Responsum accepit Symeon.*" Ce tonaire cite trois alleluia répandus presqu'exclusivement en France (Schlager D 75, D 97, D 41); un répons français (CAO 4, n° 7300) et deux pièces de l'office de l'Invention de st Étienne composé par Étienne de Liège (CAO 4, nn° 6373 et 7555). Cet office n'était connu au XIe siècle en Bavière qu'à Weihenstephan (*D-Mbs* Clm 21585, analysé dans *Analecta Bollandiana* C, 1982, p. 584–587). – Facsimilé de la notation neumatique du tonaire dans le catalogue de Gilhofer et Rauchsburg, pl. 1 (f. 62v).
63v–65	Extrait des Étymologies d'Isidore de Séville, Livre III. 63v: „De nomine musicae." Inc. „Musica est peritia modulationis…" 65: Expl. „… fuit enim apud gentiles Deus." (GS I, 20–23a, 1.5.)
65v	Diagramme circulaire représentant les relations des arts libéraux (facsimilé dans l'art. de M. Masi, p. 53, fig. 3).

Census S, p. 150 n° 13. – Toledo, p. 7, n° 18. – Saenger, p. 20–21. – *Fine and Precious Books and Manuscripts from the Library of a Nobleman Founded in the 16th Century*, Gilhofer & Rauchsburg Catalogue 265 (Wien, s.d. ca 1937), pl. 1 (= f. 62v). – Michaël Masi, „A Newberry Diagram of the Liberal Arts", *Gesta*, XI (1973), p. 52–56; p. 53, fig. 3 (facsimilé du f. 65v). – Bower, p. 216, n° 24.

CHICAGO (IL), The Newberry Library   Case MS 54.1   (Ry 56–50)

Fin XIVe s. (1391). 59 f. Parchemin. 250 × 180 mm. Lacune d'un ou deux cahiers au début Cahiers irréguliers, signés au début (15v, 31v). Reliure cartonnée recouverte de peau de porc estampée à froid: sur le plat supérieur, „E" gravé. Justification variable: 178(173) × 117(115), 34 lignes (f. 42v), 36 (f. 59) ou 39 lignes par page. Écriture cursive italienne de la fin du XIVe siècle (octobre 1391). Initiales alternativement bleues ou rouges, sans filigranes, sauf pour les plus grandes en début de traité (7v, 10v, 33, 43, 53). Origine: Pavie. Provenance: propriété du bibliophile viennois C. M. Nebehay, le manuscrit fut consulté par F. Wolf vers 1856, qui envoya ses notes à Édmond de Coussemaker (CS III, p. XV). La manuscrit fut acquis par la Newberry Library en 1955. Traités de théoriciens du XIVe siècle: Marchetto de Padoue, Jean de Murs, Philippe de Vitry, Pierre de St. Denis *etc.*

1–6v	Pierre de St. Denis, Fragment de traité selon la „Notitia artis Musicae" de Jean de Murs (Anonyme VI de Coussemaker).

Le début manque. Le ms. commence par un tableau des proportions multiples et superparticulières tirées de la „Notitia artis musicae". 4v: Inc. du texte conservé: „Quum dictum sit..." 6v: Expl. „... semibrevem alteram imperfeci per minimam est tenendum. Explicit explicite quod erat implicite.

Fons atrox eria pedalis truncus usya
Primi dant nomen bene factoris et omen.

Papie 2. scriptum octobris 1391 per F. G. de Anglia" (Cf. CS III, p. 398a–403b; CSM 17, p. 52–63, 151–160.)

6v–7	Philippe Andreas, Traité de contrepoint (versifié).

6v: „Contrapunctum Magistri Phillipoti Andree artis nove" Inc. „Post octavam quintam si note tendunt in altum..." 7: Expl. „... Et post quintam sexta erit, si fa mi re fuerit" (CS III, p. 116–118.)

7v–9	Philippe Andreas [plutôt Philippe de Caserta], Traité des figures.

7v: „Tractatus Magistri Phillipoti Andreae artis novae" Inc. „Capitulum primum: Quoniam sicut Deo placuit scientiam musicae in corda desiderantium..." 9: Expl. „...numerus sic deficeret. Sic itaque ad complementum huius temporis consequutus sum ideo refero gratias Deo. Amen." (CS III, p. 118–124; éd. Schreur p. 66–98.) Suit un tableau indiquant la valeur de la *fusa* suivant le mode imparfait et le mode parfait (éd. Schreur, p. 66–98; pl. IV).

9v	Opuscule anonyme sur les proportions.

Inc. „Sciendum est quod in superiori linea huius tabulae..." Expl. „... dupla superparticularis supernumeret." Suit un tableau intitulé „Tabula Magistri Alberti super proportionibus": les chiffres sont ordonnés comme dans la table de Pythagore.

10	Pièce à deux voix notée en forme de harpe: „La harpe de mélodie faite" de Jacques de Senleches (Cf. facsimilé dans Apel, Tafel II; Seebass, plate 5): RISM B IV 4, p. 1169–1170; Richard H. Hoppin, *Anthology of Medieval Music* (New York, 1978), n° 69.
10v–33	Marchettus de Padua, Lucidarium (précédé de la Lettre préface).

10v: „Prohemium vel epistola." Inc. „Magnifico militi et potenti

domino suo domino Reynerio..." Expl. „... cotidie yerarchie an-
gelicae."

„Incipit Lucidarium Marcheti de Padua in arte Musicae planae.
De inventione Musicae tractatus primus et capitulum primum."
Inc. „Qualiter Picthoras adinvenit Musicam..." 33: Expl. „...
Hee voces graves, acutae et superacutae necessario distinguuntur. Explicit Lucidarium Marcheti de Padua in arte musice plane
et mensurate, inchoatum Cesene, Veroneque perfectum" (GS III,
p. 65a–120b; Herlinger, *op. cit*, p. 68–550.)

33–42   Marchettus de Padua, Pomerium (Lib. I, tractatus I–V, précédé
de la Lettre préface).

„Incipit Pomerium Marcheti de Padua in arte musice mensurate.
Epistola praeclarissimo principum domino Roberto Dei gratia
Jerhusalem et Siciliae Regi..." 33v: Expl. „... emissiones poterunt invenire cantores." (GS III, p. 122a–123b; CSM 6, p. 35–
37.)

„Tractatus primus de caudis et proprietatibus"
Inc. „Quoniam dicente philosopho in prohemio de anima..." 42:
Expl. „... tempus musicum superius diffinitum est, primum
quia/" (inachevé: f. 42v: blanc). GS III, p. 123a–138b; CSM 6,
p. 39–79.

43–49   Jean de Murs, Libellus cantus mensurabilis.

„Tractatus venerabilis Magistri Johannis de Muris. Quilibet in
arte practica mensurabilis cantus erudiri mediocriter affectans
causa scribat diligenter que sequitur summarie compilata secundum Johannem de Muris." Inc. „Cap. Iᵐ: Partes prolationis
in musica sunt quinque..." 49: Expl. „... sufficiant in arte practica mensurabilis cantus anhelantibus introduci. Explicit musica
venerati magistri Johannis de Muris." CSM 3, p. 46a–58b.

49–50   Règles de contrepoint.

„Hec sunt regule contrapuncti eiusdem magistri." Inc. „Sex sunt
species speciales discantus, scilicet unisonus, semiditonus..."
50: Expl. „... ut fa que est dyatessaron". Suit un tableau des
intervalles.

50v–52v   Alphabet et comput des Juifs, des Grecs, des Arméniens, des
Arabes, des Perses et des Turcs.

52v–56v   Philippe de Vitry (?), Règles de contrepoint.

„Incipiunt optime Regule contrapuncti" Inc. „Septem sunt species consonantiarum in biscantu..." 53: „Tractatus iste super
musicam composuit venerabilis magister Philippus de Vitriaco.
Omni desideranti noticiam artis mensuratae musicae tam novae

quam veteris..." 56v: Expl. „... tenens dimidium spatium ut hic" (Tableau des pauses) „Explicit ars perfecta in Musica Magistri Philippoti de Vitriaco." (CS III, p. 28–35.) 57: blanc. 57v, en haut, suite de 52v: alphabets et computs tchèque et glagolitique.

57v–58   Opuscule sur la musique mesurée, sans titre.

Inc. „Sicut se habent brevis et longa in modo perfecto, ita se habent semibrevis et brevis in tempore perfecto..." 58v: Expl. „... denotando et postea commixta significare."

58v   Considérations sur les chiffres arabes.

Inc. „0. 9. 8. 7. 6. 5. 4. 3. 2. 1. Primo loco posita significant seipsum. Secundo loco, decies se. Tertio, censies se..." Expl. „... significans aliis 1. 2. 3. ... 30.000 90.000."

Saenger, p. 92–94. – CSM 6 (omet ce ms.). – Michels, p. 27, 120 (sigle *Ch*). – CSM 17, p. 12–14. – Kurt von Fischer, „Eine wiederaufgefundene Theoretikerhandschrift des späten 14. Jahrhunderts (Chicago, Newberry Library, Ms 54.1)": *Schweizerische Beiträge zur Musikwissenschaft*, I (1972), p. 23–33. – RISM B IV 4, p. 1169–1170. – Willy Apel, „La harpe de mélodie": *Scritti in onore di Luigi Ronga*, (Roma, 1973), p. 27–32 & Tafel II (= f. 10). Article reproduit dans Willy Apel, *Medieval Music*. Collected Articles and Reviews with a Foreword by Thomas Binkley (Wiesbaden, 1986), p. 154–161 (Tafel II, p. 159). – Richard H. Hoppin, *Anthology of Medieval Music* (New York, 1978), n° 69. – Jan W. Herlinger, „A Fifteenth-Century Italian Compilation of Music Theory": AMl LIII (1981), p. 103. – Gordon Greene, *French Secular Music* (Monaco, 1982), n° 67 [Polyphonic Music of the Fourteenth Century, XIX]. – Tilman Seebass, „The Visualisation of Music ...": *Studies in the Performance of Late Medieval Music*, ed. Stanley Borman (Cambridge, 1983), p. 27–28 & Plate 5 (= f. 10). – Jan W. Herlinger, *The ,Lucidarium' of Marchetto of Padua. A Critical Edition, Translation and Commentary* (Chicago and London, 1905), p. 35–37. – Schreur, p. 31–33; pl. I–IV. – Daniel S. Katz (éd.), *Libellus cantus mensurabilis secundum Johannem de Muris* (in progress). – BernhardCC, p. 16, 21.

CLAREMONT (CA), Claremont College, Norman F. Sprague Memorial Library, Hoover Collection   H 39

XVᵉ siècle. 411 ff. parchemin, 145 × 105 mm. (Edition de poche). Origine italienne. Entré avec le reste de la collection Hoover a la bibliothèque de Claremont Colleges fondé en 1925. Barthelémy l'Anglais, De proprietatibus rerum.

408v–409   Instruments de musique.

„Tuba ... Buccina ... Tybia ... Calamus ... Fistula ... Armonica ... Tympanum ... Cythara ... Psalterium ... Lira ... Cimbala ... Sistrum ... Tintinabulum..."

409v   Les consonances.

Consuelo W. Dutschke and Richard H. Rouse, *Medieval and Renaissance MSS in California Libraries* (Los Angeles, 1986), p. 111. – Lettre du Professeur Roland Jackson, Chairman, Department of Music (23/7/1990). – Sur le traité: Voir notice da Bethesda Ms. 7.

CLEVELAND (OH), Museum of Art   [Inv.] 52.88

XIe s. (c. 1050). 1 f. Parchemin. 212 × 152 mm. Justification: 160 × 126 mm. au recto, pour la décoration , et 163 × 103 mm au verso, pour le texte, à raison de 20 lignes par page. Selon Otto Homburger, ce ms. aurait été écrit et décoré vers 1020–1030 par les artistes qui ont peint les manuscrits du groupe de Liuthar. Il convient plutôt de rapprocher la grande initiale du fragment de Cleveland d'autres initiales peintes pour un groupe d'évangiles (Amsterdam, Rijksmuseum; Baltimore, Walters Art Gallery 7 *etc.*) qui daterait seulement des années 1070 (Anna S. Kortenweg, *op. cit.*). Origine: l'école de Reichenau, peu après l'abbatiat de Bernon (d 1048). Ce libellus-tonarius fut diffusé comme d'autres tonaires identiques, en particulier celui de *D-Mbs* Clm 27300 (RISM B III 3, p. 161), vers diverses écoles claustrales de l'Empire. Provenance: Au XVe siècle, le tonaire était probablement entre les mains de Johannes Trithemius (1462–1516) et devint plus tard la propriété de la famille Schönborn. On ignore à quelle époque il fut démembré. Lors de l'exposition de Berne, en 1949, le fragment faisait partie de la collection Mario Uzielli à Liestal. Il est entré au Museum of Art de Cleveland en 1952 avec la collection John H. Wade. Lettre-préface adressée à Pilgrim de Cologne (1021–1036) par Bernon de Reichenau.

1   Bernon de Reichenau. Début de la préface du tonaire ou Musica Bernonis.

1r: (lettres à rinceaux dorés sur fond pourpre) „D[OMI]NO D[E]OQUE DILECTO ARCHIPRESULI PILI GRIMO" 1v: „VERO MUNDI HVIVS ADVENAE et peregrino. BERN licet parvus meritis..." Expl. „...non solum quatuor matheseos disciplina/" (GS II, p. 62a–62b, lin. 7 avant la fin.)

Albert Boeckler, *Berner Kunstmuseum. Kunst des frühen Mittelalters* (Bern, 1949), p. 56 n° 121. – Otto Homburger, „Die Widmungsseite von Berno's Tonarius. Ein unbekanntes Einzelblatt des Liuthar-Gruppe", *Form und Inhalt. Festschrift für Otto Schmitt*, éd. H. Wentzel (Stuttgart, 1951), p. 43–50, Tafel 1 (r°) & Tafel 3 (v°). – William M. Milliken, „Title Page of a Reichenau Manuscript", *The Bulletin of the Cleveland Museum of Art*, XXXIX (1952), p. 177–183. – Franz Josef Schmale, *Die Briefe des Abtes Bern von Reichenau* (Stuttgart, 1961), p. 50 n° 17 (*Veröffentlichungen der Kommission für geschichtliche Landeskunde in Baden-Württemberg*, Reihe A, Quellen, 6). – Peter Bloch et Hermann Schnitzler, *Die ottonische Kölner Malerschule* (Düsseldorf, 1970), II, pp. 10, 23, 30, 77, 80, fig. 47. – HugloT, p. 264. – Anna S. Kortenweg, *De Bernulphuscodex in het Rijksmuseum het Catharijnconvent to Utrecht en verwante Handskrifte* (Amsterdam, 1979). – Hartmut Hoffmann, *Buchkunst und Königtum im ottonischen und frühsalischen Reich*. Textband (Stuttgart, 1986), p. 315–316 (*Schriften der Monumenta Germaniae historica*, Band 30, I).

KALAMAZOO (MI), Institute of Medieval Studies: Cistercian Antiphonary (olim Gethsemani, KY)

XIIe s. (c. 1174) 172 f. Parchemin. 308 × 212 mm. Les cahiers sont signés d'un chiffre romain: II(14v), III(22v), IIII(30v) etc. Reliure ais de bois couverts de cuir. Justification: 308 × 212 mm. Écriture du troisième quart du XIIe siècle, autour de 1174, date de la canonisation de st. Bernard, dont l'office est ajouté de seconde main, f. 64–70. Notation cistercienne de Morimond (cf. Paris, B.N. nouv. acq. lat. 1411, 1412 *etc.*) sur portée de quatre lignes: la ligne du Do est colorée en jaune, celle du Fa en rouge. 11 portées par page. L'hymnaire (f. 145–172), a été ajouté à la fin du XIIIe siècle (1291) par Beltrami de Rioldis. Origine: Abbaye cistercienne de Morimondo près Pavie. Provenance: le manuscrit a été acquis en septembre 1770 par Carlo Trivulzio. Il fut acheté en avril 1922 par la John Crerar Library à Chicago. Antiphonaire cistercien (Sanctoral) avec le tonaire dit de st. Bernard.

141v–143v	Tonaire cistercien abrégé.
	141v: „Incipit tonale. D. Quid est primus tonus? M. Regula autentuum primae maneriae determinans..." 143v: Expl. „VIII tonus ... *De profundis. In eternum. Gloria Patri ... Spiritui sancto*" (Verset des répons nocturnes du huitième ton.) (GS II, p. 268b–277b.)
	Ton orné des cantiques évangéliques suivant les huit modes: *Benedictus Dominus Deus Israël...*
144	(addition) Différences psalmodiques non cisterciennes.

Census I, p. 730, n° 1. – Dom Edmond M. Obrecht, „Liste des incunables de l'abbaye des trappistes de Gethsemani, Kentucky", *Saint Bernard et son temps* (Dijon, 1929), (Association Bourguignonne des Sociétés savantes. Congrès de 1927), t. II, p. 134, n° 1 (II.3.1). – HugloT, p. 361. – *Books of the Obrecht Collection. Exhibit 'Art of the Monastic Copyist'* organized by Robert Mareck (Kalamazoo, 1978), p. 11.

MALIBU (CA), The J. Paul Getty Museum
MS Ludwig XII 5 (Phillipps 12145)

XIIe et XIIIe s. 219 f. parchemin. 240 × 152 mm. Cahiers réguliers sauf le premier (10 + 1) les 6e, 7e, 8e, 13e, 19e (cf. Van Eeuw, 3, p. 158). Reliure cartonnée couverte de veau estampé, XVIIe siècle. Au dos, étiquette: „Ford Abbey" et indication du contenu en lettres d'or: „Excerpta ex Isidoro, Gilberto, Guidone de Arezzo, ... Arithmetica, Musica..." Etiquette (Phillipps) 12145. Justification très variable 225(190) × 140(125), à longues lignes ou sur deux colonnes, suivant les époques de la copie. Ecritures minuscules anglaises de différentes mains: première main, du début du XIIe siècle (f. 3–33; 35v–49v; 50v–125v; 139–141v); deuxième main contemporaine (f. 126–139). Troisième main du XIIIe siècle (f. 142–151). Quatrième main du XIVe siècle (f. 152–219 et additions aux f. 33v, 34v–35 et 50). Initiales rubriquées; aux grandes divisions, initiales de couleurs rouge et verte. Dans le calendrier et dans les diagrammes, encres rouge, verte et brune. L'encre rouge est encore employée pour les étoiles des signes du Zodiaque (f. 149v ss.).

Notation neumatique anglaise sur lignes tracées à la pointe sèche (f. 35v); notation alphabétique (f. 35v et ss.); la notation dasiane du „Monocordum enchiriadis" (f. 40) est ab-
sente. En plusieurs endroits, la notation prévue n'a pas été reportée (f. 37 et 40). Origine
anglaise: Cantorbéry ou peut-être Rochester. Provenance: l'ex-libris du XIVe siècle (f.
1v) a été gratté; au XVIIe siècle, propriété de John Huntly de Balyol. Au XIXe siècle, le
ms. appartenait à Ford Abbey, propriété de Richard Pollard, lors de la suppression des
monastères par Henry VIII en 1539, puis de la famille Gwyn. Le lot de 36 manuscrits de
Ford Abbey fut acquis par Sir Thomas Phillipps, le 26 octobre 1846 aux enchères ouver-
tes à Bath. Le manuscrit, racheté en 1955 par Zeitlin et Ver Brugge de Los Angeles, fut
revendu à l'ingénieur Robert B. Honeyman Jr. de San Juan Capistrano, CA. dont la
bibliothèque fut dispersée par Sotheby à Londres en 1979. Acquis par P. Ludwig, il est
revenu en Californie en 1983 au J. P. Getty Museum. Manuel scolaire sur le Quadrivium,
composé de textes ou d'extraits de Gerbert, Bernelin, Macrobe, etc. et de mesures d'instruments.

1–14		Extraits divers (Arnobe, Isidore, etc.).
14–23v		Bernelin, Traité de l'abaque.
		[En rouge] „Incipit liber abaci primus Bernelli[ni] junioris Pari-siensis"
		Inc. „Abacus tabula diligenter prius polita ab geometris glauco pulvere solet velari…" TK, 7–8.
23v–33		Gerbert, Règles de l'abaque.
		„Incipiunt Regule Gerberti super abacum. Epistola ipsius." Inc. „Vis amicitiae pene impossibilia…" [16 lignes plus bas:] „Si mul-tiplicaveris singularem numerum per singularem…" Bubnov, p. 6–22 (nombreuses variantes).
35v		Notation monocordale guidonienne, complétée par les syllabes de solmisation, rangée sur trois lignes. Les lettres de la notation alphabétique, en rouge, sont de grandeur décroissante.

ut	re		mi	fa	sol	la	ut
Γ	A		B	C	D	E	F
			ut	re	mi	fa	
ut	re		mi	fa	sol	la	
re	mi	fa		sol	la		ut
G	A	B	h	C	D	E	F
sol	la			ut	re	mi	fa
ut							
re							
ut	re		mi	fa	sol		
re	mi	fa		sol	la		
G	a	b	h	c	d		
	a	b	h	c	d		
sol	la						

158

(En dessous) Hymne *Ut queant laxis*, notée en clé de gamma avec neumes imités de ceux de l'Italie du nord. L'hymne est suivie de la différence psalmodique I*d* du premier ton.

Liste des intervalles notés: „Tonus, Semitonius, Ditonus, Semiditonus, Diatessaron, Diapente, Diesis, Diapason."

Formules mnémoniques de la psalmodie d'introït dans les huit tons (même notation): „Pater in, Seuouae. Filio, Seuouae ... Procedens, Seuouae" (HugloT, p. 391).

„Ter terni sunt modi ... noticiam." (noté). GS II, p. 152; Oesch, p. 138.

(En bas de page) Tableau de deux notations alphabétiques dont la spatialisation du demi-ton n'est pas toujours observée:

A	B	C	D	E	F			G	h
I	I	K	L	M	N	O	P		
Γ	H	G	A	B	C	D	E	F	h
G	A	B	C	D	E	F			

La première notation commence par le A = A moderne; la seconde commence aussi par la A moderne, mais comporte quelques erreurs: le gamma initial est mis pour F.

36–41 Mesures de monocorde.

36: Préambule: „Monocordum dicitur eo quod omnis in eo instrumento, vocum commensurationes una corda sonent. Monos enim graece latine unum dicitur."

Mesure 1: „Divisio monocordi secundum Boetium"

Inc. „Si monocordum Boetii constituere quaeris ita divides. Totam tabulam divide in quatuor..." Expl. „... eritque semitonium in diatonico genere." (Smits van WaesbergheG, p. 159, n° 3a; DMA. A. Xb, p. 10.)

Mesure 2: „Item alia"

Inc. „Cromatici autem et enarmonici divisionem ita facies: Sume medietatem spacii quod est inter P et O..." Expl. „... divides in duo in enarmonico genere." (Smits van WaesbergheG, p. 182 n° 66a; cf. DMA. A. Xb, p. 10.)

Mesure 3: „Item secundum Boetium"

Inc. „Monocordum compositurus accipe quadra formam quantum volueris longam. Deinde aspice..." 36v: Expl. „... et habebis quintam decimam per P." (La Fage, p. 73–74 [d'après Paris, B. N. lat. 10509]; Smits van WaesbergheG, p. 169, n° 28; cf. Markovits, p. 35 et 43–44.)

Mesure 4: (36v) „Item alia"

Inc. „Mensurus monocordum servato loco magade..." Expl.
„... per diapente et diatessaron tota potest dividi."
Mesure 5: „Item alia"
Inc. „Si monocordum Boetii constituere quaeris, in primis in
quatuor..." Expl. „... monocordum Boetii mensurando comple-
veris."
36v: Sur la notation monocordale.
Inc. „Has voces breviter subtiliterque per lineas et spacia nota-
mus brevissimis punctis elevando et deponendo ita ut si frequen-
tativo usu exercuerit aliquis, plane et leniter poterit omnem cantum secundum regulas notatum sine magistro indubitanter pro-
ferre et per monocordi melodiam sine errore (37) cantare. Et post
paucorum mensium tempus exercitatus, ablata corda, solo visu
omnia tali modo notata per se ipsum cantare valebit et etiam indi-
care aliis..." 37: Expl. „... et notae et etiam coniunctiones."
Suit la formule sans notation: „Diapente et diatessaron symphoniae..." GS I, p. 150; Gümpel dans *AfMw*, XXXV (1978), p. 57.
37: Opuscule sur les intervalles, les modes et les huit formules
modales.
Inc. „Sex namque sunt coniunctiones istarum vocum per quas
omnis regularis cantus discurrit..." 38: Expl. „... in G acuta
raro videtur incipere." Suivent les huit formules modales.
38: Traité anonyme sur les proportions numériques, sources des
consonances, suivi d'un second sur les huit tons: Inc. „Proportio
est diversarum rerum ad se invicem comparabilis collacio. Proportio vero est, alia multiplex, alia superparticularis..." Expl.
„... ab octonario septem intermissis." La Fage, p. 72 (d'après
Paris, B. N. lat 10509); DMA A X b, p. 35 (d'après Oxford, Bodleian Library, Rawlinson C 270); New York, Pierpont Morgan Library, B. 12 f. 69 (voir ci-dessous).
„Est autem in musicis diapason que in numeris dupla proportio... (39, l. 3) ... restituit totius integritatem. Dicitur quoque
tonus unaquaque species diapason..." 40: Expl. „... in horum
quattuor aliquam revertitur." DMA A Xb, p. 39–41 (jusqu'à
„totius integritatem").
40: Mesure 6: „Secundum enchiriadem" (sans la notation dasiane). Inc. „Prima corda notabitur per A. Divide totum A per
medium..." Expl. „... quarta: tetardus." Schmid, p. 233–234.
Mesure 7: „Item alia divisio" (sans la notation dasiane). Inc.
„Monochordum enchiriadis constat ex XVIII cordis..." 40v:
Expl. „... dimidium habet ad caput ita:" (la notation dasiane a

été omise). Schmid, p. 236–237.

Mesure 8: „Secundum Guidonem divisio monochordi". Inc. „Secundum Guidonem monocordum compositurus in primis Γ, gamma greca littera affixa..." Expl. „... ut facile intelligatur et intellecta vix obliviscatur." (Copie de *Micrologus*, K. III et IV.)

Mesure 9: „Item alia."

Inc. „Alius vero dividendi modus qui et si memorie minus adiungitur..." Expl. „... pone $\frac{d}{d}$ reliquis nihil." (Smits van WaesbergheG, p. 176, n° 49a.)

Mesure 10: „Item alia."

Inc. „Partire Γ in IIII^{or} partes et in prima pone C..." 41: Expl. „... eodem spacio pone $\frac{d}{d}$ sursum." (Smits van WaesbergheG, p. 177, n° 53a.)

Mesure 11: „Item alia."

Inc. „Divide Γ per medium et in medio pone G..." Expl. „... eodem passu erit B." (Smits van WaesbergheG, p. 178, n° 54a.)

41–41v   Nom des cordes du Grand Système complet.

„Nomina cordarum et interpretatio earum"

Inc. „Proslambanomenos id est Γ dicitur adquisitus..." 41v: Expl. „... Guido vero et enchirias omnes XVIII in monocordo suo ponunt."

41v–42v   Guy d'Arezzo, Prologue de l'Antiphonaire, sans titre.

Inc. „Temporibus nostris..." 42v: Expl. „... ex industria componatur" GS II, p. 35–37; DMA. A. III, p. 59–81.

42v–45v   Guy d'Arezzo, Lettre à Michel de Pomposa.

„Epistola Guidonis ad Michaëlem"

Inc. „Beatissimo atque dulcissimo Fratri Michaëli Guido. Per anfractus..." (la notation alphabétique mentionnée dans cette épitre est omise) 45v: Expl. „... solis philosophis utilis est." GS II, p. 43–50.

45v   (De seconde main, du XIIe siècle) Interprétation de la formule échématique.

„None-noe-ane. None dicitur a greco quod est nus ... apud nos interpretari possunt eia." HugloT, p. 193 et 336.

46–91v   Astronomie et comput.

48: Ordo pour la bénédiction des tirages au sort.

51: Calendrier métrique.

65: Ephemerides d'Abbon de Fleury.

„Ephemerida vel Ephemeris ... doctissimi Abbonis." Inc. „Ardua con[n]exae libat sacraria..." TK c. 127.

80: Extrait de Macrobe.

Inc. „Eratostenes philosophus idemque geometra subtilissimus magnitudinem terreni orbis..." éd. Willis, II, p. 80, 82.

91v–101   Florilège de textes sur l'architecture et sur l'orgue.

„Incipit de architectura ... de libris antiquorum excerpta. 93–93v: Facture d'orgue antique.

„De organicis fistulis." Inc. „Post fistulas tuborum fusiles..." 93v: Expl. „... ad delectationem iocundior istis." Sachs, p. 56. 93v: „De capsa cui superponantur fistulae." Inc. „Capsam cui superponantur fistulae..." Expl. „... in suis foraminibus erunt mobiles et cursoriae." Sachs, p. 57.

„De ordine fistularum." Inc. „Post hec ordinantur fistule..." Expl. „... quam cum sono per fistulas refundat." Sachs, p. 58 (Cf. Bd. II, 1980, p. 262, 266 *etc.*).

101v   Géométrie, Cosmographie et Astronomie.

108v   Extraits scientifiques divers, sans indication de sources: 112v: „Quattuor sunt elementa ex quibus constant corpora..." 123: Passage de Macrobe sur les consonances (*In somnium* II i 14, éd. J. Willis, p. 97) et sur le nombre de l'âme du monde, avec diagramme en marge. 149: Tableau des constellations (XIVe siècle): au f. 151, constellation de la lyre, sous forme d'une harpe à 12 cordes.

152–fin   Additions postérieures en cursive anglaise.

Census I, p. 19 n° 1. – Plotzek-Van Eeuw, 3, p. 158–169., avec 3 planches. – Catalogue English and Son, Bath, 26 October 1846, n° 251. – Catalogue W. H. Robinson n° 81 (London, 1950), n° 76. – Munby 4, pp. 19 et 179. – *The Honeyman Collection of Scientific Books and MSS* (Sotheby, Parke, Bernet and Co), Part III: *Manuscripts and Autograph Letters of the 12th to the 20th Century* (London, 1979), n° 1085, avec un facsimilé du f. 23v. – *The J. Paul Getty Museum Journal*, 12 (1984), p. 299 (Acquisitions 1983), n° 89. – Heinrich Schenkl, *Bibliotheca Patrum latinorum Britannica*, II (Vienna, 1892), p. 113, n° 1881, date le ms. de la fin du XIe siècle. – Smits Van Waesberghe G, *Addenda et Corrigenda* simple mention du ms. avec renvoi aux pp. 159–182: Mesures de monocorde. – *Bulletin codicologique* de *Scriptorium* 18, 1964, p. 306 n° 676. – Menzo Folkerts, „Boethius" *Geometrie II. Ein mathematisches Lehrbuch des Mittelalters* (Wiesbaden, 1970), p. 3 n° 1. – SachsM, p. 39. – Francis S. Benjamin, Jr. et G. J. Toomer, *Campanus of Novara and Medieval Planetary Theory* (Madison, Milwaukee, and London: The University of Wisconsin Press, 1971), p. 116 n° 56. – Schmid, p. 233–237. – DMA. A. IV, p. 87–89. – Bernhard CG 1, p. 25, 37. – Michel Huglo, „Réception de Calcidius et des *Commentarii* de Macrobe...", *Scriptorium*, 44 (1990), p. 15.

NEW HAVEN (CT), Yale Medical School Library
Incunabulum X, VI.20 (olim E 113)

Anciennes cotes: 800 (au dos); Z (sur le plat).

XVᵉ s. 131 f. Papier, avec différents filigranes: f. 125, tête de boeuf avec fleur piquée entre les cornes (comme dans le ms. lat. 36 de l'Université de Pennsylvanie à Philadelphie). Le présent manuscrit est relié entre deux incunables: composition non apparente, ne comportant ni numéros de cahiers ni réclames. Reliure de maroquin rouge estampé à froid: deux fermoirs en cuir à crochets de cuivre. Dos restauré: l'ancien dos, conservé dans la custode, portait la cote „800" et le titre en lettres d'or „Euclides in Geometria cum aliis". Sur le plat supérieur, étiquette ancienne avec mention abrégée du contenu: „... Geometria ... compositio organi cum aliis..." at la cote „Z". Justification: 200 × 147 mm. Écriture bâtarde allemande des environs de 1450 (au f. 61v, Explicit daté de 1433). Au f. 52, signature: „Dnus praepositus Neroburgensis". Origine: Allemagne du Sud. Provenance: St. Peter de Salzburg. Au f. 1, en rouge: „Johannes Serlinger". Johannes Serlinger, du diocèse de Salzburg, fut béni Abbé de Seckau par l'archevêque de Salzburg le 28 novembre 1480. Décédé le 3 février 1511, il fut enterré dans le cimetière de S. Peter de Salzburg. Le livre provient de cette abbaye: il fut acquis par la Medical Library vers 1932. Le manuscrit comprend 30 opuscules de mathématiques et d'astronomie. Il est relié entre deux incunables: 1. Les „Eléments de Géométrie" d'Euclide dans la version latine d'Adalhard de Bath, avec le commentaire de Campani, imprimé par Ratdolt d'Augsburg à Venise, le 25 mai 1482 (Hain, n° 6693). 2. Le Traité des planètes de Georg Peurbach, imprimé à Nuremberg en 1473–1474 (Hain, n° 13595).

126–127   Opuscule 28:

Traité de facture d'orgue, sans titre, divisé en paragraphes.

„Incipit mensura ad faciendum opus organicum ubi primo consideracio longitudinis occurrit. Accipe ergo longitudinem primae fistulae c fa ut prout volueris signando punctum seu lineam (?) principium et finem ipsius fistulae vim longitudinem c fa ut naturalis, quam postea a puncto primo incipi (endo) dividens in 9 partes nona parte deposita habebis d sol re." (Cf. SachsM, p. 136, d'après un manuscrit d'Erfurt.)

„Viso de longitudine fistularum omnium, nunc de ipsarum latitudine videamus. Accipe ergo primam fistulam c fa ut naturalem cujus longitudinem cum clavo dividens in 5 partes..."

126v: „De latitudine vero bordunorum videamus..."

„Visa itaque latitudine naturalium et bordunorum et ipsa capita videamus ubi notus est..."

Mesure des lèvres du tuyau.

„Transfuso autem modo fistularum mensura nunc de ipsarum orificiis videamus. Mensura igitur labium uniuscujusque fistulae que mensura trahe circulum in prima cum inferiori ferro per latitudinem labium quod infixum est circulo..." (Cf. SachsM, p. 138–139.)

Accord de tuyaux.

„Visaque diligentia operis organici de mensura, nunc de ipsius concordantia videamus…" 127: Expl. „… cum falseto quod est in c fa ut et d sol re concordabilis et sic in octava qualibet concordabilis erit." (SachsM, p. 139, n° 39–51; cf. Simon de Quercu, *Opusculum musices* (Vienna, 1509) [Yale, Beinecke Library, Music Deposit, 50], p. h ij: „Tabula ad concordandum clavicordia aut clavicimbula")

Trois lignes en blanc.

127–127v   Opuscule 29:

Traité de clavicorde, en prose et en vers.

„In principio corporis ad clavicordium dispositi secundum tuum placitum locabis et signabis C. Deinde…" 127v: Expl. „… Et sic est finis compositio clavicordii prosayce. Sequitur modo compositio ejus metrice."

„Musarum voces sunt novem prima facit d…" Onzième et dernier vers: „Primum cum terno quintum sextumque locando."

Census S, p. 58–59, n° 25. – Collation du manuscrit par Craig Wright (mai 1985).

NEW HAVEN (CT), Yale University, Beinecke Rare Book and Manuscript Library   Ms 225

XVe s. 295 f. Papier à filigrane non identifié. Cahiers irréguliers (cf. Catalogue cité, p. 315). Reliure du XVe siècle: ais de bois recouvert de cuir lacé. Traces de fermoir. Justification: 165 × 120. La partie principale (f. 44–294) a été écrite en 1422 par Jacobus de Paradiso, étudiant du maître Paul de Worczin à l'Université de Cracovie, qui entra à la Chartreuse d'Erfurt en 1442. Les feuillets précédents, contenant la „Philosophia naturalis" et l'„Ars musica" (f. 29v–30v) sont écrits de diverses mains du XVe siècle. Origine: Cracovie (f. 44–294). Provenance: la chartreuse de Salvatorberg à Erfurt: „Cantilogium sive de monocordo, quomodo dividitur et formatur" (cf. Paul Lehmann, p. 488, n° 42). En 1850–1860, le ms. appartenait à A. Franck de Paris. Il fut vendu en 1931 par Goldschmidt au Rev. Anson Phelps Stokes. Il a été acquis par Yale University en 1956, grâce au Penniman Fund. Recueil universitaire contenant un florilège de textes d'Aristote et un traité de monocorde.

29v–30v   Traité sur le monocorde.

29v: Inc. „Monicordum (*sic*) unius chordae instrumentum est musicum omnium aliorum instrumentorum fundamentum, per quod quae ex proportionibus partim sonantium certissime dividitur, verissime cantus exanimatur. Hoc olim communiter scolares utebantur precipue canonici et monachi quia ex quo si rite dividitur sonat infallibiliter…"

„Accipe igitur regulam lineam..." 30v: Expl. „... et monocordum fidenter exanimat omnem cantum."

Census II, p. 2276, n° 2; Census S, p. 42, n° 225. – *Mittelalterliche Bibliothekskataloge
Deutschlands und der Schweiz*, herausgegeben von der Akademie der Wissenschaften in
München. Zweiter Band: *Bistum Mainz, Erfurt*, bearbeitet von Paul Lehmann (Mün-
chen, 1928), p. 448, n° 42. – Barbara A. Shailor, *Catalogue of Medieval and Renais-
sance Manuscripts in the Beinecke Rare Book and Manuscript Library Yale University*
(Binghamton, NY., 1984), Volume I: Mss 1–250, p. 314–316 et pl. 4 (= f. 263).

NEW YORK (NY), Columbia University, Rare Book and Manuscript Library
MS X 510   H 74

Anciennes cotes: VI (sur le plat supérieur); 309 au dos.

1476. 273 f. papier sans filigrane: entre 1v et 2, sous le fil de couture, lambeau de parchemin avec caractères hébraïques. 215 × 149(152) mm. Ce livre est formé de divers libelli
juxtaposés, avec chacun une justification différente. Reliure: ais de bois couvert de cuir
coloré à la myrtille, ciselures à dessins géométriques sur les plats. Un fermoir. Étiquette
indiquant le contenu sur le plat supérieur; seconde étiquette: *MS VI*. Au dos, étiquette:
309 (ou 304 ?). Justification des f. 158 et suivants: 128 × 71 mm. Écritures du dernier
quart du XVe siècle, la plupart datées de l'été 1476. Initiales bleues ou rouges. Origine:
Bâle, été 1476. Provenance: le manuscrit est passé successivement dans les bibliothèques
d'August C. Naumann jusqu'en 1854, du Prince Baldassarre Boncompagni jusqu'en
1898, de Halle à Leipzig, jusqu'en 1902 (voir indication des catalogues de vente dans le
Census II, p. 1261). Finalement, le ms. est arrivé à Columbia University „from the Bequest of F.A.P. Barnard, President of Columbia College, 1864–1899." Traités scientifiques: arithmétique, astronomie, musique (Jean de Murs) et comput.

1	Table du contenu (en rouge): ...„Musica"...
4–157	Traités scientifiques: Johannes de Sacrobosco, *De sphaera* (4–29); Johannes Cremonensis, *Theorica planetarum*, écrit à Bâle le 21 juillet 1476 (30-43); Thaddeus de Parma, *Expositio super Theoricam planetarum Johannis Cremonensis*, écrit le 25 août 1476 (46 –114; au f. 99, mention de l'éclipse du vendredi 2 juin 1476); Jean de Murs, *Canones tabularum Alphonsi* (118–136); Jean de Murs, *Arithmetica*, écrit à Bâle le 15 juin 1476 (142–157): sur ces deux derniers ouvrages de Jean de Murs, voir Michels, p. 9 et 10; E. Poulle, *op. cit.* p. 7.
158–177	Jean de Murs, Musica speculativa (avec gloses en marge). Inc. „Etsi bestialium voluptatum per quos gustus et tactus..." (GS III, p. 255a.) Dans la marge supérieure: „Musica est scientia consonantiarum sonorum et modulationum vocum consideratio" 158v: „Omnem doctrinam et omnem disciplinam..." 160: „Propter simphonias subiungere vim..." 171: Expl. de la première par-

tie „... divina gratia largiente" (GS III, p. 273.)

171: „Ad secundam partem de divisione monocordi nunc est acce-
dendum..." (GS III, p. 273.)

175: „Nunc ego concordo cum Boetii monocordo..." (GS III,
p. 281a.)

176: „Sed monocordale[m] plane volo scribere talem. Juxta divisionem quam dat Boetius de monocordi sui dispositione..." (GS
III, p. 282a.)

177: Expl. „... quorum finem fit in hoc ordine consequentes."
Diagramme tracé à main levée:

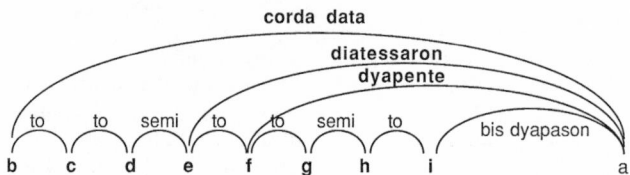

„Finis Musice Magistri Johannis Muris. Ex Basilea Anno M° CCC
LXXVI, VII kal. Julias" (GS III, p. 283, sans le diagramme).

178–271   Anselmus, *De imagine mundi*, écrit à Bâle en août 1476 (178–
193); *De generatione spermatum* (195–207); Johannes de Sacrobosco, *Tractatus Algorismi* (211–222); *Computus Nurembergen-
sis* (223–242); *Computus casualis* (247–251); Tables astronomiques (252–271).

Census II, p. 1260–1261, n° 14. – Michels, p. 9, 10, 18 n. 13, 122 (sigle Nw.). – Emmanuel
Poulle, „Jean de Murs et les tables alphonsines", *Archives d'histoire doctrinale et litté-
raire du Moyen Age*, XLVII (1980), p. 241–271. – E. Poulle, *Les tables alphonsines avec
les canons de Jean de Saxe* (Paris, 1985). – Susan Scea, *Johannes de Muris Musica speculativa* (CSM; in print).

NEW YORK (NY), Columbia University, Rare Book and Manuscript Library, Plimpton   Ms 157

XVe s. (c. 1460). 26 f. Papier à filigrane (lettre „b" à haste biseautée: Briquet, n° 8087).
4 feuillets, sans foliotation, forment la couverture et les gardes. 210 × 147 mm. Composition: un cahier de 7 bifolia (00–13) plus un feuillet (14) et un quinion (15–22bis). Pas de
reliure: custode moderne de couleur bleue. Justification 158 × 99 mm. Écriture allemande du XVe siècle (ca 1460) 18–40 lignes par page. Origine: Allemagne du Nord-
Ouest, d'après le calendrier abrégé (14–14v). Provenance: Jacques Rosenthal (?). Collection George A. Plimpton, offerte en 1936 à Columbia University. Trois parties: „Elé-

ments" d'Euclide (1–14); traité sur le calendrier (15–17); traité sur les sciences du Quadrivium.

18–22   Traité général sur le Quadrivium, avec un passage sur la Musique.

18: Inc. „Quadruvii nomen ostendit quod hoc ipsum in quatuor facultates superiores ruit… In primis brevissime subtiliterque videndum est de hiis que sunt aritmetice scientie, in 2° geometrie, 3° astronomie, in 4° vero et ultimo musice. Que scientie omnes circa quantitatem versuntur licet diversimode; nam ipsa aritmetica quantitatem discretam sive numerum considerat absolute sive incontracte; musica vero numerum considerat ut numerum sonorum; geometria autem quantitatem continuam sive magnitudinem considerat simpliciter; astronomia vero eandem considerat contracte ut magnitudinem mobilem. Ex quibus patet quod hee quatuor scientie quadruvium ideo dicuntur, quia omnes quatuor in unam viam sive in unum finem tendunt scilicet in quantitatem…" 22v: (Modus metiendi cum baculo Jacob) Expl. „…computandum est rei altitudo."

Census II, p. 1781, n. 157. – Ives, p. 40. – David E. Smith, *Rara arithmetica. A Catalogue of the Arithmetics Written before the Year MDCI with a Description of Those in the Library of George A. Plimpton of New York* (Boston and London, 1908), p. 452–453 et 453–464.

NEW YORK (NY), Columbia University, Rare Book and Manuscript Library, Plimpton   Ms 250 (Phillipps 11727)

XVI° s. (c. 1550). 161 f. Papier à filigrane italien de 1520, avec gardes de papier plus épais. 330 × 225 mm. Reliure cartonnée couverte de papier marbré: le dos en basane a disparu et laisse apparaître les nerfs couverts de papier journal allemand. Justification: 245 × 141 mm. Règlure à la mine de plomb jusqu'au f. 8 et ensuite à la pointe sèche. L'écriture minuscule italienne de ca. 1550 et la couleur mauve des sous-titres sont très semblables à celles du manuscrit de John Hothby conservé à Washington, Library of Congress ML 171 R 32 Case. Origine italienne: le modèle est le ms. Vat. lat 3123 de la Vaticane, du XIIème siècle (cf. RISM B III 2 [Italy], p. 94–95). Provenance: collection du Docteur en médecine Georg Kloss de Francfort-sur-le-Main (ex libris collé à l'intérieur du plat supérieur); puis collection Longmann. En 1838, il passe à Cheltenham (collection Phillipps, n° 11727). Racheté par Quaritch en 1908, le manuscrit fut vendu à George A. Plimpton qui offrit sa collection à Columbia University en 1936. Le contenu, insuffisamment décrit par le Census, a été rectifié par Ives: comput de Gerland de Besançon; traités de comput ou de mathématiques de Gerbert „De multiplicatione" et „De divisione" précédé de la lettre à Constantinus („O dulce solamen…"); de Thurkil, de Francon de Liège et enfin d'auteurs anonymes.

158–158v   Traité sur la mesure des tuyaux d'orgues.

Inc. „Cognita omnis consonantia fistularum in organis mensurae ratio ita investiganda est: prima fistula ad arbitrium mensoris tendatur, eiusdem latitudinis omnes erunt. Secunda metiatur a prima...“ 158v: Expl. „...Tertium ad instar duorum sicut mensum est. Secundum ad similitudinem primi" (GS II, p. 286; SachsM, p. 99.) Thorndike and Kibre, c. 230 (d'après *GB-Ctc* R. 15.22 (944), f. 126v, décrit ci-dessus, p. 15–20).

158v   Traité de mesure des cloches.

Inc. „Quicumque cymbala facere voluerit. Primum faciat duas partes coereae aequales pondere...“ Expl. „... Si vero fusa minus recte sonet: lima vel cos adhibeatur.“ (Smits van WaesbergheC, p. 53, n° XV, d'après Vat. lat. 3123. f. 109; Cf. Thorndike and Kibre, c. 1239, d'après *GB-Ctc* R. 15.22 (944), f. 131.)

Census II, p. 1798. – Ives, p. 44–45 et 48. – Munby 3, p. 47–48; Munby 4, p. 176. – David E. Smith, *Rara arithmetica* (Boston and London, 1908), Addenda: add. à la p. 487. – Menso Folkerts et A.J.E.M. Smeur, „A Treatise on the Squaring of the Circle by Franco of Liège, of about 1050“, *Archives internationales d'histoire des sciences* 26 (1976), p. 228.

NEW YORK (NY), Columbia University, Rare Books and Manuscript Library   Plimpton MS. 263

XVIe s. 379 f. Parchemin. 550 × 390 mm. Reliure restaurée en 1969. Écriture anglaise (lettre de forme) sur deux colonnes de 43 lignes due a Roger Motram, „at the Abbey of the Holy Gost“ (f. 379v en marge). Décoration aux armes de Thomas Chaworth (d. 1459). Origine: The Holy Ghost ... Provenance: Thomas Chaworth. Vente de Christie's a Londres (juin 1925); Bernard Quaritch. Collection George A. Plimpton. Barthélemy l'Anglais, *De proprietatibus rerum* dans la version anglaise de John of Trevisa , 1326–1412.

376v–377v   De Musica (derniers chapitres du *De proprietatibus rerum* dans la version anglaise de John de Trevisa): les noms des chapitres sont maintenus en latin, sauf pour les suivants: Trompe of Horne ... Pipe ... Tabour ... Harpe ... Sownes ... Sady ... Belle.

Census II, p. 1801, n. 263. – George A. Plimpton, *The Education of Chaucer* (Cambridge, 1935), p. 6–7 et pl. V (= f. 1). – *The Rare Books and Manuscripts Library of Columbia University. Collections and Treasures* (New York, Columbia University, 1985), p. 46, n. 15 (avec fac-similé).

NEW YORK (NY), Pierpont Morgan Library   B. 12

XVe s. 76 f. parchemin. 147 × 111 mm. Les cahiers, reliés très serrés, portent parfois une réclame rouge (f. 23v, ... 40v, 54v). Reliure cartonnée grise, dos maroquin noir avec étiquette: „Nicholas of Lynn – Calendar etc. Ms. Engl. 14th Cent." Justification (relevée sur le f. 76v, blanc) 118 × 88 mm, 25 lignes. Écriture: f. 1–26, lettre de forme anglaise, début XVe siècle; initiales bleues ou rouges avec ou sans filigrames. F. 26v – fin, bâtarde de diverses mains, XVe siècle, avec initiales rouges (f. 63–70, seulement la lettre d'attente, à la place prévue pour les initiales tracée à l'encre noire). Origine anglaise: au f. 31v, sous le tableau de la latitude et de la longitude des principales villes du monde, ont été ajoutées de première main le nom de neuf villes anglaises; f. 63, traité des proportions rédigé en anglais. Provenance: le ms a été acquis à la vente Goldschmidt à Londres, par Curt Bühler (*d.* 1985), ancien conservateur des imprimés de la Pierpont Morgan Library, pour sa collection personelle. Traités d'astronomie, de mathématiques et de musique.

1–32	Nicholas of Lynn, Calendrier avec tables des planètes et des éclipses. Inc. „Ad noticiam tabularum Kalendarii sequencium..." (Cf. C. Bühler, art. cit. p. 229, n. 5; Thorndike, c. 55.) 33: blanc.
34–50	Ps. Ptolomée, De significationibus septem planetarum. Inc. „Saturnus cum fuerit in ascendente..." (Thorndike, c. 1381.)
51–58	Pierre de St. Omer, chancellier de Paris, ca 1296. „Tractatus composicionis instrumenti ad inveniendum vera loca omnium planetarum." Inc. „Quoniam non conceditur nobis philosophiae studium..." (Thorndike, c. 1288.)
59–61	Traité de dévotion à l'ange gardien avec prière privée „Omnipotens sempiterne Deus qui felicem animam humanam..." 62: blanc.
63–68v	Traité des proportions, attribué à Chilston. Inc. „For ye schul of your proporciouns..." (C. Bühler, art. cit. p. 231; cf. Meech, p. 265, d'après GB-Lbl Lansdowne 763 [début différent].)
69–76	Collection d'opuscules sur les proportions numériques et leur application aux consonances musicales. 68v–69: Lettre de Gerbert à Constantin de Micy. „Incipit epistola Gerberti de proportionibus." Inc. „Constantino suo Gerbertus scolasticus. Quae in decimo capitulo secundi libri..." 69: Expl. „... multipliciter proportio sesquialtera." (Bubnov, p. 29–30.) 69–69v: „Item aliud capitulum" Inc. „Proporcio est diversarum rerum ad se invicem comparabilis collacio ... alia est multiplex, alia superparticularis. Multiplex est quae comparata alicui..." 69v, 1.2: Expl. „... et ita de alteris." La Fage, p. 72 (d'après Paris, B.N. lat. 10509); DMA.A.Xb, p. 35 (d'après *GB-Obl* Rawlin-

son C 270, f. 16v, ci-dessus, p. 124–126). Cf. Malibu, J. Paul
Getty Museum, Ms. Ludwig XII 5, f. 38 (ci-dessus, p. 157–162).

69v „Superparticularis est quae alicui comparata..." 70: Expl.
„...ab octavo septem intermissis." (La Fage, p. 72; DMA.A.Xb
p. 35–36.)

70–73 Traité des proportions, sans titre.
Inc. „Proportio ist rerum diversarum apta comparatio. Sesquialtera proportio est cum duobus numeris ... (70v) Partes quidem
diapason sunt diapente et diatessaron ... (71) Est autem in musicis diapason quando in numeris est dupla proportio..." 73:
Expl. „... sedecies ducta restituit totius toni integritatem. Explicit" (DMA.A.Xb, p. 37–41 [d'après *GB-Obl* Rawlinson C 270, f.
17–19v]: voir ci-dessus, p. 124–126).

73v Traité de notation mesurée.
Inc. „Ad laudandum Deum trinum et unum et ad habendum perfectam noticiam artis musicae mensurabilis, sciendum est quod
tres sunt species figurarum quadratarum ex quibus formantur
sex species notarum simplicium. Ex maxima quadrata sola constat una species quae longam vocatur..." Cf. *GB-Ctc* O. 9.29, f.
54 (ci-dessus, p. 10–13; *GB-Lbl* Lansdowne 763, f. 90 (ci-dessus,
p. 87–91); Princeton, NJ. University Library, Garrett 95, p. 170
(ci-dessous, p. 177–179).
„De variatione sex speciei notabilium modo perfectionis gene-
rarum in figura superiori" (la figure en question manque). Inc.
„Cum sex sunt species notarum simplicium sicut ostensum
est..."
74: „De proportione notarum ad invicem in figura predicta". 74v:
Inc. „Propterea studendum est quod[am]modo numeri id est artis metricae..." 75: Expl. „...Hec nota patet in figura predicta"
(cette figure manque).
75: „De natura pausarum." Inc. „Circa pausas sciendum est
quod singulae pausae singulis notis..."
75v: Proportions numériques et consonances. „Proportio dupla
i.e. diapason." Inc. „Diapason in dupla proportione consistit.
Duplex enim numeri est cum de duobus numeris..."
„Proporcio sesquialtera i.e. diapente." Inc. „Sesquialtera proportio est quae habet in se totius numeri..."
76: „De proporcione sesquitercia." Inc. „Sesquitercia proporcio
est cum de duobus numeris maior habet totum numerum..."
Expl. „...diatessaron grece, quatuor latine inde diatessaron ex
quatuor interpretatur. Explicit."

Addition contemporaine en bas de page:
„Proportio sesquioctava, tonus, grece Epogdous ... quod interpretatur 9 ad 8"
76v: blanc.

Census S, p. 389. – *Medieval Literature, History and Science of the Middle Ages. Texts
and Documents.* Catalogue 65. E. P. Goldschmidt & Co London, 1945–46, p. 1. –
Meech, 235–269. – Curt Bühler, „A new Manuscript of the Middle English Tract on Proportions attributed to Chilston (Sometimes)", *Speculum,* XXI (1946), p. 229–233. –
Nancy Phillips in *Bulletin codicologique* de *Scriptorium* 39 (1985), p. 181*, n° 605. –
Charles Ryskamp (éd.), *Twenty-first Report to the Fellows of the Pierpont Morgan Library,* 1984–1986 (New York, 1989), p. 30.

NEW YORK (NY), Pierpont Morgan Library   M. 875

Début XV⁰ s. 337 f. Parchemin. 430 × 305 mm. Reliure de veau brun aux armes de la famille Dysart-Tollemache. Écriture batarde anglaise du début du XV⁰ siècle. Décoration
simple: rinceaux feuillus; initiales plus grandes au début de chaque livre. Origine anglaise. Provenance: collection Lionel Tollemache (d. 1669), époux d'Elis Dysart. Le ms.
fut offert à la Pierpont Morgan Library en 1955 par Edwin J. Beinecke. Barthelemy
l'Anglais, *De proprietatibus rerum* dans la version anglaise de John of Trevisa (1326–
1412).

334v–335v   De musica (derniers chapitres du De proprietatibus rerum dans
la version anglaise de John of Trevisa): les noms des chapitres
sont maintenus en latin, sauf pour les suivants: 334v: Cap. cxxxj:
De musica ... Pipe ... Taboure ... Harpe ... Sonne ... Belle ...
337: dernier chapitre (cxlv) / Quid sit numerus sexque alterus (=
sesquialterus).

Catalogue dactylographié de la Pierpont Morgan Library. – *Cambridge History of English Literature,* II (Cambridge, 1933), p. 87.

PHILADELPHIA (PA), Free Library   Lewis 6

Ancienne cote: 913 (verso du plat supérieur).
Fin XIII⁰ s. 324 f. (non foliotés). 250 × 180 mm. Le premier cahier est incomplet. Reliure
souple de cuir noir, avec deux fermoirs. Justification 180 × 125. Écriture de la fin du
XIII⁰ siècle par plusieurs mains: l'écriture du tonaire, un peu différente de celle de l'antiphonaire, se rapproche de celle de l'hymnaire. Initiales à filigranes alternativement
bleues ou rouges; initiales de couleurs bleu et mauve plus ornées, avec rinceaux à épines
dans les marges, au début du tonaire et pour les dimanches et grandes fêtes. Office
propre pour st. Dominique (4 août), mais la fête de st. Thomas d'Aquin, imposée à

l'Ordre en 1323, est ajoutée en marge de seconde main. A la fin, antiennes propres à la Vierge pour chaque jour de la semaine. Probablement d'origine française – sinon de Poissy, comme le ms. 7 de la même collection – cet antiphonaire a dû passer par l'Italie. Provenance: collection John F. Lewis (*d* 1932). Tonaire, Antiphonaire (Temporal et Sanctoral séparés) et Hymnaire de l'Ordre des Prêcheurs.

1–1v   Tonaire dominicain (début), sans titre.
            Inc. „Omnis cantus ecclesiasticus in mediis clavibus termina-
            tur...“ (Incipit du verso) „ille toni imparis. Si vero pl[agelis] in
            inferioribus erit, cantus toni paris...“ Suivent six différences
            psalmodiques du premier ton pour le *Gloria Patri* des répons.
            Expl. du verso: „... littera ter in graduale et responsor/“ (S.M.
            Cserba, *op. cit.*, p. 159 ss.)

Census II, p. 2032. n° 41. – Wolf, p. 9. – Simon M. Cserba, *Hieronymus de Moravia. Tractatus de musica* (Regensburg, 1935) [*Freiburger Studien zur Musikwissenschaft*, 2. Reihe, Heft 2], p. 159 sqq. – HugloT, p. 369 sqq. (omet ce ms).

PHILADELPHIA (PA), Rosenbach Museum and Library   MS 485/22

XVe s (1443). 8 f. Papier. 198 × 147 mm. Feuilles de garde de papier avec les lettres I S D en filigrane. Reliure cartonnée, couverte de velours vert, tranches dorées. Justification: 175 × 120 mm. 44 lignes par page. Écriture cursive allemande du milieu du XVe siècle, datée de 1443: „Et finitur feria 3^a post festum Margarete, hora quarta post meridiem sub anno Domini 1443. Hec dicta sufficiunt“ (f. 7v). Titres et sous-titres en lettres gothiques initiales repassées en vert; initiales plus petites rouges ou vertes alternativement. Notation à clous allemande sur 4 ou 5 lignes à l'encre noire; ♭ et ♮. Origine allemande. Provenance anglaise: au verso du feuillet de garde, on a collé la notice d'un catalogue de vente anglais du XIXe siècle: „379 – Volentibus facilem... Ancient and very curious MS written in Gothic character with singular music notes“. Le manuscrit fut acquis par Otto H.F. Vollbehr résidant à Hay Adam House à Washington (DC), où il portait le n° 3238 (Census I, p. 503)

1–8   Traité anonyme de contrepoint avec nombreux exemples notés.
            1v: Inc. „Volentibus igitur facilem ad musicam habere agressum.
            Sunt primo quatuor. Notanda sunt clavium manualium...“
            1v: Muances, avec exemples notés:
            2: „*Solfas et varias sic C fa ut bene solvas. Debes D sol re mut-
            ando sic variare Sic E la mi varia solvando quoque muta. Mu-
            tans sol*-(2v)-*vabis sic effaut et mutabis.* Sic est mutandum G sol
            ré ut et est sic variandum...“
            6v: Intervalles, avec exemples notés:
            „*Ter quatuor sunt species quae omnis cantilena contexitur scili-*

cet unisonus, semitonium, tonus, semiditonus ... ditonus cum diapente, dyapason"

7: Contrepoint.

„Ars contrapuncti magistri Philippi de Caserta quam us[us] quae nomen species ... (Cf. „Regulae contrapuncti secundum magistrum Phylippotum de Caserta", éd. Nigel Wilkins *in Nottingham Medieval Studies*, VIII [1964], 95–99).

7v: Dix règles de contrepoint commençant toutes par „Si cantus (terminatur..." ou autre) „Omnis compositio vel est communiter dicta vel proprie dicta..." „Proportio proprie dicta dicitur duobus modis..." 7v: Expl. „Et finitur feria 3ª post festum Margarete hora quarta post meridiem sub anno Domini 1443. Hec dicta sufficiunt"

Census I, p. 503.

PHILADELPHIA (PA), University of Pennsylvania, Charles Patterson Van Pelt Library   MS Lat. 13

Fin XVᵉ s. 340 f. Papier à filigranes (Briquet nᵒˢ 1942, 6443, 12223, 14737–8) des environs de 1490–1510. Les cahiers sont des quinions. Reliure italienne en veau estampé à froid. Traces de fermoirs. Justification: 128 × 75 mm. Écriture humanistique italienne de la fin du XVᵉ siècle, à raison de 23 lignes par pages. Diagrammes à l'encre noire dans les marges. Origine italienne. Provenance: Guido Trabosco (f. 340v). Collection Helmut Domizlaff de Munich: le manuscrit fut vendu en 1950 au prix de 600 $. Calcidius, Aristote, *De mundo*, Philon, Cleomedes.

2–20v	*Timaeus*, version de Calcidius.
21–218	Commentaire de Calcidius avec quelques gloses récentes. Au f. 36, le diagramme du nombre de l'âme du monde est intitulé „N(umerum) psiconicum"
219–234	Aristote, „De mundo" dans la version de Joannes Argyropoulos (1415–1487). 226v: „Musica etiam acuta cum gravibus sonis miscens diversis variisque vocibus unum concentum facit." (Éd. Muscarella, *op. cit.* p. 13.)

Census S, p. 487. – Zaccour, p. 4. – Raymond Klibansky, „Annual Report: Plato latinus", *Proceedings of the British Academy*, XXXIX (1953), 10; Ibid., XLII (1956), 13. – Jan H. Waszink, *Timaeus a Calcidio translatus commentarioque instructus* (London & Leiden, 1975), p. CXXII (*Plato latinus*, Vol. IV). – Grace Freed Muscarella, *A Latin Translation of the Pseudo-Aristoteles De mundo* (PhD Dissertation, University of Pennsylvania, Philadelphia, 1958; UM 58-03363), p. XIX et 95.

PHILADELPHIA (PA), University of Pennsylvania, Charles Patterson Van
Pelt Library   MS. Lat. 36

Anciennes cotes: 479 (f. 1); MS 7011 ou 70H (étiquette du dos).
XVe s. (c. 1437). 263 f. Papier à filigrane (tête de bœuf avec fleur à 5 pétales en haut de
la tête), attesté à Constance, 1416–1418 (cf. Don Francisco de San's, plate 70). 147 × 110
mm. 23 cahiers irréguliers, avec réclames dans la marge de pied. Reliure ais de bois couverts de peau de porc salie; un fermoir. Justification variable: ± 90 × 65 mm (96 × 70 mm
au f. 207) le cadre est souvent débordé par le copiste. Écritures bâtardes allemandes,
d'une main différente pour chaque traité: 21, 22, 23 et même 29 lignes par pages. XVe
siècle (ca 1437). Initiales rouges sur fonds jaune. Notation à clous sur 4/5 lignes fines tracées à l'encre noire. Origine: région du Lac de Constance ou la Souabe. Provenance indéterminée. Règle de st. Benoît (achevée en 1437); traités de théologie et de spiritualité
(Henri Suso, Nicolas von Dinkelsbühl, Jean Gerson, etc.) et deux traités anonymes de
musique.

58v	Tableau de solmisation, en rouge et noir.
59	Tableau des quatre modes subdivisés en „Authenticus/Magister" et „Plagalis/Discipulus", avec indication de leur ambitus propre.
59v	Tableau des huit teneurs psalmodiques. „Exemplum tenorum."
60	Remarque sur la transposition des modes (sauf pour le tetrardus) „Exemplum affinium." Inc. „Isti cantus qui in proprio cursu cantari nequiunt ut saepe contingit..." 61: blanc.
207	Traité sur les genres de la musique du XIVe siècle (sans titre). Inc. „Differentia est inter rondellis, balladis, vireletis et motetis et fugas. Item de primo omnes sunt motetii, quoniam tenores sunt nullius prolationis quia tenores motetorum sunt de modo vel de tempore sicut *[I]da capillorum* et ultra ... Et illi debent cantari in ecclesiis et est cantus ecclesiasticus" „Item ballade vocantur illi qui habent overtum et clausulum in primo versu..." „Item de vireletis: omnes sunt vireleti qui non habent in primo versu clausulum nec overtum, sed in secundo versu..." „Item de rondellis: rondelli non habent clausulum nec overtum in primo nec in secundo..." „Item de fugas: illi non habent tenorem et cantant[ur] fugando..." Expl. „...ballade ita bene sicut aliae." (Éd. Staehelin, art. cit., p. 239, sigle P [avec référence aux sources pour les exemples tirés de Philippe de Vitry, Pierre de Molins et Guillaume de Machaut].)
207v–216	Traité anonyme de plain-chant, sans titre. Inc. „Musica est motus vocum rationabilium in arsim vel thesin id est in elevationem vel deposicionem..." Briner, art. cit., p. 27

(pour le début, voir *Micrologus*, XVI: GS II, p. 18; CSM 4, p. 184).

208: Tableau de solmisation (Briner, art. cit., p. 28).

210–211: Tableau d'exercices de solmisation (*Ibid*, p. 30).

211v–212v: Les intervalles: „Modus est distantia unius vocis ab altera..." Tableau d'intervalles: „Semitonus, Tonus, Semiditonus..." (*Ibid.*, p. 31–32).

212v: „Cantus est ascensio vel descensio ab ut in la..." avec diagramme (f. 213). (*Ibid.*, p. 33.)

213v: „Tonus est racio cujuslibet cantui musico regularem modum ascendendi aut descendendi..." 215v–216: Diagramme de la compénétration des modes d'après Aribon, CSM 2 p. 19–20). (Briner, art. cit., p. 36–37). 216v: Expl. „...in g sol re ut basso usque ad e la mi altum" (*Ibid.*, p. 35–38.)

216v: Tableau de solmisation (*Ibid.*, p. 39–40).

Census S, p. 489. – Zacour-Hirsch, p. 8, 61–82. – Catalogue dactylographié des mss l latins: notice de Johann Taricani. – Don Francisco de San's, *Animals in Watermarks* (Hilversum, 1959), plate 70. – Andreas Briner, „Ein anonymer unvollständiger Musiktraktat des 15. Jahrhunderts in Philadelphia, USA", *KmJb*, L (1966), 27–44. – Martin Staehelin, „Beschreibungen und Beispiele muikalischer Formen in einem unbeachteten Traktat des frühen 15. Jahrhunderts", *AfMw*, XXXI (1974), 237–242. – RISM B III 3 (1986), p. 9.

PHILADELPHIA (PA), University of Pennsylvania, Charles Patterson Van Pelt Library   MS. Lat. 45 (Phillipps 190)

XIIIe s. 27 f. Parchemin. Feuillets ternis par l'humidité, non foliotés. 230 × 160 mm. Composition: trois quaternions irréguliers et 3 f. montés sur onglets. Reliure cuir du XVIIIe siècle avec titres en lettres d'or „DOCTRINALE/ALEXANDRI DE VILLADEI" et sur le plat inférieur „MSPT SEC XIII". Justification: 175 × 58, ménageant des marges très larges pour la glose. Écriture du XIIIe siècle, 38 lignes par page. Initiales bleu-vert et rouges à filigrane. Origine probablement anglaise. Provenance: collection de Sir Thomas Phillipps à Middle Hill n° 190 (f. 1 en bas et verso de la feuille de garde). Fragments surabondamment glosés du „Doctrinale" d'Alexandre de Villedieu, composé en 1199.

13   Vers 1561–1569 du „Doctrinale" sur les six modes rythmiques avec gloses interlinéaires.

Distinxere pedes antiqua poemata plures

Sex partita (*glose*: divisa) modis satis (*glose*: sufficienda) est divisio nobis:

(*Glose*: nuntiat auctor quod apud nos in usum)

Dactylus et spondeus, exinde trocheus, anapestus iambus cum

tribracho possunt praecedere metro (*glose*: in ictu) dactylus ex
longa brevibusque (*glose*: sillabis) duabus habetur... (Éd.
Reichling, p. 100; éd. Flotzinger, p. 205).

Census S, p. 490. – Dietrich Reichling, *Das Doctrinale des Alexander de Villa Dei*, (Berlin 1893) (*Monumenta Germaniae Paedagogica*, Band XII): omet évidemment les manuscrits et fragments du Doctrinale conservés aux États Unis. – Rudolf Flotzinger, „Zur Frage der Modalrhytmik als antike Rezeption", *AfMw*, XXIX (1972), 205.

PHILADELPHIA (PA), University of Pennsylvania, Charles Patterson Van Pelt Library   Ms. Lat. 199

XVIᵉ s. 16 f. Papier sans filigrane. 210 × 150 mm. Cahier provenant d'un manuscrit plus important folioté de 109 a 124. Justification: 163 × 98 mm. 25 lignes par page. Écriture cursive italienne. Pas d'initiales: lettres d'attente. Les diagrammes (f 5 [113]) sont tracés à main levée. Origine italienne, probablement monastique. Provenance: Bernard Rosenthal, New York, qui le céda à la Van Pelt Library en 1964. Traités de musique et recettes diverses.

1 [109] – 6v   Traité de musique précédé d'un prologue.

(De 2ᵉᵐᵉ main, dans la marge de tête) „Assit principio Virgo beata meo." (D'une autre main) „Monocordium."

Inc. „Cum secundum philosophum in libro ‚De celo et mundo' figura circularis sit perfecta eo quod ex una linea constituit et omnia ad unitatem tendentia quanto magis perfectionis similitudinem induunt... Prima divisio est quae vocum quaedam sunt graves, quaedam acutae et quaedam superacutae..." Expl. „...superacutae: a tertio G usque in finem."

[I] Division du monocorde.

Titre „Divisio monocordi sic fit." Inc. „Intelligendum tamen est quod in isto instrumento est quaedam linea expansa in corpore instrumenti super quam est quaedam corda per duo capitella linee equidistanter et equaliter adequata ... Jam in principio linee ponitur Gama ut ..." [division de la corde en deux].

1v [109v]: Expl. „...Et sic semper dividendo per medium quelibet lictera dabitur quamlibet usque in finem et sic habetur divisio monocordi."

[II] Études des consonances (sans titre).

„Nunc autem quaedam de divisione et constitutione [lacune d'un mot] dicendum est. Dicendum est de effectu. Effectus autem ejus est auditus instrumenta pulsare..."

4v [112v]: Sur la musica ficta: Expl. „...per duo divide in medio pone h et haec dicta sufficiant."

[III] De figura et divisione toni.

Inc. „[A]d maiorem evidentiam eorum quae in figura ponuntur notandum est quae tonus uno modo..."

5 [113]: Expl „...et haec inferius in figura patent." En bas de page, diagramme de la division du ton.

[IV] Ad habendum notitiam cantus.

Inc. „Sciendum est primo quod ille qui cantat Superius ... Haec igitur attenduntur circa principium et finem cantus..."

6 [114]: Expl. „...minus recte fieri si haberes octavam ab extremam."

[V] De tonis.

Inc. „Primus et Secundus tonus finiuntur in d ... Primus tonus ascendit nonam super suam finem..."

6v [114v]: Expl. „...Octavus ascendit quartam versus et Seculorum."

114v–124v   Recettes diverses: cinq recettes pour la fabrication des encres (cf. Monique Zerdoun Bat-Yehouda, *Les encres noires au Moyen-Age* [Paris, 1983]).

116v–124v: Recettes pour la fabrication des couleurs et des remèdes; deux prières à ste. Apollonie; recette en italien.

Catalogue of Manuscripts in the Library of the University of Pennsylvania to 1800. Supplement A. Reprinted from The Library Chronicle, Vol. XXXV–XXXVIII (1969–1972), p. 4.

PRINCETON (NJ), University Library   MS. Garrett 95

XIVe–XVe s. 177 f. (paginés en haut de page et foliotés dans le bas de la marge de pied). Parchemin 178(180) × 127 mm. Taches d'humidité dans le haut des pages. Le manuscrit est composé de différents libelli juxtaposés, reliés sous ais de bois recouverts de peau blanche. Armoiries estampées à chaud avec couronne de comte et le titre „Earl of Northumberland", suivi de la devise „Honi soit qui mal y pense". Justification: 114(117) × 78(79) mm. Écriture cursive anglaise de diverses mains des XIVe–XVe s., à raison de 32(33) lignes par page: de 165 à 177, même main, mais changement à la p. 179. Initiales rouges à la première page de chaque libellus. Dessins dans le texte en noir, parfois relevé de rouge. Notation carrée (p. 166) sur portée noire. Origine anglaise. Provenance: Au dos, trace de cote ancienne. Vers 1550, le ms. fut acquis par Charles Edwards, puis par Sir Henry Percy, Earl of Northumberland (1564–1632), – peut-être à cause des traités de balistique contenus dans le manuscrit. – Il fut acquis en 1928 par Robert Garrett, alumnus de Princeton. Traités de mathématiques, d'astronomie et de musique.

p. 165 (f. 80) –   Traité de musique sur les formes musicales, sans titre.

p. 169 (f. 82)   Inc. „Quatuor sunt species cantuum: cantuum vero alius est con-
                    ductus. Alius circumductus. Alius rondellus. Alius motetus. Can-
                    tus conductus est quando uno vel plures pulc[h]ri cantus condu-
                    cunt ad illum cantum consona[n]ter … Cantus circumductus ut
                    rondellus est quando unus istum cantum cecinit, alius iam incipit
                    vocitari…"

                    p. 166: Des consonances. Inc. „Prima consonancia est in tercio
                    loco … aut in ditono ut hic aut in semiditono ut hic. Secunda con-
                    sonantia est in quinto Ioco et dicitur diapente…"

                    p. 169: Expl. „… diatessaron tertia, diapente quinta. Expliciunt
                    concordanciae."

                    p. 169, en bas: Tableau des signes de pause: Simplarum … Traité
                    inédit (Cf. *Census* II, p. 2294).

                    p. 170: Lambda rouge et noir: jambage de gauche, progressions
                    binaires; jambage de droite, progressions ternaires. En bas, les
                    chiffres suivants encerclés: 32, 48, 72, 108, 162, 243.

p. 170 (f. 82v) –   John Torkesey (?) ou Fr. Robert (?), Traité des figures simples de
p. 172 (f. 83v)   la notation mesurée.

                    Inc. „De quadratis figuris primis et sex speciebus notarum ab eis-
                    dem compositis…" Inc. „Sciendum quod ad laudandum Deum
                    trinum et unum, tres sunt species figurarum quadratarum ex qui-
                    bus (p. 171) formatur sex species notarum simplicium. Ex ma-
                    xima quadrata…"

                    p. 172: Expl. „… sunt perfectae et imperfectae in conspectu di-
                    versorum notarum. Explicit tractatus de practica Musicae."
                    Traité à comparer à *GB-Ctc* 0.9.29, f. 54 (ci-dessus, p. 11), *GB-
                    Lbl* Lansdowne 763, f. 90v (ci-dessus, p. 89); New York, Pierpont
                    Morgan, B. 12, f. 73v (ci-dessus, p. 170).

p. 173 (f. 84) –   Traité anonyme sur les instruments de musique.

p. 174 (f. 84v)   Inc. „[O]mne instrumentum Musicae quo canitur … vel fit per
                    tactum … vel per pulsum … vel per flatum…"

                    p. 174: Expl. „… secundum simbalum erit sursum."

p. 174 (f. 84v) –   Mesures de tuyaux d'orgue.

p. 177 (f. 86)   p. 174 (f. 84v): „Cognita consonancia in c[h]ordis et simbalis…"
                    p. 175 (f. 85): Expl. „… sicuti mensum est secundum ad similitu-
                    dinem primi. Explicit Guido de composicione consonanciarum in
                    simbalis et de fistulis organorum menciendis." (SachsM, p. 99.)
                    p. 175 (f. 85): „Incipit Gilbertus de proporcionibus fistularum or-
                    dinandis. De hijs instrumentis que flatus aspiratione aguntur …
                    primam fistulam quatenus longitudinis facies…"

p. 176(f. 85v): Expl. „... ut superiores gravioris fecisti.“ (SachsM, p. 117.)

p. 176 (f. 85v): Inc. „Si autem vis habere si bene mensurasti...“ Expl. „... 4 longitudines 3a intervalla habent.“ (SachsM, p. 124.)

„Si fistule equalis grossitudinis fuerint...“ Expl. „...grossiores et in inferiori graciliores.“ (SachsM, p. 50.)

p. 176 (f. 85v): Inc. „Circa latitudinem fistularum est sciendum...“

p. 177 (f. 86): Expl. „... in facto consistit et patebit faciliter operanti. Explicit et cetera.“ (SachsM, p. 140.)

p. 178(f. 86v): blanc.

p. 179(f. 87)–   Jean de Murs, Musica speculativa (Version B)
p. 204(f. 99v)   Inc. „Quoniam musica est de sono relato ad numeros...“ (diagramme à l'encre noire) ...

p. 194: Explicit prima pars. Et incipit Secunda. Ad secundam vero partem quae est de divisione monacordi in quo omnes consonanciae...“

p. 204(f.99v): Expl. „...quorum figurae sunt in hoc ordina consequentes. Explicit tractatus metricus Musicae speculativae editus a Magistro Johanne de Muris.“ (GS III, 256–283; Michels, p. 18 n. 13.)

Census I, p. 883; III, p. 2294–95 (note d'Oliver Strunk). – *Census* S, p. 200, 310. – Alexander P. Clark, *The Manuscripts Collections of the Princeton University Library. An Introductory Survey* (Princeton, 1960). – SachsM, p. 35. – Michels, p. 18 et 123 (sigle: *Pri*). – Susan Scea, *Johannes de Muris Musica speculativa* (CSM; in print).

PRINCETON (NJ), University Library   MS. Kane 50

XIIe–XIIIe s. 75 f. parchemin paginés. 152 × 107 mm. Cahiers non signés, sauf exception (p. 80, la signature à l'encre noire est de deuxième main). Reliure de carton toilé, dos cuir. Justification: 106 × 52 mm. Écriture anglaise du XIIe–XIIIe siècles due à un copiste qui a signé son nom: „Gregorius me fecit“ (p. 80–81 et 96–97, dans la marge de pied). 26 lignes par page. Initiales d'or sur fonds bleu au début du Livre I (p. 1) et du Livre II (p. 63). Les autres initiales sont bleues ou rouges avec filigrane très fin; initiale marron clair (p. 80 et 92). Les titres des chapitres sont à l'encre verte, nuance pistache. Origine anglaise (l'écriture et les couleurs devraient permettre de préciser le scriptorium). Provenance: „Iste liber pertinet ad me Willelm Deys (Hestis (?))“ au f. 114. Biblioteca Swaniana, 1793 (f. de g.). Collection Grenville Kane à Tuxedo Park (New York), puis à Princeton. Arithmétique de Boèce, sans la Musique, contrairement aux indications du contenu, au début du manuscrit, reprises en compte dans de *Census*.

p. 1–50   Boèce, Institutio arithmetica, titre effacé.

Inc. „In dandis accipiendisque…" p. 63: Livre II. 150: Expl. „… subter exemplar subiecimus." D'une autre main: „Explicit arithmetica Boecii." (Éd. Friedlein, p. 3–172.)

Suit le diagramme des proportions numériques fondant les consonances musicales: „Proporciones et Consonantiae." (Éd. Friedlein, p. 173.)

Census II, p. 2258; Suppl. p. 313. – *Princeton University Library Chronicle*, XIX (1958), n°s 3 et 4. – Alexander P. Clark, *The manuscript collections of the Princeton University Library. An Introductory Survey* (Princeton, 1960). – Michael Masi, *Boethian Number Theory* (Amsterdam, 1983), p. 62. – Michael Bernhard, „Glossen zur Arithmetica des Boethius", *Scire litteras*. Festschrift für Bernard Bischoff zum 75. Geburtstag (München, 1988), p. 23. – Bower, p. 251, n° V 18.

ROCHESTER (NY), Eastman School of Music, Sibley Musical Library MS 92 1100 (Wolffheim 1)

Acc 149 667.

116 f. Parchemin paginés au crayon (1–232). 146 × 110 mm. Début XIIe s. Les cahiers, décousus pour microfilmer le manuscrit, sont réguliers sauf les deux premiers et le neuvième. Le huitième a été complété au XII–XIIIe siècle par un feuillet (p. 129–130) en vue d'achever la copie d'un traité. La reliure souple en peau de porc a été recouverte au XIXe siècle d'une seconde reliure plus épaisse de couleur verte. Sur la feuille de garde, note sur le contenu du manuscrit due probablement à l'abbé Chastain. Justification: 109 × 85 mm. Écriture minuscule très menue du début du XIIe siècle. Initiales rouges ou bien, au début des traités plus importants (p.ex. p. 131, 143), en or bruni. Notation neumatique allemande très menue, mais régulière, tracée d'une main experte. Notation dasiane, p. 123. Origine: sud de la Bavière, plutôt que la région de Bamberg. Provenance: le manuscrit appartenait à Mgr de Beauveau, archevêque de Narbonne (1719–1739), dont la bibliothèque fut vendue en 1741. Il passe successivement entre les mains de l'abbé Berger, de l'abbé Chastain, supérieur du séminaire de Toulouse, et enfin du chanoine Lafforgue (d 1913): la soeur de ce dernier le proposa le 23 janvier 1914 à Dom André Mocquereau, puis le mit en vente chez Bernard Quaritch. Acquis par le Dr Werner Wolffheim de Berlin, il entra finalement le 8 juin 1929 à la Sibley Musical Library. Traités de musique: Hermann Contract, Bernon de Reichenau et Frutolf de Michelsberg.

p. 2–13   Calendrier liturgique.

18-2: Pantaleonis. 16-3: Cyriaci mart. (en rouge). 13-5: Gangulphus (en rouge). 16-5: Regrini episcopi (en rouge). 5-7: Guaris confessoris (en rouge). 7-7: Kyliani (en rouge). 10-7: Mariani (en rouge). 14-7: Reginswindis virginis (en rouge). 15-7: Hilariani martyris (en rouge). 10-10: Gereonis. 14-10: Burchardi episcopi (en rouge). 16-10: Galli. 8-12: Eucharii episcopi. 14-12: Nicasii episcopi (en rouge).

p. 14–29   Comput.

14: Extrait des règles d'Albericus sur les épactes.

Inc. „Si vis scire cupis cuiuslibet mensis..."

15–29: Tableaux de cycles solaires, lunaires *etc.* Les derniers sont attribués à Hermann Contract.

p. 31–40   Regulae Rithm[im]achiae.

Inc. „Quinque genera inequalitatis regulam ex equalitate..." (éd. Borst, p. 405–414.)

p. 40–49   Regula super abacum.

Inc. „Figurae quas alii caracteres vocant .ef./XXXIII sunt diverse que sic dividuntur..." (Tableaux, p. 47–49.) (Thorndike, c. 558.)

p. 50–55   [Heraclius], Art du vitrail, rédigé en héxamètres.

„Quomodo sculpatur vitrum" Inc. „O vos artifices qui sculpere vultis honeste..." (Éd. John Ch. Richards, dans *Speculum*, XV (1940), p. 261, sigle T.)

p. 56–80   Hermann Contract, Traité de comput.

„Incipit libellus clari viri Herimanni de necessariis et principalibus compoti regulis earumque rationibus." Inc. „Qui compoti regulas ipsarumque regularum causas..." (avec tableaux). (Thorndike, c. 1024; Oesch, p. 174.)

p. 81–91   [Hermann Contract] Traité d'astronomie.

„Prognostica de defectu solis et lunae" Inc. „Luna ut notum est unoqueque mese..." (Thorndike, c. 1024; Oesch p. 173.)

p. 91–130   Hermann Contract, Traité de musique.

„Incipit musica ejusdem sapientis" Inc. „In consideranda monochordi positione..." 130: Expl. „... superiores utriusque sunt communes" (GS II, p. 125–149 [d'après *A-Wn* Cpv 51]; éd. L. Ellinwood, p. 18–66; éd. Yves Chartier [In progress]. La fin du traité a été complétée au XII–XIIIᵉ siècle sur un feuillet supplémentaire [p. 129–130].)

p. 131–142   Tonaire anonyme, sans titre.

Inc. „Autenticus protus constat ex prima specie dyatessaron super..." Exemples à longues lignes. 142: Expl. „... *Factus est repente, Confirma hoc.*"

Noms grecs et latins des cordes du Grand Système parfait. „Incipiunt interpretationes chordarum" Inc. „A Proslambanomenos id est acquisita..." Expl. „Nete synemenon id est principalis conjunctarum".

p. 143–173   Bernon de Reichenau, Musica ou Prologue du tonaire.
„Incipit Musica" Inc. „Omnis igitur regularis monochordi consti-
tutio..." 173: Expl. „... ut finis sit prologi". Expl. (Texte inter-
polé, éd. dans GS II, p. 63b–79b.)
Musica Do(m)ni /////. Relevé des interpolations dans DMA. A.
VIb, p. 31 sq., sigle R.

p. 173–183   Extraits du Breviarium de Musica de Frutolf de Michelsberg. Inc.
„Ad efficientiam musicae hi VI modi conveniunt: Epitritus ...
Emiolius..." (Cf. éd. C. Vivell, p. 39.)
Vers mnémoniques cités:
173: „Dyapente et diatessaron symphoniae..." (neumé) (Cf.
K.W. Gümpel *in AfMw*, XXXIV [1977], p. 272; 35 [1978], p. 57.)
174: Tonaire bref neumé de l'office et de la messe.
176: „None dicitur a greco quod est *nus*..." (Cf. HugloT, p. 386.)
176: Tableau des noms de neumes: „Eptafonus, Strophicus, Ancus..." (Éd. HugloN, p. 57.)
177: „Ut cantor iunctis derives singula punctis..." (notation neumatique et alphabétique).
178: „Cantilena H. de VIIII intervallis. E voces unisonas..." (GS
II, p. 149; Vivell, p. 82; Ellinwood, p. 9 et 11.)
178: Tonaire: „He sunt species tonorum in antiphonis secundum
Domnum Fruodolfum" Inc. „Quid teneat..." (Facs. dans Vivell,
p. 78–79 [la cote erronée est rectifiée p. 184]; éd. p. 75–82;
HugloT, p. 285–286.)
180: „Versus atque notas Herimannus protulit istas pandat ut ad
votum cuique exemplaria vocum." Inc. „Ter tria junctorum..."
(GS II, p. 148; C. Vivell, p. 69.)
180–181: „De mensura fistularum" Inc. „Prima fistula in octo divisa, octava pars auferatur..." (Éd. SachsM, p. 55.)
181–183: „Alia mensura fistularum" Inc. „Fistularum mensuram
ut a quibusdam musicae artis..." (Éd. SachsM, p. 98 et 97.)
183: „Quatuor modi sunt..." noté en lettres seulement (C. Vivell,
p. 73.)

p. 184–230   Guillaume d'Hirsau, Musica, en deux livres, le premier sans titre
(cf. Berlin, Staatsbibl. Lat. qu 106 [Kat. 955]).
Inc. „Postquam donante Deo..." 203: Expl. „... relaxemus hoc
modo. Expl. lib. I" 204: „Incipit liber secundus domni Wille-
helmi in Musicam. Vniversaliter autem hic notandum est..."
230: Expl. „... quod et addes absque labore." (GS II, p. 154–
182; CSM 23, p. 13–75.)
Entre les p. 204 et 207, un dépliant de 51 × 14,5 cm a été inséré

avec la pagination 205–206, pour transcrire le tableau des tétracordes (GS II, p. 165, fig. A; CSM 23, p. 28). Au dessus de l'incipit de l'introït *Dum sanctificatus*, on a inséré l'antienne *Ibi olim*
(CAO III, n° 3159), tirée de l'Office de l'Invention de St. Etienne,
composé par Étienne de Liège. Cet office n'était connu au XIe
siècle en Bavière qu'à Weihenstephan (*D-Mbs* Clm 21585, analysé
dans *Analecta Bollandiana* C, 1982, p. 584–587).

p. 230–231   Tonaire.

„Haec sunt species troporum in officiis: Autenticus protus. Pater
in..." (HugloT, p. 391; CSM 23, p. 76.)

231: „Hec est cognitio VIII troporum in officiis. Primus ut *Ex-
urge*..." Expl. „... Lux, Domine." (HugloT, p. 280 [omet ce
ms.]) „In responsoriis: Protus. Plagis ejus..." (CSM 23, p.78.)

p. 232   Traité de comput en vers.

„De diebus Aegyptiacis in quibus horis noceant: Prima dies nona
fit Jani scorpius hora..." Thorndike & Kibre, c. 1090.

Census II, p. 1871–1873, n° 1. – Louis Lambillotte, *Antiphonaire de St. Grégoire...*
(Bruxelles, 1851), pl. 10. – [Abbé Chastain] *Essai sur la tradition du chant ecclésiastique depuis st. Grégoire suivi d'un tonal inédit de Bernon de Reichenau, par un supérieur de séminaire* (Toulouse, 1867), p. 234. – Peter Wagner, *Neumenkunde* (Freiburg/S,
1905), p. 74. – Cölestin Vivell, „Vom unedierten Tonarius des Mönches Frutolf", *Quarterly Magazine of the I.M.S.*, XIV (1913), 464–465. – *Frutolfi Breviarium de Musica et
Tonarius*, Wien, 1919. [Akademie der Wissenschaften in Wien, Philosophisch-Historische Klasse, 188. Band, 2. Abhdl.] p. 25, 184 et facs. p. 78–79. – Johannes Wolff, *Musi-
kalische Schrifttafeln* (Leipzig, 1927), pl. 28 (= p. 178–179). – *Versteigerung der Musikbibliothek ... Wolffheim* (1929), II. Teil, p. 1–7, n° 1; Tafelband, p. 176–177, Taf. 1. –
Leonard Ellinwood, *Musica Hermanni Contracti* (Rochester, 1936), p. 1–6; facs. p. 58
(= p. 124), 62 (= p. 127), 64 (= p. 128). – John Ch. Richards, „A new Manuscript of He-
raclius", *Speculum*, XV (1940), 259. – Michel Huglo, „Les noms des neumes...", *Études
grégoriennes*, I (1954), 56. (cité „Toulouse, Coll. Lafforgue"). – Oesch, p. 44, 135–138,
173–174. – Toledo, p. 2 n° 4. – SachsM, p. 36; HugloT, p. 267, 285–286. – Maurus Pfaff,
„Abt Wilhelm von Hirsau", *Erbe und Auftrag*, 48 (Beuron, 1972), 86–87. – CSM 23, p. 9
et 292 (= facs. de la p. 201). – DMA.A.VIb, p. 27, sigle R, et Abb. 16 (= p. 166–167). –
Karin Dengler-Schreiber, *Scriptorium und Bibliothek des Klosters Michelsberg in Bamberg* (Graz, 1979), p. 96, 210, 211 (*Studien zur Bibliotheksgeschichte*, 2). – Arno Borst,
Das mittelalterliche Zahlenkampfspiel (Heidelberg, 1986) [Supplemente zu den Sitzungsberichten der Heidelberger Akademie der Wissenschaften. Philosophisch-historische Klasse, 5], p. 310–311, 405–414 et passim (cf. index, p. 500).

ROCHESTER (NY), Eastman School of Music, Sibley Musical Library
MS 92 1200 (Admont 494)

Ancienne cote: 494 (au dos du ms).
XIIe s. 94 f. parchemin. 234 × 172 mm. Cahiers réguliers non signés. Reliure originale,

ais de bois couverts de peau blanche. Étiquette sur le plat supérieur: „Dialogus de Musica“. Trace d'un fermoir. Au dos, dans le premier compartiment: 494. Justification: 153 × 118 mm. Écriture minuscule du XIIᵉ siècle, 24 à 26 lignes par page, avec quelques changements de main (f. 43v, 59...). Titres et sous-titres rubriqués. Initiales rouges. La première (f. 1), dessinée au trait rouge, comporte de nombreux rinceaux entrelacés. Notation neumatique allemande sur les exemples (f. 4, 24, 69v, 70, 77); notation sur lignes tracées à la pointe sèche (f. 48, 66ss, 73v); notation sur 3 lignes noires et une rouge avec lettres clés (f. 91–92v). Origine: Bavière ou Autriche (peut-être Admont).

Provenance: Admont, ancien n° 494 (timbre aux armes de l'abbaye): il fut utilisé par Dom Martin Gerbert pour son édition de *Scriptores ... de Musica* (1784). Ce manuscrit fut mis en vente avec quelques autres en 1936 (cf. Chicago, Newberry Library Ms f 9). Théoriciens de la musique: *Dialogue sur la musique*, Guy d'Arezzo, Aribon, Bernon de Reichenau.

1–11	Ps. Odon, Dialogue sur la Musique.
	„Ottonis abbatis primi cluniacensis cenobii“ (Titre rouge foncé, de deuxième main). „Incipit dialogus de musica arte domni obdonis abbatis quae enchiridion appellavit ob brevitatem vitae.“ Inc. „Quid est musica?...“ 11: Expl. „... et subditus Deo qui vivit et regnat in secula seculorum Amen“ (GS I, p. 252–264.) A la fin: „Ecce modus primus sic noscitur... Septimus a G in g. Octavus ut prius. Explicit musica Enchiridionis.“ (GS I, p. 264, n.*a.* Cf. HugloT, p. 426.)
11–42	Aribon, De musica.
	„Incipit musica Aribonis scolastici.“ Inc. „(D)omno suo Ellenhardo, praesulum dignissimo...“ 42: Expl. „... Et hoc est quod dicit nisi cum cantus alto descendit et in g d f. Explicit musica Aribonis“ (GS II, p. 197a–230b, d'après ce ms; CSM 2, p. 1–72.)
	Au f. 18v–19, les cercles sécants sur l'ambitus des huit modes. (GS II, p. 205, fig. A; CSM 2, p. 19–20.)
	Au f. 33, la mesure de cloches „Arbitror idcirco...“ (GS II, p. 221a; Smits van WaesbergheC, p. 48–49; CSM 2, p. 38.)
	Au f. 33v, mesures de monocorde: „Totum monochordum a gamma...“ (GS II, p. 221b; CSM 2, p. 39; Smits van WaesbergheG p. 166–167, n° 22.)
	34: „Passibus in primis...“ (GS II, p. 221b; CSM 2, p. 39.)
	„Alia monochordi mensura ab acutis incipiens. Primus passus ab $\frac{a}{a}$ per diatessaron remittitur in e...“ (GS II, p. 222a; CSM 2, p. 40.)
	Au f. 34, mesures de tuyaux d'orgue: „Antiqua fistularum mensura que intenditur. Mensuram duorum ordinum id est XVI fistularum...“ 35: Expl. „... plectro dico contiguam pro VIII suscipias“ (GS II, p. 222a–223a; CSM 2, p. 40–41; SachsM, p. 126.)

35: „Nova fistularum mensura que remittitur. Domnus Willehel-
mus prius Emmerammensis ratisponae monachus nunc autem
alibi abbas venerandus..." 35v: Expl. „... tantum si singulis in-
tegrum diametrum apposueris" (GS II, p. 223ab; éd. CSM 2, p.
42–43; SachsM, p. 86 et Abb. 16 (= f. 35].)

35v–36: „Aribunculina fistularum mensura nec in toto remissibi-
lis..." Inc. „Nos autem in utraque progredientes..."

36: Expl. „... et oportuna grauitas respondere in maximis" (GS
II, p. 224ab; CSM 2, p. 43–44; SachsM, p. 90.)

36–36v: „Qualiter ipse congruenter fiant fistulae. Sicut fistulae
eiusdem sunt grossitudinis ita lamine..." 36v: Expl. „... oris la-
brum mediocris festucae distet latitudine." (GS II, p. 224b–
225a; CSM 2, p. 45–46; SachsM, p. 92.

42–59v   Guy d'Arezzo, Micrologus.
„Incipit Micrologus Guidonis in musicam" Inc. „Gymnasio Musas placuit..." Expl. „... Primo qui carmina finxi" „Incipit epistola eiusdem ad Theobaldum episcopum. (D)ivini timoris totiusque..." 43v: „Incipit Micrologus in musicam. Igitur qui nostram
disciplinam petit..."

59v: Expl. „... Cuius sapientia per cuncta viget secula. Amen.
Explicit Micrologus id est Brevis sermo in musicam." (GS II, p.
2–24; CSM 4, p. 81–234.)

59v–66   Guy d'Arezzo, Regulae rhythmicae, sans titre.
Inc. „Gliscunt corda meis..." 66: Expl. „... Unde duo signum
variant loca cuius idipsum" (GS II, p. 25–34; DMA.A.IV, p. 93–
133.)

66–68   Guy d'Arezzo, Prologue de l'Antiphonaire, sans titre. „Temporibus nostris super homines..." 68: Expl. „... si ut debent ex industria componantur" (GS II, p. 34–37; DMA.A.III, p. 59–81.)

68–73v   Guy d'Arezzo, Épitre à Michel de Pomposa, sans titre. „Beatissimo atque dulcissimo Fratri M.G. Per amfractus aut dura sunt
tempora..." 73v: Expl. „... sed solis phylosophis utilis est" (GS
II, p. 43–50; l'hymne *Ut queant laxis* du f. 69v est notée en neumes sans lignes).

73v–74   Tonaire bref, noté sur lignes tracées à la pointe sèche. „Primum
querite regnum Dei. Ecce nomen Domini EUOUAE..." (HugloT,
p. 199; sans notation, f. 74, milieu).

74v–76   Mesures d'instruments et de cloches.
„De mensura fistularum." Inc. „Cognita omni consonantia fistularum in organis..." 75: Expl. „... secundum ad similitudinem
primi" (GS II, p. 286 [d'après ce ms]; SachsM, p. 99.)

75: Item. Primam fistulam quam longam libuerit latamve facies…" 75v: Expl. „… et omnimodis has VII sicut et illas" (GS
II, p. 283–285a.)

75v: „Probabis autem si recte mensurasti ita quidem. Si prima
duas longitudines octavae…" Expl. „… ad plenum habes mensuram fistularum" (GS II, p. 285a; SachsM, p. 124.)

75v: „Si velis fundere cymbala…" 76: Expl. „… secundum sui
circuitus partem septimam" (GS II, p. 285a–286b; Smits van
WaesbergheC, p. 44.)

76–91   Bernon de Reichenau, Tonaire précédé du Prologue, sans titre.
Inc. „Prout gratia divina inspiraverit aperire…" 79v: Expl. „…
ordiendo sonum discernamus a sono" (GS II, p. 77a, l. 10 [cf. la
note].)

„Authenticus protus habet VIII differentias…" (en rouge: cf. GS
II, p. 62, l. 2) … *Noannoeane. Primum querite* (en rouge, avec
notation neumatique rouge). Ce tonaire sur deux colonnes, avec
plusieurs incipit par lignes, se termine au f. 91a. Il modifie plusieurs fois le texte reçu de Bernon. (Cf. HugloT, p. 272.)

91b (de seconde main) „Seculorum amen. Euouae. *O Christi pie-
tas*…" CAO III, nº 4008. Notation sur lignes noires et rouge.

91v–92v   Formules mnémoniques sur la notation intervallique.

„(E) voces unisonas…" (GS II, p. 149; Ellinwood, p. 9.) Notation
sur lignes tracées à la pointe sèche.

„Ter terni sunt modi…" (GS II, p. 153.) Notation sur lignes tracées à la pointe sèche, celle du fa repassée en rouge, lettres clés à
chaque ligne: facsimilé dans Smits van WaesbergheM, Abb. 25.

93v   Main guidonienne (Smits van WaesbergheM, Abb. 69.)

Census II, p. 1875, nº 14. – GS I, p. 252 n. *a*, 264 n. *a*; II, p. 62, l. 2, 67 n. *d*, 69 n. *d* et
f, 79 n. *a*, 80 n. *a*. – CSM 2, p. I–II; facsimilés des diagrammes p. 60 (= f. 27), 61 (= f.
27v), 62 (= f. 28), 64 (= f. 28v). – CSM 4, p. 4, Tab. 6 (= f. 46v). – HugloD, p. 133, 134
n. 2, 146, 147 n. 3, 155 n. 2, 158 n. 2. – Smits van WaesbergheM, Abb. 25 (= f. 92v) et 69
(= f. 93v). – SachsM, p. 36 et Abb. 16 (= f. 35). – HugloT, p. 199, 267, 272, 426. – DMA
A.III, p. 26. – DMA A.IV, p. 26, 46 (sigle A). – GümpelD, Pref.

SAN MARINO (CA), The Huntington Library   MS. Fields 5096

Ancienne cote: 110 (sur la couverture).
XVᵉ s. 113 f. Papier italien (d'après les filigranes: voir le catalogue). 143 × 98 mm. Cahiers réguliers, sauf pour les 6ᵉ, 9ᵉ, et 11ᵉ. Réclame à la fin des cahiers. Reliure cartonnée
couverte de peau marbrée. Justification 90 × 60 mm. Écriture bâtarde du XVᵉ siècle à
raison de 21 lignes par page, tracée par quatre mains différentes; écriture gothique pour

les exemples notés. Notation carrée sur portée de 4 lignes rouges pour les exemples. Origine italienne. Provenance: la chartreuse de Valle di Pesio, au sud de Turin, supprimée en 1802 (cf. au (f. 1 en bas) au XVᵉ siècle, celle de Pise au XVIᵉ (f. 33 et 113v). Anciens possesseurs: Pickering Dodge (1853); James T. Fields (1863), dont la collection fut acquise en 1979 par la Huntington Library.
Traité de plain chant, suivi de traités ascétiques et de messes votives.

1–46v   Traité anonyme de plain chant sans divisions.
            „Liber alphabeti super cantu plano [*sic*]" Inc. „Et [In (?)] primo
            viginti littere cantus: a b c d e f g a b c d e f g a b c d e. Que dividun-
            tur in tres partes: in viii graves et septem ac(c)utas et V superacu-
            tas. Octo graves sunt ille que ponuntur in primo ordine scilicet a
            gama usque ad g–sol–re–ut inclusive…" 46v: Expl. „… tunc
            intonatur per iiii am deductionem et mediatur per quintam ut in
            subsequenti exemplo patet: *Dixit Dominus Domino meo…*"
            (compilation inédite empruntant ses sources à Priscien, Roger
            Chapeyroni *etc.*)

Guide to American Historical Mss in the Huntington Library (San Marino, 1979),
p. 168–171 [sur la collection Fields]. – Consuelo W. Dutschke, *Guide to Medieval and
Renaissance Manuscripts in the Huntington Library* (San Marino, 1987), p. 70–73.

WASHINGTON (DC), Library of Congress, Music Division
M 2147 XIV M 3 Case

XIVᵉ s. 309 f. (4 f. papier foliotés de A à D + 305 f. parchemin). 195 × 140 mm. Reliure moderne. Écriture du XIVᵉ siècle, sur deux colonnes. Notation mosane sur portée de 4 lignes: celle du do est repassée en jaune, celle du fa en rouge; 10 portées par page (facsimilé dans *Versteigerung, op. cit.*). Origine: d'après le calendrier et la liste des offices propres (par ex. st. Lambert, f. 200v–203v) le ms. vient du diocèse de Liège et peut-être de Maastricht, mais non de Cologne (*Versteigerung…*), puisque l'ordre des répons et des versets ne concorde pas avec celui des bréviaires de Cologne. Provenance: la collection du Dr. W. Wolffheim, dispersée en 1929. Le manuscrit a été offert à la Library of Congress par les Friends of Music. Le traité abrégé copié sur les feuillets de papier semble avoir été transcrit d'après un modèle ancien.

A–D   Traité abrégé de psalmodie et de chant.
          „Adam primus homo (ton psalmodique simple). Noe secundus.
          Tres patriarchae. Quattuor evangelistae. Quinque libri Moyses.
          Sex hydriae positae. Septem sacramenta. Octo beatitudines."
          „Tonus peregrinus…" (Cf. HugloT, p. 423 et 449.)
          „Quid est cantus? Cantus est bene canendi scientia seu apta sex
          vocum choralium digestio…"
          D v°: „Regula triplex de cantu. Cantus est triplex: naturalis, mol-
          lis et durus…" Tableau des muances.

Census I, p. 244. – *Versteigerung der Musikbibliothek des Herrn Dr. Werner Wolff-heim*... II. Teil (Berlin, 1929), n° 32 (avec facsimilé en couleurs).

WASHINGTON (DC), Library of Congress, Music Division
ML 171 C 77 (Phillipps 1281)

Ancienne cote: 1281 (f. 2).

XI° s. 32 f. Parchemin. 183 × 120 mm. Quatre quaternions réguliers reliés sous une feuille de parchemin épais, devenue aujour d'hui feuillet de garde de la reliure moderne. Justification: 120 × 60 mm. Écriture du XI° siècle à raison de 26 lignes par page. Le titre des chapitres, écrit en fine minuscule dans la marge par le chef d'atelier, n'a pas été éliminé par le massicot du relieur. Le titre des chapitres est tracé en rouge d'une nuance plus claire que le rouge des initiales qui ont été peintes après la confection de ceux-ci: f. 10v et 16v le titre des chapitres XI et XV, omis par le rubricateur, a été ajouté ensuite en sépia en même temps que les initiales S et Q de ces deux chapitres. Notation musicale de type lorrain sur quatre lignes noires (11v–12; 21v–22; 23v; 26–27). Notation alphabétique (f. 29) pour noter l'organum du chapitre XXIII (facsimilés de la notation dans *Notes* VIII, 1950–51, p. 656 & 657). Origine: Flandres, à l'usage d'une école cathédrale ou claustrale. Provenance: Le ms a été vendu (au XV° siècle?) X l(ivres) de Tornois (Tournai): cf. marge de pied du f. 1. Il a ensuite appartenu à Joseph Ghesquière de Raemsdonck (1731–1802), ex-bollandiste d'Anvers qui possédait quelques manuscrits et incunables. Cependant, le premier feuillet ne porte pas la croix noire des Jésuites d'Anvers (cf. Flindell, p. 652). Sir Thomas Phillipps l'acheta à Pierre Ph. Lemmens de Gand (*d.* 1836) et lui attribua le n° 1281 dans sa bibliothèque de Middle Hill (cf. f. 2). Il fut enfin acquis par la Bibliothèque du Congrès en 1948. Contient la *Musica* de Jean (Cotton) dédiée à Fulgence d'Affligem et quelques mesures d'instruments.

f. de g.	Titre du XV° siècle: „Johs ad Fulgentium epm." Au verso, diagramme: octave, quinte, quarte avec notation alphabétique.
1–1v	Jean Cotton, Lettre à Fulgence d'Affligem. Dans la marge de tête, sur une surface grattée et lavée, titre écrit, complété et répété de l'ouvrage (Cf. facsimilé dans *Notes* VIII, 1950–51, p. 655): „DE MVSICA IOAN COTTON AD Fulgentium (papam?)" D'une autre main: „Epistola johannis Cotonis ad fulgencium episcopum (Boen?)" Inc. „Domino & patri suo venerabili anglorum antistiti fulgentio viro scilicet ex re nomen habenti..." 1v: Expl. „... tua auctoritate defendatur" (GS II p. 230–231; éd. CSM. 1, p. 44–46).
2–29v	Jean Cotton, De musica (précédé des Capitula (f. 1v–2). 2v: Inc. „I. Qualiter quis ad musicae disciplinam se aptare debeat. Primum hoc illi qui se ad musicam disciplinam..." 29v: Expl. „... prout propositum est disseramus. Explic." (ce dernier mot a été exponctué).

Dans la marge de fond: „post duo folia + quaere hoc signum" (ces trois derniers mots d'une autre main et d'une autre encre).
30: „Vacant ista duo folia." De troisième main: „Haec organica institutio cum omni cantuum multiplicitate..."
30v: Expl. „... omnis auctoritas approbat."
31: (Écrit en largeur) Diagramme des intervalles „In elevatione" et „In depositione":

C	D	E	F	G	a	b	♮
A	B	C	D	E	F	S	G

31v–32   Mesures d'instruments:
Mesure de cloches.
Inc. „Si volueris nolas facere, accipe unum pondus quale volueris..." Expl. „... quae inter G et a ponere debes." (Smits van WaesbergheC, p. 37–38.)
Mesure de tuyaux d'orgue.
Inc. „Prima fistula in octo divisa..." Expl. „... similiter fiat." (SachsM, p. 55.)
Mesure de monocorde.
Inc. „In monocordo Boetii sic accipiendi sunt toni. In F primus, quartus, sextus. In D secundus... Expl. „... In F secundus, in d septimus."
(Dans la marge de pied, d'une autre main): „Impares V Maiores a fine toni descendere possunt..." Expl. „... Ad quintas eciam possunt descendere voces."
Mesure de vielle (avant dernière ligne).
Inc. „Si organistrum regulariter mensurandi notitiam subtilem habere volueris..." 32: Expl. „... ut ita dicam vox necesse est confitiatur" (fac-similé Bröcker, Faks. II; éd. *ibid.* p. 251; Smits van WaesbergheG, p. 170, n° 31a.)

32   Conduit monodique noté.
„Cantus Philippi cancellarii" (en rouge).
„Beata viscera Mariae Virginis cuius ad ubera rex..." „Populus gentium..." AH XX, p. 148. Facsimilé de la notation musicale sur 5 lignes rouges dans Bröcker, Faks. II. La seconde strophe, *Populus gentium* a été reportée en bas de page par une main plus récente.

Census S, p. 116. – *The Library of Congress: Quarterly Journal of Current Acquisitions*, VII (November 1949), p. 39 et facsimilé face à la p. 42. – Leonard Ellinwood, „John Cotton or John of Afflighem? The Evidence of a Ms in the Library of Congress", *Notes*, VIII (1950–51), 650–659; Facsimilés p. 655 (= f. 1), p. 656 (= f. 11v–12), 657 (= f. 21v–22), p. 658 (= f. 23v, 29). Collation du texte, p. 654–659. – J. Smits van Waesberghe, „John of Affligem or John Cotto?", *MD*, VI (1952), 146–153: collation du texte sur l'éd. de CSM 1. – Edwin F. Flindell, „Joh(ann) is Cottonis", *MD* XX (1966), 11, n. 2 et 20–21 (cf. *MD*, XXIII (1969), 7–11). – Marianne Bröcker, *Die Drehleier, Ihr Bau und ihre Geschichte* (Düsseldorf, 1973), I, p. 251 et II Faks. II (= f. 32). – SachsM, p. 40. – J. Smits van Waesberghe, „Organistrum, Symphonia, Vielle": Handbuch der Musikalischen Terminologie, Zweite Auslieferung (Wiesbaden, 1973). – SachsC, p. 205. – Michaël Markovits, *Das Tonsystem der abendländischen Musik im frühen Mittelalter* (Bern, Stuttgart, 1977), p. 51. – Michel Huglo, „L'auteur du traité de musique dédié à Fulgence d'Affligem", *Revue belge de Musicologie*, XXXI (1977), 6 n. 13, 7 et 9.

WASHINGTON (DC), Library of Congress, Music Division
ML 171 G 85 Case

XVe s. 1 f. Papier anglais avec filigrane daté de ca. 1469. 250 × 175 mm. Ce f. ne vient pas nécessairement d'un manuscrit: il constitue un tableau d'enseignement élémentaire comme le Ms. 1087 de Berkeley. Justification: 195 × 126 mm. Écriture peu régulière tracée in campo aperto, sans lignes. Peut-être anglaise. Origine: une école insulaire. Main guidonienne et éléments solfégiques tirés d'Hermann Contract et de Guy d'Arezzo.

recto   Main guidonienne avec notation littérale partiellement doublée: $\Gamma - \frac{d}{d}$ et, d'une autre main, h – p, correspondant à b – $\frac{a}{a}$ de la première. Ces notes alphabétiques sont en relation avec la portée, comme dans le manuscrit d'Erfurt, Amplonianum 8° 93 (Smits van WaesbergheM, Abb. 77). Pouce: „Γ g in linea. gama ut; A a in spatio, a re; B in linea b mi." Base de l'index: „C in spatio C fa ut." Base du medius: „D in linea, D sol re." *etc.*
         Dans l'angle supérieur gauche, mention des trois hexacordes: „In C natura. F bimol. g B (?) bidura.
         En haut de la paume, liste des tétracordes: „Quatuor graves, quatuor finales, quatuor acutae, quatuor superacutae, tres excellentes."
         A la base du pouce: „Monocordum Boetii seu veterum per litteras minio factas exprimitur. Quatuor principales, quatuor medie, quatuor disjunctae, tres excellentes." (Cf. GS II, p. 293.)
verso   Dessin représentant la Musique échevelée, tête couronnée, assise sur un siège en X à accoudoirs cynocéphales, tenant un instrument de musique (monocorde?) portant sur son coté des lettres et des syllabes de solmisation:

A	B	C	d	e	f	g	a	b	c	d
ut	re	mi	fa	sol	fa	sol	fa	mi	ut	re

         Faute de place, les deux dernières syllabes ont été écrites au dessus des doigts de la main gauche prêts à pincer la corde.

En haut à droite, définition de la musique: „Musica est vocum moderatio hoc est consequens motio." (Cf. CS II, p. 79a.)

Au milieu de la page: Listes d'intervalles: „Unisonus, Semitonius, Tonus, Semiditonus, Dytonus, Dyatessaron, Dyapente, Dyapason, Semitonus cum Dyapente, Tonus cum dyapente." (Cf. Micrologus, diagramme de la fin du cap. XVI: GS II, p. 18; CSM. 4, p. 184. Le tableau ajoute Unisonus en tête et les intervalles composés à la fin.)

„E unisonus. S Semitonus, T Tonus, T^s Semidytonus, TT (enlacés) Dytonus" *etc.* (notation intervallique d'Hermann Contract: les symbôles sont déformés).

„Posite, Preposite, Supposite, Interposite, Apposite, Myxte" (cf. Micrologus, *ibid.*: le terme „posite" a été ajouté ici à la liste usuelle).

En bas, à droite: „Junguntur ipse sibi altera alteri. Similiter et dissimiliter. Secundum laxationis acuminis augmenti detrimenti modorumque varias qualitates" (cf. *ibid.* et l'apparatus critique pour les variantes).

Michel Huglo, „Bibliographie des éditions et études relatives à la théorie musicale du Moyen Age", AMl LX (1988), 252.

WASHINGTON (DC), Library of Congress, Music Division   ML 171 J 6 Case

XVe s. (1465–1477). 200 f. papier (blanc de 173 à la fin) 200 × 145 mm. Reliure ancienne de cuir noir portant des dessins géométriques ciselés. Sur les deux plats et comme feuilles de garde, fragments d'homéliaire à deux colonnes de 32 lignes (écriture de l'Italie du nord, XIe siècle). Justification: 122 × 83 mm. Écriture humanistique, commençant à la seconde ligne de la règlure. Deux scribes: le principal, fr. Johannes Franciscus de Papia, moine de St. Giorgio de Venise, signe la plupart des traités (cf. f. C v^o (1477), 47 (1465), 56, 79 (1465), 95v, 98, 102, 119, 155). Le second scribe, qui détache toutes les lettres, n'a fait que quelques petits compléments et a achevé le manuscrit. Initiales et pieds de mouche rouges. Les petites initiales au début de chaque phrase portent une touche jaune, jusqu'au f. 122 seulement. Quelques pages sont encadrées (f. 1, 81 et 112). Notation musicale carrée et notation mesurée de l'ars nova (voir plus loin l'analyse). Origine: S. Giorgio de Venise, suivant le collophon du second feuillet: „Ipsa ego sum Johis francisci p ///// t /// (Preotoni) ex scripta in usum..." Provenance: de 1489 (f. y) à 1507 (f. 119), le manuscrit a appartenu à Fassoni Fassati, étudiant à Pavie Le manuscrit est passé ensuite entre les mains de F. Passi, dans la bibliothèque d'une famille piémontaise. Il a enfin appartenu à Walter Toscanini. Collection de traités d'astronomie et de musique: auteurs du XIIIe au XVe siècles.

x–h   Table des planètes. Tables pascales de 1400–1931. Main pour déterminer la lettre dominicale.

hv°–47   Marchettus de Padua, Lucidarium.
                hv–k: *capitula*. k: „Incipit epistola Marcheti de Padua. Magni-
                fico et potenti domino suo...“ 47: Expl. „... per suum nuntium
                practicari. Et hec de musica plana dicta ibi sufficiant. Explicit.
                Explicit lucidarium Marcheti de padua quod scripsit dnus Johan-
                nes franciscus de papia monachus Venerabilis cenobii sancti
                Georgii de Venetiis. 1465“ (GS III, p. 65–121; éd. Herlinger₁, p.
                68–550).
                47v „Hic continentur manus graeca latina atque contrapuncti. G
                gama ut . A pro A re. Be de ♮ mi ... de pro tri fa sol la ut re mi fa
                sol la.“

47v–56   Jean de Murs, Libellus cantus mensurabilis.
                Inc. „Ex tractatu magistri Johannis de Muris de practica arte
                mensurabilis cantus. (48) Quilibet in arte practica mensurabilis
                cantus erudiri mediocriter affectans...“ 56: Expl. „... in arte
                practica mensurabilis cantus volentibus introduci. Gratias Deo
                refferamus nostro. Explicit ars cantus mensurabilis secundum
                magistrum Johannem de Muris quam scripsit domnus Johannes
                franciscus praeotonus papiensis, monachus ... sci Georgii de
                Venetiis...“ *etc.* (CS III, p. 46–58).

56–70   Jean de Garlande, Tractatus de musica plana.
                „Ex tractatu magistri Johannis de Galadia de musica plana“ Inc.
                „Pro introductione artis musicae. Primo videndum est quod est
                introductio caeteris pretermissis...“ 70: Expl. „... et si cantus
                medietatem utriusque incipiat, tunc proprie dicitur esse mixtus
                et non aliter. Explicit ars cantus plani magistri Johannis de Gala-
                dia quam scripsit domnus Johannes franciscus de Papia
                monachus monastici sancti Georgii de Venetiis. 1465, die sancti
                Syri.“ (CS I, p. 157–168a.)
                70: „Aliquae regulae utiles in cantu firmo sive plano. Nota quod
                cantus ascendit ab E grave vel G grave vel a A acuto usque ad B
                acutum...“ 70v: Expl. „... vocibus ascendunt quamvis totidem
                subibunt. Explicit.“

70–74   Tractatus de diversis figuris.
                „Incipit tractatus diversarum figurarum per quas diversi modi
                discantantur non sequendo ordinem tenoris id est alterius tempo-
                ris secundum Egidium monachum. Prologus incipit. Quoniam ut
                Deo placuit scientiam musicae in corda desiderantium...“ 71:
                Expl. „... imperfectum relictum fuit per successores reforme-
                tur.“

„De figuris traditis a magistris" Inc. „Nunc itaque succesive figure..." 74: Expl. „... pro duobus temporibus novem semibreves
vacue. Ut hic de tempore perfecto maiori" (L'explicit, écrit en
rouge, est suivi d'exemples notés: éd. Schreur, p. 66–102.)

74–79   Extrait du traité d'Egidio da Murino et tableau de neumes.
„De modo componi tenores motetorum. Capitulum quartum."
Inc. „Primo accipe tenorem alicuius antiphonae vel responso-
rii..." 78v: Expl. „... Et quando finitur in la debet esse quinta
et retro clausum. Deo gratias." (CS III, p. 124–128.)
79: „Eptahitus (*sic*), Strophicus, Punctus..." (exemples de chaque neume noté sur lignes). Expl. „... Neumarum signis erras
quam plura refingis. Deo gratias. Amen. Explicit tractatus magistri Egidii mensurabilis cantus quem scripsit domnus Johannes
Franciscus... Sci Georgii Venetiis 1465" (Cf. HugloN, p. 57.)
79: „Superius dictum est de aug(u)mentatione atque diminutione
figurarum..." „De modo discantandi quod dicitur secundum gal-
licos vulgariter ‚trayner'" (cf. f. 74). 79v: Expl. „... semibreves
vacua ut hic infra patet" (exemples notés).
80: blanc.

80v   Main solfégique: „Haec est manus Boetii."

81–95v   Johannes de Anglia, Tractatus de arte contrapuncti.
„Incipit primus tractatus de arte contrapuncti secundum venerabilem priorem dominum Johannem de Anglia quem ipse direxit
ad venerabilem monachum domnum Johannem franciscum de
preotonibus de Papia et ut melius adiscatur atque intelligatur in
lingua materna descripsit ac notavit ponendo tenorem in nigro
colore et contratenorem in rubeo. Et primo de primo gradu. Dico
chel contrapuncto richede avere quatro cose cioe voce, consonantia, grado e prolatione..."
95v: Expl. „... post unam consonantiam perfectam debemus
facere imperfectam. Explicit su(m)ula de arte contrapuncti quam
scripsi don Johannes franciscus preottonus de papia ad laudem
dei. Amen."

96–98   Traité de chant mesuré.
„Incipit brevis sum(m)ula de arte mensurabilis cantus. Primo et
ante omnia scire debes quod quinque sunt figurae notularum in
musicha. Prima vocatur minima..." 97v: Expl. „... Pontus con-
cordantiae seu organi (98) Explicit ars musicae sub brevi quam
scripsit don Johannes franciscus..." *etc.*

98   Vers sur les hexacordes.
„Guido monachus composuit" (en rouge).

Inc. „His sex formantur...“ Expl. „... C naturam. F quoque. b molle. Amen.“

98v–100   Diagrammes en forme d'arbres indiquant la division de la maxime suivant les prolations et les temps.

100v–102v   Main guidonienne dessinée par Johannes Franciscus Preotonus, accompagnée des vers: „A quodlibet intellige tonum...“ et suivie de brefs commentaires: (101) „Ratio Guidonis monachi“ (en rouge). Inc. „Nota quod 22e litterae sunt in manu Guidonis...“ 101v: Expl. „... secundum rectum vocabulum grammaticalem ponitur dia pro duo. Explicit.“ 101v: De formationibus tonorum. Primus tonus continet suam undecimam aliquando. Secundus tonus suam nonam...“ 102: Expl. „... bene si canere voles. Explicit summula Manus Guidonis monachi quam scripsit don Johannes franciscus...“ *etc.* 102 „Versus. Inpares ut plurimum ascendere debent...“ 102v: Expl. per tres, per quatuor vel quinque notas.“

102v–109   Pierre de St. Denis, Traité de musique mesurée.
„Incipit tractatus fratris Petri de sancto Dionisio qui est in duas partes divisus in theoricam scilicet et praticam...“
109: Expl. „... Longa autem simplex valet tria tempora si est de modo perfecto ut hic (exemple noté). Explicit pars cantus fratris Petri de sancto Dionisio quam scripsit don Jo franc. preottonus de papia.“ (GS III, 313a–314b; CSM 17, p. 47–63, 147–166; dans la marge de tête du f. 108: „Petrus de sco Dionysio.“)

109v–110   Chant à 3 voix (cantus, f. 110; tenor, f. 109v en rouge; contratenor, en noir): *„Ubi karitas et amor“.* (Cattin, Tav. I; RISM B IV 4, p. 1173.)

110v   Chant avec notation mesurée de l'ars nova: „Jesu dolce o infinit amor“ RISM B IV 4, p. 1173; Cattin, Tav. II.
111 et 111v: blancs.

112–118v   Collection de traités de contrepoint.
112r–v: „Tractatus Johannis de Muris de Arte contrapuncti.“
Inc. „Quilibet affectans scientiam contrapuncti diligenter scribat quae secuntur per Johannem de Muris sumaria compilata primo sciendum enim est quod supra octava non est species...“
112v: Expl. „... ad presens de contrapuncto dicta sufficiant“ (CS III, p. 59a–60.)
112v–114: Inc. „Cum notum sit omnibus cantoribus mensurabilem artem musicae a plana originem sumere...“ 114: Expl. „... in omnibus motetis et aliis.“
114–117v: „Sequitur de eius minutione in pluribus. Est sciendum

quod contrapunctus aut fit in tempore perfecto maiori aut in tempore perfecto minori" (Exemples notés en rouge et noir). 117v: Expl. „... et quere diminutiones ipsius." (CS III, p. 60a–68.)
117v–118: „Sequitur de tertio membro huius artis. Nota quod unisonus de *ut* (écrit en rouge) est simile ut, tertia est mi..." 118: Expl. „... Decima est fa. Duodecima est la."
118: „Videamus nunc species contrapuncti." Inc. „Species contrapuncti sunt novem videlicet unisonus..." 118v: Expl. „... imperfecta sunt Tertia, Sexta, Decima. Et tridecima. Explicit tractatus magistri Johannis de Muris quem scripsit don Johannes franciscus..." etc. (Cf. CSM 17, p. 36.)
(D'une autre main) „Sorte supernorum scriptor libri potiatur. Morte infernorum raptor libri moriatur. Iste liber est mei Fassoni Fassati ex dominis Cuniolii patria Montisferrati in alma Ticinensi Academia juris insudantis ..." etc. (Cf. Census I, p. 245).

119v–128	Chants à deux voix (cantus sur la page de gauche; discantus sur la page de droite): *Sanctus, Agnus Dei.* 121v–122: *Benedicamus Domino.* (Facsimilé dans *Quadrivium*, VII (1965–66), Tavole 3–5.)

122v: Motet à la Vierge: *„Cum autem venissem ad locum ubi crucifigendus erat filius meus..."* (Cf. G. Cattin, Tav. III et IV; RISM B IV 4, p. 1110, n°8.)
126v: Répons à deux voix pour la Depositio du Jeudi-saint: *Sepulto Domino.* (RISM B IV 4, p. 1175; Cattin, Tav. V.)

128v–133	Traité en italien sur l'écriture et la forme des lettres.
133v–137v	blancs

Écrits de Guy d'Arezzo.

138–155	Guy d'Arezzo, Micrologus.

„Incipit Michrologus id est brevis sermo in musica editus a domno Vuidone musico. Gymnasio musas ... (Expl.) ... qui carmine finxi" – „Divini timoris..." 155: Expl. „per cuncta viget in secula. Amen. Explicit ars musicae Guidonis quam scripsit dom Johannes Franciscus ... secundo martii" (GS II, p. 2–24; CSM 4, p. 79–233.)

155v–157v	Guy d'Arezzo, Prologus in antiphonarium.

„Incipit antiphonarium dicti domini Guidonis" Inc. „Temporibus nostris super omnes homines..." 157v: „... ex industria componantur." (GS II, p. 34–37a; DMA. A. III, p. 59–81).

157v–159	Guy d'Arezzo, Epistola ad Michaelem (extraits).

Inc. „Qui vero monochordum desiderat facere..." 158: Expl. „... studeat intelligere" (GS II, p. 46a). 158: Inc. „Ad inveniendum igitur ignotum cantum..." 159: Expl. „... in qua neuma finita est" (GS II, p. 44b–45b.)

(D'une autre main et d'une encre pale:) „Hic finis libri."

158v–164v   Blancs, sauf au f. 160 (six vers italiens: „Calmetta").

165–170v   Guy d'Arezzo, Regulae rhythmicae.

„Incipiunt rithimi don Vuidonis Musici de gretia et primo de plana musica in monochordo. Musicorum et cantorum magna est distantia..." 170v: Expl. „Quin sit idem semper melum in una et altera." (GS II, p. 25–33; DMA. A. IV, p. 94–126.)

170v–171   Opuscules sur les tons et les intervalles.

„De tonis et quid sit diapason, diapente diatessaron et quid sit tonus" (en rouge). Inc. „Omnes autenti quinto loco a se principia..." Expl. „... usque ad subpositum semitonium et tritus deponuntur." (Cf. CSM 4, p. 71.)

171: Inc. „Discipulus. Diapason quid est? Magister. Diapason est quaelibet vox..." 171v: Expl. „... et fines distinctionum partium atque syllabarum." (Cf. CSM 4, p. 71.)

171v–172   fin des Regulae rhythmicae.

„Feci regulas apertas et antiphonarius..." 172: Expl. „... gloria sit domino. Amen." (GS II, p. 33; DMA. A. IV, p. 127.)

172–172v   Epilogus rhythmicus.

Inc. „Ars humana instruit loquelas..." 172v: Expl. „... dum carent proportionibus." (CS II, p. 110–111a.)

173–187   Blancs

187v   „A fare ormare quando no se po..."

Census I, p. 244–245; II, p. 2254. – Paolo Guerrini, „Un codice piemontese di teorici musicali del Medioevo", *Rivista musicale italiana*, XXXIV (1927), 63–72. – CSM 4, p. 68–71. – Michels, p. 27, 40, 124 (sigle W). – Erich Reimer, *Johannes de Garlandia, De mensurabili musica*. Teil I: *Quellenuntersuchungen und Edition*, (Wiesbaden, 1972) p. 8, n. 56. – CSM 17, p. 35–36. – RISM B/IV/4, p. 1173–1175. – DMA A.III, p. 50–51. – F. Alberto Gallo, „Cantus planus binatim", *Quadrivium* VII (1965–66), 84 ss. (Pl. III–V: ff. 119v–122). – Giulio Cattin, „Polyphonia quattrocentesca italiana nel Cod. Washington, Libr. of Congress ML 171 J 6", *Quadrivium*, IX (1968), 87–102, Tav. I–V. – Id., „Il presbyter Johannes de Quadris", *Quadrivium*, IX (1968), 40 et 47. – SachsC, p. 205–206 (sigle W). – Herlinger_L, p. 59–61. – DMA A.IV., p. 85–86 (sigle Wa). – Schreur, p. 55–58. – Daniel S. Katz (éd.), *Libellus cantus mensurabilis secundum Johannem de Muris* (in progress). – BernhardCC, p. 3, 11, 17–18.

WASHINGTON (DC), Library of Congress, Music Division
ML 171 R 32 Case

Fin XVe s. 23 f. Papier avec filigrane (sphère tronquée). 136 × 105 mm. Quaternions signés au début de chaque cahier: 6° q (f. 29), 7° q (f. 37). Les cinq premiers cahiers sont perdus: la foliotation commence à 29. Reliure cartonnée de couleur verte, dos de cuir noir avec titre: REGOLE MUSICALI. Écriture humanistique italienne de la fin du XVe siècle, 22 à 23 lignes par page. Touches jaunes sur les petites initiales; les titres et sous-titres d'un rouge très pale. Origine italienne. Provenance: vendu par un libraire parisien au XIXe siècle d'après l'extrait de son catalogue collé au verso du plat supérieur: „n° 629 – Bonaventura da Brescia . . . 80 frs." Traités de plain-chant et de polyphonie.

29–38v	Traité de plain-chant. anonyme (attribué à Bonaventure de Brescia, f. de g.)
	„Incominciamo certe Regole musicale esposte da uno frate dell'Ordine dei Minori dell'Osservanza assai utili per le cominciantii."
	Inc. „L'arte di questa scientia ha origine overo principio el suo fondamento nella mano sinistra secondo Guidone."
	38v: Expl. Tableau des aspects de quarte, de quinte et d'octave (notation carrée sur portée de 5 lignes noires).
39–50v	John Hothby, La Calliopea legale (sans titre).
	Inc. „Le parti della musicha sono 4, cioe phtongo, articulo, membro maggiore et compositione. . ." (Les divisions du texte sont indiquées par une lettre suivie d'un chiffre.) 50v: Expl. „Nota che havemo tre spetie di mutatione perfettissima, perfetta, imperfetta . . . in descensu autem sono perfette." E. de Coussemaker, *Histoire de l'harmonie au Moyen-Age*, Paris, 1852, p. 297–349 (le ms omet les §33–125 de cette édition et présente beaucoup de variantes). – Raymund Schlecht, *Calliopea legale per Maestro Giovanni Anglico Octobi Carmelita*. Separat-Abdruck aus *Caecilia. Organ für katholische Kirchenmusik*, 1874, p. 2–16 (avec les variantes d'un ms de Venise). – Albert Seay, art. „Hothby (John)" dans *The New Grove* 8, p. 730.
51	*Pange lingua gloriosa* (sic) *Corporis misterium* (incipit de l'hymne de la Fête-Dieu, sans notation).

Census II, p. 2258. – Anton Wilhelm Schmidt, *Die ,Calliopea legale' des Johannes Hothby. Ein Beitrag zur Musiktheorie des 15. Jahrhunderts* (Leipzig, PhD, 23. November 1897), p. 10–11. – ReaneyM, p. 120.

WASHINGTON (DC), Library of Congress, Rare Book Division   Ms 100

XIIIe–XIVe s. 266 f. Parchemin foliotés en chiffres romains. 250 × 180 mm. Reliure toilée, coins et dos veau brun clair. Au dos, l'étiquette de l'ancienne reliure du XVIIIe siècle: „DE RERUM PROPRIETAT. BARTOLOMEUS ANGLICUS". Justification: deux colonnes de 190 × 53 mm. Écriture universitaire du XIII–XIVe siècle, texte serré avec nombreuses abréviations et Nota en marge à chaque page. Au f. XXVI, col. b, changement d'encre et changement de main: les notes marginales se poursuivent. Initiales alternativement bleues ou rouges, avec filigrane rouge ou bleu en gerbe. Provenance: La Chartreuse de la Trinité à Dijon (f. 1 en bas); Pierre de la Villette (f. 1 en bas; 265v, col. b et 266v): même provenance que le ms 2 de cette même bibliothèque. Au siècle dernier, le ms faisait partie d'une bibliothèque anglaise (armoiries non identifiées au verso du plat supérieur). Il fut enfin acquis par la bibliothèque du Congrès en 1933. Bartholomée d'Angleville, „De proprietatibus rerum libri XIX.“ Les derniers chapitres concernent la musique.

Pour la traduction francaise de Jehan Corbechon, voir Camarillo, St. John's Seminary, Collection Estelle Doheny, Ms 6809; New York, Pierpont Morgan Library, M 537. – Pour la traduction anglaise de John of Trevisa, voir New York, Columbia University, Collection George A. Plimpton 263; Pierpont Morgan Library, M 875 (décrits ci-dessus).

263v–265b   Instruments de musique: „Tuba ... Buccina ... Tybia ... Calamus ... Fistula ... Armonica ... Tympanum ... Cythara ... Psalterium ... Lira ... Cimbala ... Sistrum ... Tintinabulum...“ – 264 col b: Les consonances.

Census I, p. 237, n. 129; CensusS, p. 120, n. 100. – Müller, p. 241–255. – *Scriptorium*, 1981/2, Bulletin codicologique, n° 810. – Salvat, p. 345–360.

APPENDICE

CAMARILLO (CA), St. John's Seminary, The Estelle Doheny Collection
MS 6809

XVe s. (ca. 1440). 352 f. velin, non foliotés. 405 × 275 mm à deux colonnes. Composition: 46 cahiers réguliers avec signature d'époque; reliure ancienne restaurée par Lakeside Press à une date inconnue.

Justification: 265 × 175 mm. Écriture sur deux colonnes de 265 × 85 mm, des environs de 1470, à raison de 50 lignes par page.

La décoration est composée de onze miniatures: la première, à quatre panneaux repré-sente la Création du monde; au quatrième panneau, le peintre a représenté Jean Tenon ou bien le traducteur Jean Corbechon offrant son livre à Charles V assis au milieu de ses courtisans. Origine: Nevers(?) ou peut-être Bourges. Le livre a été executé pour Jean Tenon, avocat général de Jean Bourgogne, comte de Nevers. Après la table des auteurs ci-tés, vient la mention suivante de la traduction: „Ce livre des Propriétéz des Choses fut translaté de latin en francais l'an de grace Mil CCC LXXII par le commandement de très puissant et noble prince Charles le Quint... Et le translata son petit et humble chappe-lain frère Jehan Corbechon de l'ordre saint Augustin, maistre en theologie de la grace et promotion dudit prince tres excellent. Deo gracias." Suivent trois notices de différentes mains: un ex-libris en francais de [Jehan] Tenon, daté de 1481; une note en latin, du 19 janvier 1502, sur Guillaume Tenon; enfin (col a, en bas), une notice historique du XVIème ou XVIIème siècle sur la famille Tenon: „Ce livre vient de pere en fils de la tres noble et tres ancienne famille des Tenons tous issus de ce grand vis-chancelier Robert Tenon, chevalier qui gouvernait tout en Bourgonne soubs Hugues quatriesme du nom ducs du dist pais qui vivait l'an 1228 (...)." Provenance: Zeitlin et Ver Brugge a Los Angeles en 1955.

Le manuscrit a été decrit sur place trois ans avant sa mise en vente par Christie's à Londres, le 2 decembre 1987. Il a été acquis par le collectionneur norvégien Martin Schoyen.

[362]–364   Le livre de propriété des choses, traduction francaise de Jean Corbechon: Livre XIX, chap. 132–147 de la musique. c. 132: De la différence des voix et des sons. c. 133: De la mélodie des instru-ments organiques. c. 134: De la trompe. c. 135: De la busine. c. 136: D'un instrument appelé thibie. c. 137: Du challemel. c. 138: De la sambue. c. 139: Du tabour. c. 140: De la symphonie. c. 141: De la guisterne. c. 142: Du psalterion. c. 143: De la harpe. c. 144: Du leut. c. 145: Des symballes. c. 146: De la sonnette. c. 147: Des autres proportions des nombres.

Census S, p. 14 n. 63. – Léopold Delisle, *Recherches sur la librairie de Charles V*, Tome I (Paris, 1907), p. 230–235. – Robert Bossuat, *Manuel bibliographique de la littérature française au Moyen-Age* (Melun, 1951), n. 5515 ss. – Donal Byrne, „The Boucicaut Master and the Iconographical Tradition of the *Livre de propriete des choses*", *Gazette des Beaux-Arts* (1979), p. 149–164. – Isabelle Hottois, *Iconographie musicale dans les manuscrits de la Bibliothèque Royale Albert Ier.* (Bruxelles, 1982), p. 37, n. 55 [manuscrit 9093, identique a celui-ci]. – Christiane Van Den Bergen et Pierre Cockshaw, Réédition de Gaspar Lyna, *Les manuscrits à peintures de la Bibliothèque Royale de Belgique*, I (Bruxelles, 1985), notice 151 [manuscrit 9093]. – Christie, Manson and Woods, Ltd. *The Estelle Doheny Collection*, Part 2: *Medieval and Renaissance Manuscripts*. London, Wednesday Dec. 2, 1987, lot 165 (p. 81–83, avec facs. des miniatures des ff. 153 et 104v).

MALIBU (CA), The J. Paul Getty Museum
MS. Ludwig XII 1 (Phillipps 16278)

392 (compartiment supérieur du dos) 229 / Libri 229 (compartiment inférieur du dos et feuille de garde) 16278 (étiquette Phillipps au dos).
IXᵉ s. (860–900). 109 f. Parchemin. 245 × 180 mm. Cahiers réguliers, non signés. Reliure formée de plats cartonnés recouverts d'une feuille de cuir. Titre du dos: „Opera Cassiod". Justification: 195 × 130 mm, 21 à 28 lignes par page. Écriture du troisième tiers du IXᵉ siècle. Les titres des chapitres sont tracés en sépia foncé: ils manquent à partir des f. 64–74. Nombreux diagrammes récapitulatifs en forme d'araignée. Origine: Auxerre, selon Bernard Bischoff, probablement à l'époque d'Heiric (843–876). Provenance: le manuscrit a appartenu au peintre G. Bouché qui le donna en souvenir à Alexandre Dumas (f. 1, marge de pied). Après la faillite de l'écrivain, le ms. fut adjugé au libraire Baillieu, Quai des Augustins, qui le vendit à Libri, le 3 février 1852 (f. de g., verso). Le ms. reçut le nᵒ 229 de sa collection (f. de g. recto). A la vente Libri, le livre fut acheté par Sir Thomas Phillipps (Ms 16278 de Cheltenham). Il fut revendu par Kraus en 1979 à Peter Ludwig dont la collection fut rachetée en 1983 par le Musée J. Paul Getty. Le manuscrit a été revendu par Sotheby le 6 décembre 1988. *Institutiones* de Cassiodore suivies de textes relatifs à la Musica.

74–79	Cassiodore, De musica disciplina (*Instit*, IIv).
	Titre et incipit rubriqués manquent. Inc. „[Nunc veniamus ad Musicam] quae ipso nomine et propria virtute..."
	79: Expl. „... transcriptum reliqui." (Mynors, p. 142–150.)
100v–104v	Extrait d'Augustin, „De Musica" (I xi 19 – xij 26).
	Titre rubriqué de l'extrait manque. Inc. „Ab ipso principio numerorum capiamus considerationis exordium..." 104v: Expl. „... haberi quam caeteris numeris convenit." (Finaert-Thonnard, p. 68–82.)
	Suit un extrait du „De ordine" (sans titre rubriqué): „Nonne hic quoque ordo ipse laudabitur in Musica, in Geometrica..."

108v   Poème anonyme sur les quatre vents.

Titre et incipit rubriqués manquent: ils sont supplées ici par le texte de Valenciennes 172, f. 80v.

[Diagramme: „Aut cantantium Aut tibizantium Aut citharizantium" Inc. „Quattuor a quadro consurgunt limite] Venti hii quoque sex gemini dextra laevaque..." Expl. „Argestenque Grai vocitant cognomine [prisco]." D. Schaller, *Initia carminum* n° 13113/13119 (renvoi aux éditions). Le dernier mot (prisco) et le bas de la page, juste au dessous du dernier vers ont été découpés au rasoir.

Le même poème avec son titre complet figure dans le ms. Ludwig XII 6, de Laon (cf. facs. au t. 3 du Catalogue Van Eeuw, p. 146) et dans Valenciennes, Bibl. municipale 172, f. 80v (Éd. J. Mangeart, *Catalogue* ... p. 150).

Van Eeuw III, p. 137–140; facsimilé, p. 139 (= f. 17). – Catalogue de vente Libri, p. 76, n° 841. – Heinrich Schenkl, „Bibliotheca Patrum latinorum britannica", *Sitzungsberichte der königlichen Akademie der Wissenschaften zu Wien*, CXXVII (1892), IX. Abhandlung, p. 52 (sur le florilège). – *Bibliotheca Phillippica*. MSS on Vellum and Paper from the celebrated collection formed by Sir Thomas Phillipps. The Final Selection (New York: H.P. Kraus, 1979), p. 8–9 et 138–139. – Munby4, p. 198. – *The J. Paul Getty Museum Journal*, 12 (1984), p. 298 (Acquisitions 1983). – R.A.B. Mynors, *Cassiodori Senatoris Institutiones* (Oxford 1937), p. XXXI. – *Karl der Große*. Ausstellung Aachen, 1965, II, p. 46 (notice de B. Bischoff). – Nancy Phillipps, *Musica et Scolica enchiriadis. Its Literary, Theoretical and Musical Sources*. PhD Dissertation New York University, 1984, chap. VIII et p. 539. – Nancy Phillips et Michel Huglo, „Le *De musica* de St. Augustin et l'organisation de la durée musicale du IXe au XIIe siècle", *Recherches augustiniennes*, XX (1985), 119, n. 9. – [Christopher de Hamel]. *Sammlung Ludwig. Eight Highly Important Manuscripts. The Property of the J. Paul Getty Museum.* London, Tuesday 6th December 1988 at 11 AM., p. 51–56, n° 34 (avec 3 facsimilés).

NEW YORK (NY), Kraus   [olim Gutenzell, Törring 57]

XIe s. (1030–1070). 24 f. non foliotés. 225 × 175 mm. Libellus formé de trois quaternions réguliers sous reliure cartonnée, couverte de papier jaune orangé avec étiquette „Nr 57". Justification: 165 × 100 mm. Écriture allemande du deuxième tiers du XIe siècle; 20 lignes par page. Initiales de l'adresse (DNO) en lettres entrelacées rouges ornées de rinceaux à l'intérieur. Neumes allemands sur les pièces liturgiques citées en exemple (f. 13v–14) et sur les formules types à la fin du texte (f. 22v–23 = GS II 79A): neumes de l'Allemagne du Sud. A la fin (f. 24v), diagramme à pleine page representant le Grand Système parfait. Origine probable: le sud de l'Allemagne, d'après un modèle de Reichenau (lettre de B. Bischoff du 03/09/1986). Nombreuses annotations marginales en lettres latines et grecques. Au f. 6, renvoi à Boèce et, au f. 12v, à Glarea[nus] (1488–1563). Ces annotations ont été attribuées par le Catalogue de Sotheby à Sigismond

Scheuffler (1475–1522) de Freising. Provenance: D'après l'ex-libris de Joseph August Törring, le manuscrit 57 – comme son semblable, le ms. 58, également déposé chez Kraus – a été conservé au chateau de Gutenzell, près d'Ulm, depuis 1780 environ. Découvert vers 1950 par le Dr. Hans Schmid; vendu à Sotheby en 1983/84 par la Törring-Verwaltung. Le manuscrit, appartenant à un collectionneur privé, a été décrit sur place à New York au cours de son dépôt chez H.P. Kraus, en janvier 1987. Il contient uniquement la „Musica Bernonis", version non interpolée.

1r	(Addition de la fin du XIe siècle) Table de conversion des monnaies antiques.
1v	Titre en petites capitales rustiques rubriquées: „Incipit Epistola Bern Abbatis ad Archiepm Piligrinum."
2–3v	Lettre-préface de Bernon de Reichenau adressée à Pilgrim, archevêque de Cologne.
	Inc. „Dno D(e)oq(ue) dilecto archipresuli Piligrino viro mundi hujus advenae et peregrino. Bern licet parvus meritis..."
	3v: Expl. „... in civitate Dei nostri in monte sancto ejus" (GS II 62a–63b, l. 4).
3v–23v	Musica Bernonis ou Préface du tonaire de Bernon.
	Titre: „Orditur Proemium subsequentium tonorum."
	3v: Inc. „Omnis igitur regularis monocordi constitutio..."
	23v: Expl. „... iam desinam multa loqui ut finis sit prologi" (GS II 63B–79B, sans les interpolations indiquées par Oesch, p. 84–113, completé par Smits van Waesberghe, DMA. A. VIb, p. 27).
24	Diagramme du Grand Système parfait. Les degrés commencent en haut: ils sont designés par leurs noms grecs et par des lettres latines de A, pour le Proslambanomenos, à Q pour la Nete hyperboleon; la Paramese est designée par K et non par I (Facsimilé dans le Catalogue cité de Sotheby au n. 52). Des arcs de cercles délimitent les cinq consonances (diagrammes analogues dans les manuscrits de la „Musica Bernonis" de Kassel, Landesbibliothek 8° Mss. Math 4 et Munich Clm 18937).

Western Manuscripts and Miniatures, Sotheby and Co, 25 June 1985, éd. Christopher de Hamel, notice n. 52, avec facsimilé du f. 24. – *Times Literary Supplement*, n. 4294 (19th July 1985).

INDEX

L'Index ne relève en principe que les noms des théoriciens de la Musique suivi du titre de leurs traités. On a cependant ajouté le nom des écrivains et le titre de leurs ouvrages littéraires ou scientifiques, lorsque ceux-ci sont explicitement mentionnés dans les analyses de manuscrits. Les noms des copistes et des anciens possesseurs de livres manuscrits, ceux des imprimeurs ayant publié des traités de musique figurant au milieu des recueils de textes manuscrits et imprimés ont également été introduits dans l'Index. Les noms d'auteurs médiévaux et le titre des traités ont été habituellement cités en latin, selon les normes du *Lexicon Musicum Latinum Medii Ævi* édité par Michael Bernhard (Munich, 1992), p. LXVII–XCIV.

The following index mainly lists the names of music theorists and the titles of their treatises. Names and titles of literary or scholarly works are listed only if explicitly mentioned in the manuscript description. The index also includes the names of copyists, previous owners of the manuscripts, and printers of music treatises insofar as the printed texts have been bound in the individual collections. When appropriate, the names of medieval authors and the titles of treatises are indicated in Latin, following the principles of the *Lexicon Musicum Latinum Medii Ævi* (Michael Bernhard, ed., Munich, 1992), p. LXVII–XCIV.

Das folgende Register verzeichnet in der Hauptsache die Namen der Musiktheoretiker und die Titel ihrer Traktate. Namen der Verfasser sowie Titel von literarischen oder wissenschaftlichen Werken sind nur dann aufgeführt, wenn sie in der Manuskriptbeschreibung eigens erwähnt sind. Ebenfalls in den Index aufgenommen wurden die Namen der Kopisten, der früheren Besitzer der einzelnen Handschriften und auch der Drucker von Musiktraktaten, soweit die gedruckten Texte in die einzelnen Sammlungen mit eingebunden sind. Die Namen der Musiktheoretiker des Mittelalters und die Titel der Traktate werden nach Möglichkeit gemäß den Regeln des *Lexicon Musicum Latinum Medii Ævi*, herausgegeben von Michael Bernhard (München, 1992), S. LXVII–XCIV, lateinisch zitiert.